# Les feuilles vertes de l'orge
## et les merveilles de la régénération naturelle

par Mary Ruth Swope, Ph.D.

# LES FEUILLES VERTES DE L'ORGE

## et les merveilles de la régénération naturelle

**par Mary Ruth Swope, Ph.D.**

*en collaboration avec David A. Darbro, M.D.*

# Les feuilles vertes de l'orge et les merveilles de la régénération naturelle

*Traduit de la version anglaise intitulée :*
*Green Leaves of Barley, Nature's Miracle Rejuvenator*

© 1994 Mary Ruth Swope, Ph.D.
Swope Enterprises, Inc.
P.O.B. 62104, Phoenix, AZ USA
85082-2104

ISBN 0-9698992-0-3

**Couverture :**
Région agricole de l'Outaouais québécois
**Photo :** Art Ketting

**Traduction et production graphique :**
AccuText, Ottawa (Ontario)

**Impression**
L'imprimerie Gagné, Montréal (Québec)

**Distribution au Canada et dans les pays francophones :**
Trak Consulting Inc.
13, promenade Evergreen
Nepean (Ont.) Canada
K2H 6C4
Télé
Télé            NUTRITION 2000
                1-800-486-0535

# Remerciements

C'est un immense plaisir pour moi d'avoir le privilège de partager les connaissances et l'expérience médicales de mon gendre, David A. Darbro, M.D., dans la présente édition des *Feuilles vertes de l'orge*. Fort de ses 25 années d'expérience en médecine – il a travaillé à rétablir la santé et le bien-être des gens par l'entremise de sa pratique clinique et des nombreux cours qu'il a donnés.

Les bibliothécaires des trois maisons d'enseignement méritent une mention spéciale pour leur extrême obligeance à trouver des ouvrages de référence – Florida Institute of Technology, à Melbourne, en Floride; Eastern Illinois University, à Charleston, Illinois; et l'Indiana University Medical School, à Indianapolis, Indiana. Je remercie tout spécialement les bibliothécaires Dr Robert et Carrie Chen, de Charleston, Illinois.

Ma reconnaissance va également à Beulah Nichols pour les détails sur la chlorophylle qu'elle a contribués et à Helen Lilly qui, à titre bénévole, a mis de l'ordre dans la section des témoignages.

Je tiens à remercier mes secrétaires, Gloria Armstrong et JoAnne Mick, qui ont fait des « millions » de corrections, ajouts et révisions sans perdre le sourire. Ma fille unique, Susan Darbro, a accepté avec grâce l'énorme tâche d'écrire deux chapitres – sachant fort bien que ses journées seraient entièrement occupées par mon adorable petit-fils de deux ans. Je lui suis profondément reconnaissante de son excellente contribution.

Miriam Champness a fait valoir ses compétences en rédaction et en révision durant les derniers jours d'écriture – offrant les conseils et l'encouragement nécessaires pour concrétiser cet ouvrage. Dale Stone a fait des suggestions inestimables qui ont permis d'améliorer l'exactitude professionnelle et grammaticale du manuscrit final. Julie Frahm a fait la composition finale ainsi que les dernières corrections d'épreuve.

Mes plus sincères remerciements vont aussi à Rob Kerby et à son personnel des plus compétents qui ont fait preuve d'une grande patience au moment de choisir les couleurs et les styles de la couverture, ayant relevé le défi que posaient les échéances et les tâches innombrables qu'exige la publication d'un livre.

J'aimerais également exprimer toute ma gratitude aux centaines de personnes qui ont répondu à mon questionnaire sur les feuilles vertes de l'orge ou qui m'ont transmis les témoignages que j'ai inclus, avec leur consentement, dans la seconde partie de ce livre.

À mon défunt mari, Don, un homme extraordinaire, et à mon fils, Stephen Cornwell, mes remerciements les plus chaleureux.

Un dernier point, mais qui est loin d'être le moindre : pour la force, la santé, la vie et les années d'éducation, tous indispensables à l'accomplissement d'une tâche de cette ampleur, je remercie Dieu.

# Table des matières

## ANNEXE A

## ANNEXE B

## ANNEXE C

## ANNEXE D

## ANNEXE E

## ANNEXE F

## ANNEXE G

## ANNEXE H

# Avant-propos

À mon avis, quelqu'un qui veut être en pleine santé et exempt de toute maladie doit étudier et mettre en pratique les principes de la nutrition fondés sur des preuves scientifiques. Il n'existe absolument aucun autre moyen de parvenir à un état constant de bien-être. Tous les processus de vie, de rajeunissement et de guérison sont intimement liés au travail des nutriments.

Le monde entier a servi de banc d'essai pour prouver ce concept. Ce que les êtres humains (ou même les animaux) ont l'habitude de manger et de boire peut servir à prédire avec une précision remarquable la durée et la qualité de leur vie, leur capacité de reproduction, leur taille, leur vitalité, les maladies qu'ils auront, leurs problèmes mentaux, leur productivité et ainsi de suite.

L'Amérique ne fait pas exception à la règle. Notre régime alimentaire au cours des cinquante dernières années a fourni des preuves convaincantes, pour ne pas dire irréfutables, qu'en adoptant un régime de moins bonne qualité que nos ancêtres, nous avons réduit notre niveau de santé.

Après avoir exercé la médecine familiale traditionnelle pendant quinze ans, j'ai commencé à étudier la nutrition. À ma grande surprise, j'ai découvert une surabondance de documentation médicale illustrant que les nutriments pouvaient être utilisés à titre de médicaments pour corriger des déséquilibres au niveau moléculaire, effectuant même un renversement des maladies dégénératives chroniques. Auparavant, j'avais utilisé les médicaments d'ordonnance à titre de principaux outils thérapeutiques.

J'ai observé avec grand plaisir l'amélioration de patients atteints de troubles comme le syndrome de la fatigue chronique, le Candida ou le syndrome néphrotique, ou encore de patients souffrant de troubles circulatoires ou digestifs, en faisant des nutriments la première ligne de défense. J'en suis venu à me considérer tout simplement comme le serviteur du « médecin à l'intérieur » du patient. Nous devons collaborer avec les lois de la nature et les principes innés auxquels le corps obéit pour se guérir lui-même. Je cite les paroles mêmes d'un médecin : «Si nous nous nourissons mal, aucun médecin ne peut nous guérir – si nous nous nourissons bien, aucun médecin n'est nécessaire ».

Le recours à la nutrition en médecine est un concept très ancien. Hippocrate, le « père de la médecine » a vécu de 460 à 377 avant Jésus-Christ. On lui attribue cette affirmation : «Les aliments sont votre meilleur remède et les meilleurs aliments sont les meilleurs remèdes ». Toutefois, je crois qu'Hippocrate est un grand homme car il a reconnu la nécessité de traiter la maladie en harmonie avec la nature. Selon lui, les forces naturelles innées sont les véritables sources de guérison des maladies.

Je suis persuadé que vous trouverez les renseignements contenus dans le présent ouvrage à la fois fascinants et utiles. Si vous êtes présentement aux prises avec des symptômes qui indiquent que votre santé est moins que parfaite, je vous recommande la médecine orthomoléculaire (nutrition) comme premier plan d'attaque pour améliorer votre état de santé. De fait, je suis d'accord avec Mary Ruth Swope pour dire que les jeunes feuilles tendres de l'orge sont un aliment qui recèle une puissance véritable. L'apport quotidien d'une ou deux cuillerées à thé (2 à 4 g) de feuilles d'orge pulvérisées offre un moyen abordable et facile d'améliorer la qualité de votre régime alimentaire actuel. Les cellules plus saines grâce à la bonne nutrition permettront à votre système immunitaire de mieux résister aux maladies qui font de si grands ravages dans notre société.

*David A. Darbro, M.D.*

# Introduction

Le roi Salomon de l'époque biblique a écrit, «De la création des livres, il n'y a pas de fin » (Ecclésiastique 12 :12). Si cela était vrai à son époque, imaginez l'amplification de cette vérité aujourd'hui tandis que des milliers de nouveaux livres sont publiés chaque mois dans notre seul pays.

Alors, pourquoi écrire ce livre ? Parce que, pour la première fois, des millions d'Américains se rendent compte qu'ils ne sont pas en très bonne santé. Ils se rendent également compte qu'ils ne comprennent pas vraiment comment cela s'est produit, et ils ignorent ce qu'ils doivent faire pour remédier à la situation.

Bon nombre de gens sont désabusés devant le recours aux produits pharmaceutiques qui caractérise la profession médicale, pratiquement à l'exclusion d'autres modalités de traitement. Nous espérons jeter un peu de lumière sur le sujet, afin d'aider le public en général.

Le présent ouvrage tentera de répondre aux deux questions suivantes : (1) qu'est-il arrivé à ma santé ? – et – (2) qu'est-ce que je peux faire pour l'améliorer ? – et se penchera tout particulièrement sur le rôle des feuilles vertes de l'orge à titre de **concentré alimentaire idéal** pour aider à corriger les problèmes d'origine nutritionnelle.

Traitant d'une vaste gamme de sujets qui ont pour point de mire les feuilles de l'orge, ce livre est de lecture facile et s'appuie sur des sources fiables, y compris les résultats de recherches récentes.

Le D$^r$ Darbro fait état de l'efficacité des modalités de traitement qui ont donné d'excellents résultats auprès de ses patients. Vient ensuite un chapitre où je fais part de mes impressions sur la façon dont le régime alimentaire moderne a influé sur la santé des Nord-américains. Nous sommes tous les deux persuadés qu'il faut attacher une très grande importance aux mesures préventives. Nous sommes persuadés que, si vous suivez nos conseils, vous pourrez vraiment « sentir une différence » dans votre état de santé.

# Partie 1

# Question résolue :
# le médecin « à l'intérieur »
# est le plus avisé

**Par David A. Darbro, M.D.**

Si par hasard vous n'étiez pas au courant de ce qui se passe dans le domaine de la médecine de nos jours, laissez-moi vous le décrire en deux mots : nous sommes en pleine guerre. Et comme il arrive presque toujours en pareille situation, chaque camp tient à sa cause dans l'esprit le plus patriotique qui soit, convaincu que le droit et la justice sont de son côté. Et, comme toujours dans la guerre, c'est un conflit d'une extrême gravité, une question de vie et de mort.

Dans l'affrontement dont nous parlons ici, un camp a la supériorité au point de vue du nombre, de la force, des meilleures armes de combat, et par surcroît il se trouve dans une meilleure position stratégique que son rival. Ce camp a résolu d'exterminer son adversaire, de l'éliminer de la face de la terre. C'est un conflit où il n'y aura pas de quartier pour les prisonniers, car il s'agit d'une guerre sans merci.

Vous vous demandez sans doute à quoi je veux en venir. Vous voyez, je me trouve moi-même en plein dans la mêlée. Je dois me mettre à l'abri des projectiles pendant que je vous parle – de fait, j'ai déjà subi des blessures et j'ai des cicatrices qui le prouvent. Et malgré mon grand désir de me sentir rassuré à la pensée que mon côté sera victorieux, je dois avouer que j'appartiens aux forces de l'opposition, au camp des « rebelles ». Et, bien que nous soyons peu nombreux, las, affaiblis et meurtris, nous continuons à nous battre pour une bonne cause. Et pour quelle raison?? Pour venir à votre rescousse, chers lecteurs. Si nous perdons cette guerre, il se pourrait bien que votre vie en soit le prix.

Bien que cette bataille fasse rage dans les cinquante États des États-Unis et dans d'autres pays, la raison pour laquelle on ne se rend pas compte de ce qui se passe est que le combat se livre dans la sphère des idées. Les adversaires : la médecine « orthodoxe » ou moderne, contre la médecine douce. Le lieu : l'esprit de ceux qui oeuvrent dans le domaine de la santé. Le butin du camp victorieux : Vous.

## COMMENT JE ME SUIS VALU UNE AURÉOLE

Vous vous demandez sans doute comment il peut se faire qu'un médecin plutôt placide, qui est originaire du Midwest des États-Unis, a pu se trouver mêlé à cette bataille, et pourquoi il délaisse ses nombreuses occupations pour vous en parler – et enfin quelle place les feuilles d'orge occupent dans cette affaire.

Voici quelques explications.

Pendant mes études en médecine, j'étais un étudiant comme les autres – jeune et plein d'idéal. Je tenais mes professeurs en grande estime, j'avais beaucoup de respect pour ce qu'ils disaient, j'étudiais assidûment et je ne soulevais jamais de questions relativement aux principes sur lesquels s'appuyait tout cet enseignement. Il ne me vint jamais à l'idée que nous pouvions nous fourvoyer complètement quant à notre perception de la santé et de la maladie.

D'un point de vue rétrospectif, il me semble évident qu'un système d'éducation axé sur l'hôpital, où les gens sont à la porte de la mort, est bien mal placé pour nous enseigner ce qu'il faut savoir sur la santé. Et, après tout, la santé est bien l'objectif que nous poursuivons.

Il ne faut pas non plus se surprendre que ceux d'entre nous qui faisons partie de la profession médicale avons cette tendance à voir les gens qui viennent à nous pour se faire soigner comme des « cas » plutôt que comme des personnes. Une personne que je reconnaîtrais, en d'autres circonstances, comme étant très compétente et intelligente, douée d'une personnalité chaleureuse et d'un sens de l'humour, est réduite, à partir du moment où elle pénètre dans mon bureau, à la « vésicule biliaire d'une femme d'âge moyen ».

Un auteur résume ainsi la situation : « En faisant abstraction du patient quand on parle de maladie, et en faisant du médecin et de la maladie des antagonistes qui s'affrontent à la militaire, la logique même de la médecine exige que le médecin fixe toute son attention sur la maladie plutôt que sur le patient. »[1]

Et une fois la maladie diagnostiquée, tout ce qu'il restait à faire était de choisir le bon instrument thérapeutique – de prescrire le médicament approprié. Tout semblait très clair : la maladie était l'ennemi qu'il fallait vaincre. Ma tâche, en tant que médecin, était tout simplement de combattre cet ennemi – de me transformer en chevalier qui aurait gain de cause sur le dragon.

Mon collègue, le Dr Robert Atkins, offre une bonne description de ce que j'essaie de dire ici au sujet de l'influence de la faculté de médecine sur les étudiants. Jetant un coup d'oeil en arrière, je vois maintenant que j'étais atteint de ce j'en suis venu à appeler le « syndrome de Ben Casey » (nom d'un médecin dans une émission populaire de télévision) :

> *« La médecine « orthodoxe » s'est retranchée dans une structure formelle qui est codifiée à un degré surprenant. Orientée vers l'hôpital d'enseignement, il s'agit d'une structure qui a ses rites, son apparat, ses cérémonies, sa hiérarchie et son système de croyances, et qui exige de ses adeptes une adhésion totale à ces croyances. Cela s'apparente beaucoup à une religion...*
>
> *« Je ne sais pas combien de médecins ont fait de la médecine leur religion, mais je pense qu'il y en a un très grand nombre. La médecine possède un attrait du même genre.*
>
> *Mais à l'instar des religions, elle provoque chez ses adeptes un attachement aveugle et émotif, et par conséquent, une antipathie aveugle pour toute idée perçue comme de l'hérésie.*
>
> *La plupart des médecins s'adonnent au culte de la médecine avec une telle passion qu'on ne peut raisonner avec eux... »*[2]

## COMMENT MON AURÉOLE A COMMENCÉ À PERDRE DE SON ÉCLAT

Après avoir obtenu mon diplôme en médecine, pendant quinze ans j'ai fait exactement ce qu'on m'avait appris : j'ai prescrit des médicaments, disant à mes patients : « revenez me voir dans deux semaines ». Après quelque temps, j'ai commencé à me rendre compte que mes interventions aidaient rarement mes patients à retrouver la santé. Ainsi, s'ils souffraient d'hypertension, je pouvais leur donner des médicaments pour contrôler ce problème, mais celui-ci réapparaissait dès que le patient cessait de prendre ses médicaments.

Un jour je me rendis compte que pendant les cinq années passées à l'école de médecine, je n'avais rien fait d'autre que d'apprendre comment contrôler les maladies pour rendre celles-ci endurables. Cette révélation m'ébranla complètement. Mon armure de chevalier venait d'attraper un dur coup (de fait, avec le temps cette armure devint dans un état si pitoyable que j'ai dû l'abandonner).

Pour être en mesure d'expliquer mon changement d'allégeance envers le monde médical où j'avais reçu ma formation (la médecine « orthodoxe » ou moderne), et ma décision de me joindre au camp des rebelles (la médecine douce ou préventive que je pratique maintenant), je voudrais m'arrêter et examiner la médecine d'un peu plus près. J'aimerais jeter un coup d'oeil sur ses antécédents historiques et philosophiques, et me pencher sur ses motivations profondes. Mais avant d'aller plus loin, il faut que j'énonce très clairement un concept d'une grande importance.

## CHAPEAU À L'OPPOSITION

M'étant ouvertement joint aux forces de l'opposition, je dois affirmer très nettement que je ne désire pas, DE QUELQUE FAÇON que ce soit, critiquer les hommes et les femmes qui se consacrent au noble objectif de sauver la vie d'autrui. Les hôpitaux de ce pays sont de première classe, munis d'une technologie de pointe, et ils ont à leur service un personnel technique, infirmier et médical du plus haut calibre professionnel.

En cas d'urgence, il n'y a aucun endroit au monde où j'aimerais mieux me trouver qu'ici. Dans des situations de crise, il faut prendre les grands moyens, et la profession médicale mérite tous nos éloges pour la remarquable compétence avec laquelle elle peut réagir aux traumatismes aigus. Chapeau au corps médical pour les soins qu'il est en mesure d'offrir dans les situations de crise. Dans ce domaine, notre système est un des plus avancés au monde, et si vous êtes malade au point d'avoir besoin d'être hospitalisé, vous ne manquerez pas d'éprouver des sentiments de gratitude d'avoir un tel système à votre disposition. Le problème n'est pas la façon dont le système des soins de santé fonctionne dans les situations d'urgence – mais le fait qu'il est incapable d'oeuvrer avec la même efficacité au maintien de la santé.

## COMMENT TOUT CELA A COMMENCÉ

La plupart des gens que vous rencontrez dans la rue pourraient probablement vous dire à qui on a attribué le titre de « Père de la médecine ». Oui, il s'agit bien d'Hippocrate. Quatre cents ans avant Jésus-Christ, Hippocrate pratiquait la médecine dans sa Grèce natale, et il le faisait avec une telle compétence que les gens venaient de partout au monde pour se mettre à son école. Même aujourd'hui, les jeunes médecins diplômés des facultés de médecine font traditionnellement le serment d'Hippocrate. Et c'est avec Hippocrate que s'est amorcé le débat qui continue de plus belle de nos jours. L'enjeu est le suivant : à quel système de croyances le médecin adhérera-t-il ? Pratiquera-t-il la médecine en se fondant sur l'expérience ou en se fondant sur la théorie ?

Cette question peut ne pas sembler d'une grande importance à première vue, mais quand on l'aura analysé un peu plus à fond, j'espère que vous comprendrez plus clairement sa portée. Ces deux façons d'envisager la médecine sont connues sous le nom d'« empirisme » et de « rationalisme ».

## EMPIRISME

Le dictionnaire Webster définit ainsi l'empirisme : « relié à, s'appuyant sur, ou découlant de, l'expérience : orienter ses actions en s'appuyant sur l'expérience. » À ses débuts, la médecine était guidée par l'empirisme – ce que l'on pourrait appeler « la méthode du bon sens ». Si je constate qu'une méthode donne de bons résultats, je continue de l'employer. Il se peut que je ne comprenne pas pourquoi j'obtiens ces résultats, mais le plus important, c'est le fait que la méthode utilisée fonctionne bien et non pas pourquoi elle donne de tels résultats.

Dans l'arène de la médecine, on attribue à Hippocrate le lancement du mouvement empiriste. Il avait observé que notre corps a tendance à se guérir lui-même, et il a nommé cette capacité « physis ». On parlera, un peu plus loin, de l'ironie de ce que le mot anglais « physician » est dérivé de ce concept d'Hippocrate, qui le décrit ainsi : « C'est la nature qui trouve les moyens qu'il faut... et bien qu'elle ne subisse aucun apprentissage, elle prend les meilleurs moyens pour préserver un parfait équilibre, pour établir l'ordre et l'harmonie dans le corps. »[3]

Notez bien la dernière partie de cette description, car c'est bien le rétablissement de l'ordre et de l'harmonie dans le corps humain qui constitue la cause pour laquelle les rebelles des soins de santé se battent. Selon Hippocrate, la nature est le meilleur médecin, et ceux qui pratiquent la médecine sont appelés à collaborer avec elle. Ce sage de l'Antiquité se rendait compte de l'importance d'être en harmonie avec la nature.

Dans son enseignement, il a insisté sur la nécessité de percevoir le patient comme une personne « unique », et de comprendre comment cette personne est en communion avec son environnement plutôt que de percevoir le patient seulement sous l'angle d'un ensemble de symptômes d'une maladie. D'après les médecins de l'école empirique de jadis, les symptômes étaient le produit de la réaction du corps aux éléments externes, et le but du médecin était de l'aider à retrouver son équilibre. On mettait l'accent sur l'état global du patient, et non sur l'une ou l'autre manifestation d'une maladie particulière.

En somme, puisqu'il croyait que le corps avait la capacité de se guérir, Hippocrate se donnait pour mission d'accroître le bien-être général du corps pour que celui-ci dispose des ressources nécessaires pour se débarrasser de toute maladie qui aurait pu le menacer. Selon cette tradition médicale, le médecin devait se soucier de l'état général de santé du patient, et son objectif était le renforcement, sur tous les fronts, de la capacité de celui-ci de combattre la maladie.

On conçoit le médecin dans un rôle d'enseignement, pour aider la « physis » à agir, mais il ne domine pas le processus de guérison. La première règle empirique d'Hippocrate était « pour commencer, ne faites pas de tort ». On se souviendra de ceci, car cette règle revêt beaucoup d'importance dans le contexte de la médecine moderne. Les principes clés dont il faut se souvenir en parlant d'empirisme en matière de médecine sont : « expérience pratique » et « promouvoir le mieux-être ».

## RATIONALISME

La Grèce de l'Antiquité a également été le berceau d'un autre point de vue, lequel a engendré les géants de la médecine d'aujourd'hui. Son adepte le plus illustre est le médecin Galen, qui vécut plusieurs centaines d'années après Hippocrate. Toutefois, à la source de la philosophie de la médecine de Galen, on trouvait les idées du grand philosophe Aristote.

On attribue à Aristote le mérite d'avoir été le premier à diviser toutes les connaissances en catégories dans un ordre précis et systématique.

Ainsi, le système qu'il a proposé pour la classification des différentes sortes de plantes est encore utilisé de nos jours.

Je suis certain que vous conviendrez, comme moi, que tout ceci est très bien en soi. Je n'ai rien contre l'ordre, la raison et la logique, mais il était inévitable que tôt ou tard cette façon de penser créerait un conflit avec l'art de la guérison tel qu'on vient de le décrire. Et nous voilà au coeur du problème. Ce système de perception de notre univers est le fruit d'un effort constant pour analyser le monde qui nous entoure. L'application de ce système à la médecine veut dire que celle-ci s'oppose farouchement à tout ce qui ne peut être saisi au moyen de la logique ou par déduction – notamment la « physis » d'Hippocrate.

## UN BREF HISTORIQUE DE LA MÉDECINE

Aux États-Unis, les deux traditions, soit l'empirisme et le rationalisme, ont fait bon ménage au tout début. Toutefois, la guerre des idées n'a pas tardé à traverser l'Atlantique et à venir semer la discorde parmi les médecins d'Amérique. Au début du dix-neuvième siècle, les deux traditions s'étaient déjà déclaré la guerre.

Les empiristes pratiquaient une sorte de médecine connue sous le nom de « homéopathie », mise au point en Allemagne par Samuel Hahnemann (1755-1843). Le traitement homéopathique consiste à donner au malade une dose infinitésimale d'une substance qui, administrée en plus grande quantité, pourrait créer les symptômes de la maladie. De fait, les doses utilisées par Hahnemann étaient diluées à un point tel qu'il était impossible de mesurer les molécules de la substance en question.

On ne comprend pas, même de nos jours, le mécanisme qui pouvait assurer le succès de ce traitement, mais on ne peut nier qu'il fonctionnait (et il continue de fonctionner). Il ne cadrait pas avec la logique des traditions du rationalisme médical, mais il donnait quand même des résultats.

Pendant que nous touchons à ce sujet, permettez-moi d'interrompre cette leçon d'histoire pour un moment. Penchons-nous sur un concept important. Hahnemann utilisait une substance de même nature que celle qui causait la maladie pour guérir celle-ci. C'est le principe de la similitude.

La façon la plus simple de se souvenir de la différence essentielle qui existe entre les deux approches à la médecine dont nous parlons ici est de comprendre que les empiristes ont recours à la « similitude » alors que les rationalistes s'appuient sur les « opposés ». Les praticiens de la santé qui fondent leur traitement sur les similitudes veulent stimuler sans les brusquer les réactions de guérison du patient, soit la « physis », sans risquer de déranger davantage l'équilibre qui est essentiel à la santé.

Une personne qui adhère à la tradition rationaliste, toutefois, envisage la maladie d'un point de vue diamétralement opposé. Ce qui l'intéresse, ce n'est pas principalement de promouvoir la bonne santé, mais plutôt de vaincre la maladie. Qui est l'ennemi ? La maladie, bien sûr. Que faut-il faire ? Il faut combattre cet ennemi et obtenir la victoire.

Comment s'y prend-on ?? On s'attaque au problème. Il faut contraindre le corps à changer de direction (« allo » veut dire « opposé », et c'est pourquoi la médecine actuelle qui se fonde sur la tradition rationaliste est appelée « allopathique »). L'optique est fort différente ici, et on se trouve également aux antipodes lorsqu'il s'agit du choix de traitement.

Par exemple, prenons une personne qui a la diarrhée. Ce patient vient voir le médecin et demande « Docteur, j'ai le va-vite. Que dois-je faire ? »

Si son médecin appartient à l'école allopathique (à laquelle adhèrent 99,9 pour cent des médecins en Amérique), il prescrira tout probablement un médicament qui ralentit l'intestin. Puisque la diarrhée est causée par une trop grande activité intestinale, il traitera ce problème en ayant recours à l'opposé – une substance qui ralentit l'activité intestinale normale à presque zéro.

Si toutefois son médecin aborde ce problème d'une façon empirique, il suggérera peut-être un lavement très doux pour nettoyer l'intestin – ce qui va dans le même sens que les efforts du corps pour remédier à un déséquilibre particulier.

Revenons maintenant à notre leçon d'histoire. Au début des années 1900, les hôpitaux étaient plutôt rares dans ce pays, ne se trouvant que dans les quelques centres urbains de l'époque. Les médecins qui avaient reçu leur formation dans les écoles européennes et les étudiants qui se sont joints à eux par la suite ont naturellement gravité vers ces institutions hospitalières. Ces hommes possédaient une éducation supérieure. Leurs méthodes, reposant sur leur philosophie de la médecine, étaient vigoureuses et interventionnistes. Au nombre de leurs thérapies favorites figuraient les saignées, les émétiques (substances qui provoquent le vomissement), les cathartiques (purgatifs puissants), et des médicaments forts contenant du mercure, qui est un poison bien connu.

Selon l'enseignement du D^r Benjamin Rush, le professeur de médecine à l'Université de Pennsylvanie qui jouissait d'une grande renommée à l'époque coloniale, « Le médecin doit intervenir fortement et dicter... l'administration de remèdes douloureux pour combattre la maladie grave. »[4]

Par contre, les praticiens de la méthode empirique avaient généralement moins de formation médicale « officielle » et utilisaient des méthodes beaucoup plus conservatrices – p. ex. ils administraient des doses plus modérées de médicaments, ou des préparations à base de plantes. Ils desservaient une bonne partie de la population, mais ils n'étaient pas aussi « en vue », comme on dirait aujourd'hui.

## HÉLAS, M. LE PRÉSIDENT

Arrêtons-nous ici car j'aimerais vous proposer un petit test. Ce qui suit est une description de la dernière maladie de notre premier président, George Washington, en 1799. J'aimerais que vous me disiez à quelle école appartenait le médecin qui l'a soigné.

« *Imaginez un homme qui a, dans l'espace d'environ douze heures, perdu par des saignées quelque 2 litres de sang – et qui a dû avaler deux doses moyennes de calomel (chlorure mercureux), suivies d'une injection. On lui a ensuite administré un autre cinq grains de calomel et cinq ou six grains de tartre émétique, accompagnés de l'inhalation de vapeurs d'eau et de vinaigre, et de l'application d'un vésicatoire à ses extrémités, ainsi que d'un emplâtre de son et de vinaigre à la gorge, où l'on venait également d'appliquer un vésicatoire (médicament qui provoque la formation d'ampoules sur la peau). Est-il surprenant que face à un tel traitement, le pauvre général, après avoir fait en vain plusieurs efforts pour parler, a fini par faire savoir à son médecin qu'il voulait qu'on le laisse en paix pour qu'il puisse mourir sans plus d'interruption !* »[5]

## LA NAISSANCE D'UNE VACHE SACRÉE

L'histoire de la pratique médicale dans notre pays a pris un tournant malheureux en 1849, l'année où l'association médicale américaine (American Medical Association – AMA) a été établie.

Pourquoi a-t-on créé cette association ? À cause des succès que connaissaient les praticiens de l'homéopathie, que les rationalistes identifiaient déjà comme « l'ennemi ». Plusieurs de nos ancêtres choisissaient de se faire traiter par les médecins empiristes. Naturellement, cela représentait une perte de revenus pour les allopathes, et il n'en fallait pas plus pour donner le signal de s'unir pour le combat. Vous pouvez imaginer les événements qui ont suivi.

*« Ainsi naquit la glorieuse tradition de l'AMA, qui remonte à presque 140 ans, cet engagement indéfectible au même noble idéal : l'intérêt personnel sur le plan économique et l'élimination de toute opposition intellectuelle. Non seulement l'AMA ne tarda-t-elle pas à bannir de ses rangs les praticiens de l'homéopathie, mais elle interdit à ses membres d'utiliser les techniques homéopathiques. L'association bannit même les médecins qui envoyaient leurs patients à des homéopathes ou qui travaillaient dans les hôpitaux où les homéopathes avaient le droit de pratiquer. Grâce à ces mesures rigoureuses, l'AMA eut gain de cause, et on vit l'uniformisation presque complète de la médecine américaine, et la voix de l'opposition pouvait à peine se faire entendre. »*[6]

## L'AFFAIRE SE CORSE

Au moment de la guerre civile, au milieu du 19e siècle, un autre changement important a transformé notre monde médical : l'avènement de l'industrie pharmaceutique.

Jusque là, les médecins connaissaient les ingrédients que contenaient les potions qu'ils prescrivaient. Mais on commença à centraliser la préparation des médicaments, et bientôt les médecins n'avaient plus besoin de connaître cet aspect de leur science – les sociétés pharmaceutiques non seulement se chargeaient de formuler les médicaments, mais indiquaient au médecin quel produit pouvait « guérir » telle ou telle maladie. Au bout de quelques années, il existait des milliers de médicaments brevetés. Vous vous dites peut-être « Puis après ? ». Un auteur répond fort bien à cette question :

*« L'industrie pharmaceutique commença à publier du matériel d'information pour l'éducation du médecin concernant les nouvelles maladies et les méthodes pour traiter celles-ci en utilisant les formules qu'elle avait brevetées. Puis elle eut l'idée d'envoyer des représentants, c'est-à-dire des vendeurs qui étaient formés en vue d'éduquer les médecins, tout en leur fournissant des échantillons gratuits et des prospectus. Cette stratégie est encore très courante aujourd'hui, mais dans les années 1880, elle eut des répercussions fort importantes. Dans plusieurs parties du pays, à cause de l'absence de routes ou du*

mauvais état de celles-ci, les médecins ne voyageaient pas beaucoup. Il y avait peu d'assemblées professionnelles et aucun cours de recyclage. Pour plusieurs, le vendeur de médicaments était la seule source de renseignements qu'ils avaient pour se tenir au courant de la recherche médicale. Certaines sociétés pharmaceutiques ont même fourni aux pharmaciens les fonds, le matériel d'information et les produits nécessaires à la mise sur pied de leur propre entreprise. Et maintenant que l'industrie pharmaceutique sert d'appui tant au pharmacien qu'au médecin, elle n'a de concurrence qu'à l'intérieur de ses propres rangs. Il n'est donc pas surprenant que la médecine ait graduellement adopté une philosophie axée sur le traitement des maladies par les médicaments. Pour employer l'expression américaine, « la queue » (les fournisseurs de médicaments approuvés par les médecins) « agite maintenant le chien » (la profession médicale). La médecine moderne était sur le point de se laisser séduire complètement. »[7]

## LES ENTREPRISES PUISSANTES LE DEVIENNENT DAVANTAGE

Si vous saisissez ce que vous venez de lire, ce qui suit ne vous surprendra pas du tout :

« Lorsque les entreprises pharmaceutiques ont constaté jusqu'à quel point les praticiens de la médecine orthodoxe se fiaient à leurs revues médicales, elles se sont mises à acheter ces dernières.

Ainsi, Parke-Davis, entre 1877 et 1883, a acheté plusieurs revues médicales qui étaient populaires auprès des médecins, et chacune de celles-ci était dirigée par des médecins orthodoxes qui étaient professeurs à des écoles de médecine prestigieuses. La crème de la médecine moderne était maintenant à la solde de l'industrie pharmaceutique.

Enfin, une technique d'appoint de l'industrie pharmaceutique, reliée à cette première, était la publicité. Parmi les 250 revues médicales qui existaient en 1906, toutes sauf une dépendaient sur le plan économique des revenus engendrés par la publicité de l'industrie pharmaceutique.

Tout ceci, et davantage, se poursuit de plus belle de nos jours. On devrait tous prendre conscience des efforts déployés par l'industrie pharmaceutique pour séduire les médecins au moyen

*de représentants, de colloques gratuits, de recherches pour faire
l'essai de médicaments, de contrôle des revues médicales, et de
la publicité. Les médecins avaient auparavant été ouverts à tout
système thérapeutique acceptable d'un point de vue rationaliste
et intellectuel. Mais maintenant, ils ne voyaient de solution que
dans l'approche pharmaceutique. »*[8]

Je suis le premier à admettre que les produits pharmaceutiques ont
sauvé des milliers de vies et occupent certainement une place très
légitime dans la pratique de la médecine.

De fait, j'en ai moi-même prescrit de vastes quantités. Mais lorsque
nous plaçons les médicaments dans le contexte plus large des arts liés
à la guérison, on se trouve confrontés à des problèmes de taille.

## POTIONS OU POISONS?

Même l'industrie pharmaceutique reconnaît ce qui est l'évidence
même : pour chaque effet souhaité d'une drogue, il y a habituellement
plusieurs effets non souhaités – les « effets secondaires ». Chaque
année, les médecins reçoivent une mise à jour d'un énorme volume
appelé aux États-Unis le « Physicians' Desk Reference », qui est un
répertoire de tous les médicaments sur le marché. Il contient des
renseignements sur la structure chimique de chaque médicament, sur
la façon dont il fonctionne et dont il devrait être utilisé, les circonstances où on ne devrait pas l'utiliser, quels effets il peut avoir sur les
femmes enceintes, quelle dose il faut administrer et quels avertisse-
ments doivent l'accompagner, et quels effets indésirables ont été
constatés suite à des essais sur des êtres humains.

J'en ai trouvé l'autre jour une vieille édition que j'avais oubliée sur
une étagère (j'en ai toujours, bien sûr, une édition courante) – c'était
la 27e édition publiée en 1973 – et j'ai ouvert le livre au hasard. La
première chose qui m'a sauté aux yeux a été la suivante : « Avertissement : HYPERSENSIBILITÉ GRAVE ET PARFOIS MORTELLE (CHOC
ANAPHYLACTOIDE). Des réactions de ce genre ont été signalées » et
14 noms de médicaments figuraient à la liste qui suivait.[9] Il était
intéressant de lire également que certains de ces effets pouvaient être
contrôlés à l'aide d'une autre drogue.

Avant qu'on m'accuse de ne pas être raisonnable dans mes propos,
laissez-moi vous affirmer de nouveau que je reconnais aux produits
pharmaceutiques le mérite d'avoir sauvé des milliers de vies qui
auraient autrement été perdues. Je ne m'oppose pas à l'usage des
médicaments d'ordonnance quand le besoin est réel, mais le point de

vue que je cherche à communiquer ici est qu'il s'agit de substances dangereuses, qu'on devrait utiliser après avoir épuisé les autres possibilités de traitement.

## FACTEURS DE RISQUES C. AVANTAGES

Étant donné que la toxicité des médicaments est bien connue, une des principales tâches du médecin est d'évaluer le « facteur risques-avantages ». C'est-à-dire qu'il nous revient de décider si nous faisons plus de tort au patient en lui administrant un certain médicament ou en nous en abstenant. La plupart des armes que nous utilisons contre la maladie peuvent également s'attaquer à la santé. Il est malheureux de constater combien est vrai le dicton « nous avons guéri la maladie, mais perdu le patient ». C'est là un triste commentaire sur l'état d'une profession qui est supposée œuvrer pour sauver des vies humaines.

## DE RETOUR AU CHAMP DE BATAILLE

Et nous voilà de retour au point de départ, à contempler la guerre qui fait rage en ce moment dans votre ville et la mienne. La plupart des médecins veulent pratiquer la médecine qu'on leur a apprise – c'est-à-dire en tant que « science qui ne laisse aucun rôle à la nature dans la guérison ».[10]

Leur seul objectif est la santé du corps. Mais cette noble intention s'accompagne de la résolution suivante (qu'exige la théorie médicale à laquelle ils adhèrent) : « J'atteindrai mon objectif de donner la santé au corps en imposant ma volonté dans cette situation. »[11]

Ils sont persuadés qu'ils ont raison, et ils sont prêts à se battre pour défendre leur position – et cela est vrai surtout de ceux qui ne connaissent pas l'aspect empirique de la médecine, sauf pour avoir vu des professeurs qu'ils respectaient et admiraient l'attaquer sans merci.

## POURQUOI SE JOINDRE AUX REBELLES ?

Revenons maintenant au moment où mon armure de médecin a commencé à subir des coups durs... Le point tournant est venu lorsque je me suis rendu compte que plutôt que de promouvoir la santé, je ne faisais que maintenir la maladie à un niveau « acceptable ». Il est très important de bien saisir la différence. Être contre la maladie N'ÉQUIVAUT PAS à être POUR la santé.

Lorsque j'ai commencé à m'éveiller à la possibilité qu'il existait d'autres réalités sur le plan médical que celles qu'on m'avait enseignées (ce que tout médecin, qui, comme moi, adhère fortement à son association médicale a bien de la difficulté à admettre), je me suis vite rendu compte où cela pourrait aboutir. Seigneur ! Se pouvait-il que j'aie fait fausse route pendant quinze ans de vie professionnelle ?

Plus j'approfondissais cette question, plus je me rendais compte qu'il fallait que mes méthodes changent. Je devais moins me préoccuper du combat contre la maladie et mettre davantage l'accent sur la promotion de la santé globale – pour que, dans la vraie tradition d'Hippocrate, mes patients puissent se guérir eux-mêmes.

Je devrais peut-être préciser un point ici. Bien sûr, si une personne a eu un accident et s'est fracturé les os ou a besoin de points de suture, la médecine douce n'est pas l'option indiquée. Dieu merci pour les salles d'urgence bien équipées de nos hôpitaux !

De même, si une personne fait une péritonite, il n'y a rien qui puisse remplacer le chirurgien compétent et la salle d'opération. Nous ne pouvons qu'être reconnaissants qu'ils soient là pour nous sauver la vie. Si M. Jones fait une crise cardiaque, ce qu'il lui faut, c'est une ambulance pour le transporter à la salle d'urgence. Dans de tels cas, la médecine moderne nous apporte de grands bienfaits et on ne pourrait s'en passer.

Si je suis devenu un rebelle aux yeux de l'« establishment » médical, ce n'est pas parce que je refuse de reconnaître les mérites de la médecine là où celle-ci excelle, mais parce que je ne la vois pas comme étant la seule réponse aux problèmes de santé de la population de notre pays.

La médecine moderne a le mérite d'avoir contrôlé toute une panoplie de maladies causées par les micro-organismes. Ainsi, la polio, la petite vérole, la tuberculose et le choléra sont des maladies devenues plus rares, et certaines ont même disparu. Par contre, la maladie demeure omniprésente. Si la médecine a accompli de tels exploits pour l'éliminer, comment se fait-il que les coûts liés aux soins de santé s'élèvent à des milliards de dollars chaque année ? Et pourquoi les médecins ignorent-ils les possibilités qu'offre la nutrition comme mode de traitement de certains problèmes, quand on sait pertinemment que « 70 pour cent de toutes les mortalités sont attribuables à des maladies liées à notre régime alimentaire ? »[12]

## IDENTIFICATION DU PROBLÈME RÉEL

La médecine a accompli un travail merveilleux pour l'éradication d'un certain type de maladies, soit les maladies débilitantes aux effets très rapides. Cependant, de nos jours, les maladies les plus meurtrières sont les maladies chroniques de caractère dégénératif, qui se développent graduellement sur un certain nombre d'années, comme les maladies du coeur par exemple.

Ce n'est pas comme si une personne se trouvant au mauvais endroit au mauvais moment attrapait un « microbe mortel ». Non, le problème est tout autre : c'est plutôt un style de vie et un environnement malsains qui érodent lentement mais sûrement le sentiment général de bien-être, jusqu'à ce qu'un jour les dangers qui menacent deviennent évidents.

Une personne paraissant en bonne santé peut sembler être victime d'une mort subite, foudroyée par une crise cardiaque, mais ce n'est pas si simple que cela. Cette personne avait probablement depuis des années un régime alimentaire élevé en matières grasses et en sucre, qui a lentement mais sûrement obstrué ses artères. Peut-être fumait-elle aussi, ce qui a provoqué un rétrécissement des vaisseaux.

Il se peut également qu'elle ait souffert de stress pendant une vingtaine d'années, condamnée à effectuer un travail qui ne lui plaisait pas, obligeant son organisme à travailler plus fort qu'il ne l'aurait dû. Son exercice physique se limitait peut-être à se lever de son fauteuil pour aller au frigo pendant les messages publicitaires à la télé. Un beau jour, cette personne tombe morte, juste après avoir vu son médecin qui l'avait déclarée en très bonne santé !

On doit renverser les tendances actuelles des maladies chroniques dégénératives non par des médicaments ou des opérations chirurgicales compliquées, mais en adoptant un style de vie sain et en favorisant un sain environnement. En d'autres mots, il faut choisir ce qui produit la santé. Et de la médecine moderne ou de la médecine douce, laquelle favorise le plus la santé ? ?

## QU'EST-CE QUE LA MÉDECINE ?

La plus grande partie de ce que j'ai appris depuis mon « réveil » consiste à utiliser la nutrition comme médecine, un concept que ne peut accepter la médecine moderne. Le médecin orthodoxe n'est pas du tout contre une bonne nutrition, mais il pense que cela n'a rien à voir avec la médecine. L'idée d'aider l'organisme dans son ensemble plutôt que de soulager une gamme d'affections physiques particulières lui est complètement étrangère. En outre, sa formation lui inculque que tout doit être « prouvé scientifiquement ». Si ce n'est pas écrit dans un manuel de médecine, ce n'est pas bon.

Pour le médecin orthodoxe, la nutrition à des fins cliniques, les remèdes à base de plantes, la médecine sans médicaments, etc., n'ont aucune valeur parce qu'il n'y a aucune « preuve » que ces approches fonctionnent – aucune « preuve » au sens où l'entend le médecin bien entendu. Le fait que la santé des patients s'améliore ne lui importe pas du tout, car l'amélioration de la santé n'est pas assez scientifique pour lui. Voici un commentaire qui résume bien la situation :

> *« La science moderne accorde peu d'importance au simple fait de savoir si quelque chose est efficace ou non. Elle s'intéresse avant tout à la manière dont les choses fonctionnent. Par conséquent, il est possible, voire peut-être même nécessaire au point de vue scientifique, de qualifier de « non scientifique » ou de « non prouvée » une thérapie si les scientifiques ne comprennent pas comment elle agit, même lorsque celle-ci est réellement efficace et que le fait de savoir comment elle fonctionne ne changerait rien à sa valeur thérapeutique. »*[13]

## ET ENCORE...

> *« J'avais la fièvre des foins et j'étais tellement allergique à certains aliments que j'y ai presque laissé ma vie. La cortisone m'a aidé mais je n'aimais pas ses effets secondaires. Puis, j'ai utilisé un remède naturel et la fièvre des foins tout comme les allergies alimentaires sont disparues, sans aucun effet secondaire. Je suis très heureux d'être guéri et je suis convaincu que c'est grâce à ce remède naturel, ou du moins ce remède a aidé mon corps à se guérir lui-même.*

> *« C'est la délicatesse du fonctionnement même de la médecine naturelle, qui plaît tant aux gens et élimine les effets secondaires, qui crée une espèce d'incertitude sur les plans conceptuel et pratique et rend presque impossible de démontrer de façon scientifique que la guérison s'est opérée naturellement, ou impossible de le démontrer à la satisfaction des scientifiques de formation orthodoxe. En conséquence, les scientifiques qualifient la guérison naturelle de « non prouvée » ou de « non scientifique », ce qu'elle n'est aucunement. C'est simplement une autre approche, aussi logique et cohérente que celle que préconise la médecine orthodoxe, mais qui fait ses preuves d'une autre façon. »*[14]

## *CRITÈRE DU DOUBLE ANONYMAT*

Le recours à la preuve constitue la pierre angulaire de la médecine moderne. La médecine ne se satisfait pas d'opinions, elle exige des preuves. Qu'est-ce que cela signifie en réalité? À ses débuts, cette profession était moins compliquée qu'elle ne l'est aujourd'hui. Les observations répétées lui convenaient très bien et se traduisaient par la compilation et la comparaison de résultats empiriques. Cependant, à mesure que la profession s'est développée, son besoin de précision a augmenté.

Après les compilations d'études sont venus les placebos, ces médicaments factices dont la seule utilité était de faire croire aux patients qu'ils recevaient des médicaments réels. Pourquoi des placebos? Parce que les rationalistes soupçonnaient ce que les empiristes savaient depuis toujours : l'idée que se fait un patient de son traitement influe sur l'efficacité de celui-ci. En induisant les patients en erreur, ils étaient satisfaits de tenir en main des preuves réelles!

De nos jours, les choses sont beaucoup plus compliquées. La science médicale exige qu'au cours des tests ni les médecins ni les patients ne sachent qui reçoit ou non des médicaments.

Par contre, d'autres formes de thérapie demandent que le patient sache exactement ce qui se passe et qu'il apporte des changements à son style de vie, et c'est pourquoi le succès de ces thérapies ne peut être prouvé par la méthode du double anonymat. Face aux scientifiques, on y perd de toute façon, il n'y a absolument aucun moyen d'en sortir. Un médecin très reconnu a décrit cette situation de manière très pertinente : « Il est beaucoup plus facile de guérir une centaine de maladies incurables que de prouver qu'un traitement est efficace. »[15]

## *LA SOURCE DE TOUS LES MAUX*

Pour ne pas trop sembler amer ou biaisé, permettez-moi de citer un autre médecin qui lui aussi a bien compris la question :

    « **Nous détestons tous le charlatanisme!** *La lutte contre le mal est sûrement un noble idéal, et rien ne saurait être plus noble que faire la guerre au charlatanisme. Quel objectif serait plus sublime que de purger la profession médicale de tous ses charlatans, ces imposteurs malhonnêtes qui extorquent à des patients trop confiants les économies de toute leur vie, tout en mettant leur santé en danger et en les privant de soins efficaces. Je ne peux penser à aucun autre objectif plus élevé que celui-ci, sauf peut-être de purger la profession de ceux qui utilisent la* *campagne contre le charlatanisme pour discréditer des méde-cins novateurs et supercompétents, dont le succès est une mena-ce à la médiocrité.* »

« *La guerre contre le charlatanisme est une campagne soigneusement orchestrée et fortement appuyée par des extrémistes qui sont actuellement aux commandes au sein de la hiérarchie orthodoxe. Ils travaillent sous le couvert d'organisat-ions telles que le National Council Against Health Fraud, l'American Council on Science and Health et le Quackery Action Council... Cependant, il importe de savoir que cette campagne entretenue à coup de millions de dollars n'a jamais eu pour but d'enrayer le charlatanisme ou d'exposer les méde-cins incompétents. Non, elle a été conçue spécialement pour supprimer la médecine douce, et c'est toujours le but qu'elle poursuit actuellement.* »[16]

La façon dont le cancer est étudié, ou qu'il n'est pas étudié, selon l'approche orthodoxe de la médecine en Amérique, fournit peut-être l'exemple le plus tragique de cette étroitesse d'esprit.

« *La question des subventions de recherches est très éloquen-te. Sous ce chapitre, c'est l'industrie pharmaceutique qui est souvent la bienfaitrice, octroyant des fonds pour que des recher-ches soient effectuées, spécialement sur les drogues qu'elle entend promouvoir...*

*Le résultat de tout cela est que, malgré une liste impression-nante d'études cliniques publiées en Europe, les protocoles d'expériences portant sur les vitamines antioxydantes, telles que les vitamines C, E et le bêta-carotène, et le sélénium, ainsi que certaines enzymes et d'autres éléments biologiques, ne sont pas étudiés du tout. Par contre, sous l'égide du gouvernement, les chimiothérapies sont étudiées par milliers.*

*En outre, en raison du rôle de filtrage qu'exercent les médias (une autre composante de l'élite établie), vous-même et votre médecin n'êtes pas en mesure de savoir que des études crédibles ont été menées et qu'elles ont fait l'objet de rapports détaillés. Il est évident qu'il faudrait poursuivre les recherches sur les appro-ches biologiques prometteuses, mais en raison d'une résistance technique passive, qu'on appelle ignorance calculée, aucune personne en position d'autorité n'admettra être au courant de travaux qui mériteraient d'être repris en parallèle. À titre d'exem-ple, il est difficile de croire que les responsables du National*

*Cancer Institute, dont la carrière consiste exclusivement à s'enquérir des recherches sur le cancer, n'aient pas eu vent des conférences qui se sont tenues en Suisse et en Allemagne, au cours desquelles on a présenté des mémoires sur des recherches de haut calibre portant sur des traitements efficaces du cancer, et qui exploitent une approche biologique et non toxique de cette maladie. Il est beaucoup plus plausible de penser que ces personnes étaient au courant de ces conférences mais qu'elles ont choisi délibérément de ne pas en tenir compte. Si vous tenez à en connaître la raison, elle est très simple : tout le concept de la thérapie biologique et non toxique du cancer sonnerait le glas de la très profitable industrie de la chimiothérapie, une industrie fortement liée aux intérêts économiques prédominants à l'heure actuelle. Reconnaître l'existence de ces conférences biologiques serait un geste grandement "anti-establishment". »*[17]

## COMMENT ON M'A RECRUTÉ

Si j'avais eu l'occasion de lire ce chapitre quelque part, lorsque j'ai obtenu mon diplôme de médecine ou même au cours de mes douze premières années de pratique médicale, de telles affirmations non seulement m'auraient laissé sceptique mais j'en aurais été également très offusqué. J'étais moi-même membre de l'association médicale américaine et un produit typique du système. Ce n'est que lorsque je me suis retrouvé dans la position du roi David, tremblant en voyant l'ombre de Goliath, que j'ai compris plusieurs de ces vérités qui font peur. Comment en suis-je venu à effectuer un tel changement ?

Comme un grand nombre de médecins ouverts aux autres approches, je ne me suis pas occupé de « charlatanisme » jusqu'au jour où j'ai été confronté à une situation où toutes les règles et démarches d'usage courant se sont avérées impuissantes à aider un membre de ma propre famille. En désespoir de cause, j'ai décidé d'essayer une thérapie douce, après bien entendu l'avoir essayée moi-même pour m'assurer qu'elle était sans danger (comme Hippocrate m'aurait probablement conseillé de le faire).

Après m'être assuré que cette thérapie était sans danger, je l'ai recommandée à cette personne qui m'était très chère. À ma grande surprise, le traitement a été efficace ! La santé de mon patient s'est améliorée de façon remarquable. J'ai ensuite décidé de la suggérer à quelqu'un d'autre, et devinez quoi ! Là aussi les résultats ont été excellents. Puis, de fil en aiguille, j'ai continué d'appliquer cette approche qui est la marque distinctive de la médecine empirique. Et bientôt, j'avais complètement intégrée cette thérapie « de charlatan » à ma pratique de la médecine. J'étais devenu un rebelle authentique!

## LE COEUR DU PROBLÈME

Mais quelle était donc cette thérapie non orthodoxe que j'avais adoptée? Brûler des plumes de canard? Prescrire de l'huile de serpent? Faire des salamalecs devant le corps inerte de mes pauvres victimes?

Non, j'ai tout simplement nettoyé les artères des patients par l'injection intraveineuse d'un médicament, un traitement effectué dans mon cabinet. Cette technique, qu'on appelle « chélation », est très controversée. Son but consiste à débarrasser les artères de leurs dépôts, ce qui réduit, entre autres, l'incidence des maladies du coeur et des maladies vasculaires périphériques.

Pourquoi cette thérapie est-elle controversée? Parce que même si elle a été pratiquée à des milliers de reprises sur des milliers de patients, et qu'elle n'a eu que de bons résultats, selon l'AMA elle reste non prouvée, et nous savons tous ce que cela veut dire : c'est du charlatanisme!

## COMMENT MON AURÉOLE A COMPLÈTEMENT DISPARU

Si mes patients n'avaient pas connu des améliorations aussi marquées, les choses auraient peut-être été plus faciles pour moi. Mais, « malheureusement », leur santé s'est beaucoup améliorée. Elle s'est améliorée à un point tel qu'ils n'ont pas eu besoin de dépenser de 30 000 $ à 50 000 $ en chirurgie de pontage. Je crois que c'est de là que viennent tous mes problèmes : les chirurgiens spécialisés dans les opérations du coeur ont commencé à se rendre compte que la médecine douce n'est pas très bonne pour leurs affaires.

Oui, j'ai perdu mon auréole. On m'a menacé de révoquer ma licence de pratique de la médecine pour avoir eu recours à cette thérapie – pas juste une fois, mais à trois reprises. Et je continue à parer les coups au moment même où j'écris ces lignes.

## LA GUERRE EST À VOTRE PORTE

Supposons que vous avez décidé que la méthode qui consiste à « couper/brûler/empoisonner » le cancer par la chirurgie/radiothérapie/chimio n'est pas pour vous ou pour ceux qui vous sont proches ? Qu'arriverait-il si quelque chose que vous venez de lire dans ce chapitre vous incite à vous orienter plutôt vers la médecine douce ? Qu'arriverait-il si vous aviez, en fait, pris la ferme décision d'entreprendre une telle démarche ?

Un de mes collègues à très bien décrit la situation dans laquelle vous vous trouveriez :

*« Vous venez de perdre votre système de soutien. Votre nom figurera sur la liste « noire » de votre médecin précédent et vous serez inquiet de ce qui pourrait vous arriver, que Dieu vous en protège, en cas d'urgence. Vous aurez peur des hôpitaux, car ils vont probablement cesser le régime alimentaire et le programme de nutrition auquel vous commenciez à vous habituer. Votre société d'assurances va, le plus souvent, vous « rendre les choses difficiles » quand vous demanderez qu'on vous rembourse les divers types de frais que vous aurez engagés. Vos amis et certains membres de votre famille vont essayer de vous convaincre de revenir à la raison, c'est-à-dire de vous faire soigner comme tous les gens normaux. Il vous arrivera probablement de lire ou d'entendre quelque part que votre nouveau médecin qui pratique la médecine douce n'est qu'un charlatan. Cependant, c'est votre nouveau médecin lui-même qui vous fera le plus grand affront, en vous demandant de vous guérir vous-même; il ne va même pas essayer de le faire pour vous.*

*Tout ceci revient à dire que vous avez maintenant perdu votre source de sécurité. »*[18]

## POURQUOI VOUS DEVRIEZ VOUS « JOINDRE À LA MÊLÉE » MALGRÉ TOUT

Si le rôle d'«opprimé » vous convient, je vous incite à vous joindre à nous dès maintenant, car nous avons besoin de votre aide ! Si cette guerre dans le domaine médical vous laisse tout à fait indifférent, je vous invite à vous joindre quand même à nous. Pourquoi ? Tout simplement pour devenir en santé et le rester !

Le meilleur point de départ est de poursuivre la lecture du présent ouvrage jusqu'au bout et d'adopter une saine alimentation. Parole de « charlatan », les feuilles vertes de l'orge sont tout à fait remarquables !

## CHAPITRE II

# Réveillez-vous...
# Votre santé est en jeu !

On constate en lisant le premier chapitre qu'en exerçant leur profession les médecins sont contraints de choisir entre deux grandes philosophies qui s'opposent, la médecine orthodoxe et la médecine préventive. La moitié des décisions qu'ils prennent au sujet de leurs patients ou en collaboration avec ceux-ci sont basées sur le choix qu'ils font entre ces deux philosophies.

De la même façon, nous avons tous des choix à faire lorsqu'il s'agit de recevoir des soins de santé. Allons-nous choisir le genre de traitement qui se fonde « principalement sur les médicaments » ou celui qui comporte le « moins de médicaments possible » ? Je propose que nous magasinions à la « pharmacie des nutriments » le plus souvent possible pour répondre aux besoins de nos cellules/tissus/organes, et que nous acceptions les médicaments uniquement quand nous souffrons de maladies aiguës. Autrement dit, il faut faire en sorte que le « **mieux-être** » **devienne notre objectif permanent plutôt que le** « **contrôle de la maladie** ». Examinons maintenant certains faits pour nous situer relativement à notre cheminement vers le bien être.

Lors d'un récent séminaire sur la médecine orthomoléculaire (le traitement de la maladie par la nutrition) j'ai vu d'une optique différente la vérité au sujet de la santé réelle des américains. Un médecin s'adressait à des collègues et à d'autres professionnels de la santé au sujet de l'état des patients qui fréquentaient sa clinique médicale. La plupart des médecins conférenciers et ceux de l'auditoire étaient de ceux qui préconisent des mesures préventives de santé – une lignée bien différente du médecin tel que nous le connaissons, qui possède des connaissances limitées en matière de nutrition et ne s'en soucie guère. Ce que j'ai entendu à ce séminaire m'a vraiment ébranlé.

À la fin de la première heure de l'exposé, une seule conclusion logique était possible : un très grand nombre d'Américains sont en mauvaise santé et ils doivent ouvrir les yeux et en découvrir les raisons. Certains faits décrits ci-dessous ont été mis en lumière pendant la conférence en vue d'un examen ultérieur plus approfondi. Il est à souhaiter que chaque lecteur aura la même réaction que j'ai eue devant ces statistiques – notamment qu'il faut s'intéresser davantage aux mesures d'hygiène préventive, tout particulièrement à celles qui touchent les aliments et la nutrition. Voici quelques faits :

## LES MALADIES DÉGÉNÉRATIVES : UNE ÉPIDÉMIE MODERNE

D'après le *Statistical Abstracts of the United States de 1986*, **près d'un million d'Américains meurent à chaque année suite de maladies du coeur**. À première vue, il est possible que ces chiffres ne semblent pas tellement inquiétants, à moins qu'on les compare avec les statistiques du début du siècle. À ce moment-là, le nombre de décès causés par les affections cardiaques était très peu élevé. De fait, le *Journal of the American Medical Association* a publié le premier article à ce sujet en 1911. Comment se fait-il alors, qu'en moins de 80 ans, le nombre de décès annuels causés par les maladies du coeur soit passé de quelques-uns à près d'un million ? Il n'est pas facile de répondre à cette question, mais des changements dans nos habitudes alimentaires font nettement partie de la réponse.

Des statistiques provenant de la même source mènent à des conclusions semblables pour une foule d'autres conditions qu'on a appelées « maladies dégénératives ». Par exemple, **le nombre de décès causés par le cancer a aussi augmenté de façon constante** depuis le début du siècle. En 1986, près d'un demi-million de personnes sont décédées du cancer. Ce nombre représente une augmentation de plus de 223 pour cent depuis 1960 ! Pourquoi ? En 1984, à l'Institut américain de recherche sur le cancer (*American Institute of Cancer Research*), on estimait qu'environ 60 pour cent de ces cas pourraient être liés au régime alimentaire !

**Le diabète « mellitus » ou sucré est une autre maladie très courante** aux États-Unis. Bien qu'on en connaisse l'existence depuis le temps de la Grèce ancienne, ce n'est que depuis le début du siècle présent qu'elle est devenue aussi répandue. Il y a présentement environ 10 millions de cas évolutifs de diabètes mellitus aux États-Unis, et à chaque année, s'ajoutent près de 600 000 nouveaux cas. Une fois de plus, cette maladie est liée à l'alimentation.

Avant de passer à un autre sujet, il est encourageant de noter que deux médecins ayant étudié le diabète pendant toute leur vie ont fait des déclarations publiques très similaires concernant cette maladie. Ils ont dit essentiellement que si les patients pouvaient atteindre un poids normal et le maintenir, plus de 80 pour cent des cas de diabète tardif disparaîtraient. Perdre du poids contribue également à abaisser la tension artérielle dans la plupart des cas et à améliorer l'endurance et la résistance face à plusieurs autres maladies.

Les Américains dépensent chaque année environ 9 milliards de dollars pour les soins liés aux maladies du coeur, 7 milliards pour le cancer, 5 milliards pour le diabète et maintenant, 3,42 milliards de dollars du régime public d'assurance-santé sont consacrés uniquement à l'ostéoporose (ossature poreuse). Autrefois, l'ostéoporose était uniquement l'affaire des grands-mères. Ces femmes âgées, dont la ménopause était terminée depuis longtemps, souffraient souvent de fractures de la hanche parce que l'articulation devenait tellement spongieuse qu'elle ne pouvait plus soutenir le poids du corps. Dans au moins 80 pour cent de ces cas, la hanche se défait et les personnes tombent par terre.

Quoi qu'il en soit, **c'est aux États-Unis que l'on trouve actuellement le plus grand nombre de personnes atteintes d'ostéoporose**. Environ 30 pour cent des femmes qui ont passé la ménopause en sont victimes, et pour la première fois dans notre histoire, on peut dépister des cas d'ostéoporose chez les jeunes femmes et chez les hommes. Dans un grand nombre de pays, cette situation n'existe pas. Pourquoi ? Qu'est-ce qui se passe aux États-Unis qui ne se passe pas ailleurs ?

## *ALLEZ, RÉVEILLEZ-VOUS ET RENSEIGNEZ-VOUS !*

Bien sûr, je n'ai pas de solution globale fondée sur des recherches longitudinales, mais j'ai de fortes intuitions. Beaucoup d'études font allusion au fait que des quantités importantes de phosphore et/ou d'acide phosphorique (que l'on trouve dans la viande et dans les boissons gazeuses) absorbent le calcium (le tirant des os, des dents et des ongles) au moment de la digestion et de l'assimilation. Ceci produit des effets désastreux sur la densité des os, en les rendant poreux et spongieux.

Le docteur Yoshihide Hagiwara en parle dans son livre intitulé « *Green Barley Essence* ». Il dit notamment :

« *L'association de l'eau douce et des phosphates a un effet destructeur sur les os ... dans le cadre d'étude visant à démontrer les effets des aliments sur les os des souris, lorsque l'on a augmenté la quantité d'acide phosphorique au-dessus d'une certaine limite, ceci a entraîné des malformations chez les souris. Et lorsqu'on a ajouté une quantité encore plus grande d'acide phosphorique aux aliments des souris enceintes, 40 foetus sur 100 étaient difformes.* »

« *Je ne suis pas seul à avoir constaté ce fait. Il y a quelque temps, le gouvernement a averti le fabricant d'un certain breuvage rafraîchissant célèbre à travers le monde, que la quantité élevée d'acide phosphorique que contenait son produit pourrait avoir des effets nocifs sur les os des enfants.* »[1]

Selon l'association américaine des boissons gazeuses (National Soft Drink Association), la consommation de boissons gazeuses a augmenté en 1983, à un tel point que les Américains en consomment maintenant 40 gallons par personne chaque année. En 1950, ils en consommaient 10,4 gallons. Simultanément, la consommation de viande, de volaille et de poisson a atteint en 1984 son niveau le plus haut. Selon les statistiques du Département de l'agriculture des États-Unis (USDA), la consommation annuelle par personne a atteint 107 kilos – ce qui représente 30 pour cent au-dessus de la consommation moyenne des 75 dernières années, qui était alors de 84 kilos par personne.[2] J'estime que ces deux changements dans l'alimentation des Américains sont en grande partie responsables du nombre extrêmement élevé de cas d'ostéoporose.

## *LES MALADIES DÉGÉNÉRATIVES : DE VRAIES BONNES AFFAIRES*

**Aux États-Unis, le nombre de cas de calculs rénaux a doublé au cours des 20 dernières années**. On estime que cette situation est causée, dans 75 pour cent des cas, par la consommation élevée de saccharose (sucre raffiné) : deux à cinq heures après l'ingestion d'une bonne dose de sucre, la quantité de calcium libérée dans l'urine double soudainement. De plus, notre régime alimentaire hautement acide en raison de la grande quantité de viande que nous consommons est également responsable de cette situation. Lorsque le calcium est extrait des tissus osseux, il passe par les reins, entraînant ainsi la formation de calculs avant d'être excrété.

Je pourrais continuer de vous en parler, mais je vais terminer ici en énumérant quelques autres maladies dégénératives bien répandues dans notre pays, et en ajoutant un commentaire relié à chacune.

**CALCUL BILIAIRE** : près de 1 000 Américains subissent chaque jour une intervention chirurgicale pour cette maladie. En Afrique, selon le docteur Dennis Burkett, on n'en a vu que deux au cours des 20 dernières années !

**LA CARIE DENTAIRE** : presque tous les Américains en ont; on estime qu'il est « normal » que les dents se détériorent. Dans plusieurs endroits au monde, on ne pourrait dépister un seul cas de carie dentaire à porter à l'attention d'un dentiste.

**TROUBLES DE LA PROSTATE** : environ 70 pour cent des Nord-américains ayant passé l'âge de 60 ans souffrent de cette affection. Nous détenons le record mondial dans ce domaine !

**COLITE ULCÉREUSE** : deux millions d'entre nous en sont affectés. Cette condition n'existe pas dans plusieurs régions du monde.

**TROUBLES GASTRO-INTESTINAUX** : on dépense des milliards de dollars pour des remèdes vendus avec ou sans ordonnance contre l'éructation, le gonflement, la flatulence et la constipation.

**VARICES ET HÉMORROÏDES** : ces problèmes sont maintenant très répandus parmi nous. Un régime riche en fibre et l'exercice aideraient à les prévenir et/ou les soulager.

**HYPERTENSION** : 30 millions d'Américains en souffrent et on les drogue avec des médicaments coûtant des milliards de dollars. Il y a à peine 30 ans, on rencontrait rarement ce problème.

**GOUTTE ET ARTHRITE** : des millions de personnes dans notre société prennent des médicaments pour soulager la souffrance causée par ces deux maladies. Traditionnellement, on les rencontrait chez les personnes âgées, mais maintenant on les retrouve dans tous les groupes d'âge, notamment parmi les jeunes enfants. Des statistiques récentes révèlent qu'une personne sur sept souffre d'arthrite sous une forme ou une autre, entraînant des dépenses annuelles de 13 milliards de dollars au chapitre des frais médicaux et de la perte de salaires.[3]

**DIVERTICULITE** : voilà une autre maladie étroitement reliée à l'alimentation et très répandue aux États-Unis. Toutefois, dans les pays ou les fibres n'ont pas été enlevées des aliments, on rencontre rarement cette maladie.

**MALADIES IATROGÉNIQUES (PROVOQUÉES PAR LES MÉDE-CINS)** : voici les cas les plus tristes, à mon avis. Tous les médicaments ont des effets secondaires et la plupart du temps, il n'existe aucun antidote connu qui puisse y remédier. Des millions de personnes sont malades à cause de ces effets secondaires.

**HYPERACTIVITÉ** : cette condition touche des millions de personnes dans notre société et on connaît très peu de choses à son sujet. Il y a plus de 20 ans, aucun cas d'hyperactivité n'avait encore été diagnostiqué.

**ALLERGIES** : ces dernières font faire de très bonnes affaires à nos médecins. Des millions de personnes sont allergiques aux produits alimentaires, aux médicaments et aux produits chimiques. Ces problèmes sont difficiles à diagnostiquer et encore plus difficiles à soigner.

**ATHEROSCLÉROSE ET ARTÉRIOSCLÉROSE** : tout le monde connaît ces maladies. Des millions d'Américains souffrent de mauvaise circulation sanguine et de durcissement des artères.

**CIRRHOSE DU FOIE** : cette maladie est aussi épidémique aux États-Unis que sa cause principale – une forte consommation de boissons alcooliques. Presque six pour cent de notre population fait actuellement partie des personnes qui consomment de l'alcool pour « s'évader ». L'alcoolisme chez les adolescents est à la hausse. Certains médecins sont d'avis que l'incidence croissante des maladies du foie chez les personnes même très jeunes est attribuable à l'affreuse surconsommation de boissons gazeuses. On ne se trompe pas en disant que maintenir la santé du foie est d'une importance primordiale.

**MALADIES MENTALES** : ces maladies deviennent de plus en plus communes au sein de notre population. On estime qu'environ la moitié des maladies qui nous affligent sont engendrées par notre attitude et nos émotions négatives – l'anxiété, la peur, la haine, la jalousie, l'amertume, la rancune, la peine et autres émotions de ce genre.

On ne pourrait dresser une liste complète des maladies affectant les Américains dans des proportions épidémiques sans mentionner l'hypoglycémie et la candidase. Les médecins ne partagent pas tous la même opinion en ce qui concerne ces deux maladies. En effet, certains entretiennent encore des doutes quant à leur signification ou même à leur existence. Toutefois, la plupart des médecins qui soignent ces maladies admettront qu'elles sont principalement engendrées par la surconsommation de sucre et d'hydrates de carbone raffinés.

## ON S'INTERROGE SUR LA DURÉE ET LA QUALITÉ DE LA VIE

Allons-nous trop loin en affirmant qu'il y a dans le cercle familial ou social de la majorité des Américains, des personnes avec lesquelles ils sont en contact de près ou de loin qui souffrent de maladies chroniques ou en phase terminale ? On s'interroge sur la qualité de la vie, et cette inquiétude transcende le niveau personnel et familial. La santé de nos citoyens sur le plan collectif commence à avoir des effets négatifs sur tous les aspects de notre vie en tant que nation – tout particulièrement sur notre vitalité économique et sociale.

Les maladies qui nous affligent en ce moment ne sont pas de celles qui nous foudroient du jour au lendemain. Le corps humain les combat pendant des années avant d'y succomber. Le cancer peut prendre jusqu'à 20 ans à se développer et les maladies du coeur, de 30 à 40 ans. L'arthrite, les calculs rénaux, l'ostéoporose, le diabète, le durcissement des artères, de même qu'un grand nombre d'autres maladies font partie de ces maladies évolutives.

Pendant cette évolution de la maladie, bien des gens ne sont pas assez malades pour en ressentir les symptômes. Il y a d'abord ce que l'on peut appeler la « maladie verticale », c'est-à-dire que la personne atteinte peut se tenir debout et marcher, mais elle ne se sent pas bien. La fatigue, la dépression, les douleurs musculaires, l'insomnie, la lassitude, le manque de motivation, et bien d'autres symptômes difficiles à identifier, tels que la constipation, l'indigestion, les gaz et les maux de tête sont autant de signes avant-coureurs de cette condition.

Par contre, la « maladie horizontale », dont les manifestations vous empêchent de travailler et vous font prendre le lit, suivra tôt ou tard. Mais vous pouvez être assuré qu'elle fera son apparition ! Des millions de personnes peuvent en témoigner, et les médecins eux-mêmes doivent bien le reconnaître.

## LA MÉDECINE MODERNE PEUT-ELLE ÊTRE « UNE MENACE POUR LA SANTÉ »

D'aucuns estiment que plus de 100 millions d'Américains sont plus ou moins affligés par les « nouvelles maladies dégénératives » du siècle. Pourquoi doit-il en être ainsi ?

Il existe aux États-Unis, plus que n'importe où au monde, un nombre imposant de médecins, d'hôpitaux et de cliniques de toutes sortes, sans compter la vaste gamme de services de soins infirmiers ultra-spécialisés, de centres d'esthétique corporelle, de programmes d'éducation en matière de santé et d'autres programmes de ce genre. N'est-il pas étonnant, alors, que **par rapport à d'autres pays, nous ne nous classions pas en tête de liste relativement à l'état de santé global de nos citoyenss?** Vous demandez-vous pourquoi?

Il n'est pas facile de répondre à cette question. Il faut se souvenir que le style de vie des Américains se caractérise par la vitesse et le stress dans leur vie quotidienne, et ce, accompagné d'une grande consommation de médicaments (avec ou sans ordonnance, ou drogues obtenues dans la rue), de l'abus du tabac et de l'alcool, et de la surconsommation de camelote alimentaire. La pollution de l'air, de l'eau et du sol que nous connaissons affectent grandement notre santé, de même que les facteurs reliés à un style de vie malsain qui entraînent la dégradation de l'ADN et de l'ARN, et affaiblissent notre système immunitaire. Il n'y a aucun doute que tout cela contribue à notre mauvais état de santé.

## LES BONS REMÈDES « ENSEVELIS » DANS NOTRE PASSÉ

L'usage des produits naturels pour combattre la maladie s'avère un excellent moyen de maintenir ou de retrouver la santé que nous avons presque laissé disparaître. Des moyens tels le charbon de bois, les plantes, les tisanes, l'hydrothérapie, la chaleur et le froid, le jeûne, le massage, l'exercice, les substances nutritives, les aliments, le repos et l'eau pure sont des méthodes de traitement rarement mentionnées. **Malheureusement pour nous, la pratique de la médecine actuellement en vigueur aux États-Unis permet seulement quatre méthodes de traitement approuvées : il s'agit des médicaments prescrits, de la radiation, de la chimiothérapie et de la chirurgie.** Nombreuses sont les études légitimes à travers le monde, sans compter les observations cliniques et les témoignages, qui démontrent que ces méthodes **devraient être employées principalement dans les cas d'urgence ou comme dernier recours.** Ils sont d'une piètre efficacité pour enrayer le développement de nos maladies modernes, et ils ne les préviennent sûrement pas.

À la lecture d'ouvrages tels celui du docteur Robert Mendolsohn intitulé *Confessions of a Medical Heretic and Medical Mayhem*, il est évident que les médecins ne forment pas un « front commun ». Un bon nombre de médecins hautement qualifiés estiment que les médicaments utilisés à l'heure actuelle sont nocifs et inefficaces et peuvent même avoir des effets néfastes sur les patients. Plusieurs études démontrent que les médicaments prescrits, même les antibiotiques, peuvent être dangereux pour votre santé. Permettez-moi de vous présenter un cas particulier.

## POURQUOI JE PRENDS CELA?

Selon son médecin, une amie âgé de 26 ans, était « hyper » et « nerveuse ». Il lui a prescrit les médicaments suivants : Navane, Symmetrel et Amitriptilyne. Je ne connaissais aucunement ces drogues avant de consulter un ouvrage de référence bien connu pour me renseigner quant à leurs effets secondaires possibles. Je vous en fait part afin de vous éclairer et vous inciter à poser davantage de questions avant de prendre les médicaments que votre médecin vous prescrira.

**NAVANE – EFFETS SECONDAIRES** : pulsations cardiaques rapides, étourdissements, hypotension, somnolence, agitation, insomnie, éruptions cutanées, démangeaisons, urticaire, brûlures solaires exagérées, sécheresse de la bouche, vision floue, congestion nasale, constipation, transpiration et salivation excessives, appétit changeant, nausées, vomissements, faiblesse, fatigue. L'usage prolongé de ce médicament peut entraîner des mouvements spontanés de la langue, de la mâchoire, de la bouche ou du visage.

**SYMMETREL – EFFETS SECONDAIRES** : les plus fréquents sont : la peur, l'évanouissement, la dépression, l'insuffisance cardiaque globale, la psychose, la rétention d'urine, les hallucinations, la confusion, l'irritabilité, la perte d'appétit, la constipation, les nausées, les étourdissements et la rétention d'eau. Les moins fréquents sont : la sécheresse de la bouche, les maux de tête, les vomissements, l'insomnie, la faiblesse, les éruptions cutanées et les troubles de la vue.

**AMITRIPTILYNE – EFFETS SECONDAIRES** : variation de la tension artérielle, pause ou pulsation frénétique du coeur, crises cardiaques, insuffisance cardiaque globale, infarctus, hallucinations, anxiété, agitation, insomnie, comportement maniaque, sensations de « picotements, », tremblements, crises cérébrales, bourdonnements dans les oreilles, sécheresse de la bouche, vision floue, constipation, rétention d'urine, éruptions cutanées, rétention d'eau, dépression, faiblesse des cellules médullaires, troubles sanguins, nausées, vomis- sements, diarrhée, crampes, grossissement des seins, etc. (*NOTE : une liste plus élaborée des effets secondaires des médicaments figure en annexe.*)

Ces renseignements ne vous encouragent-ils pas à vous renseigner davantage quant aux effets secondaires des médicaments que VOUS prenez ? J'ose l'espérer. Vous voudrez peut-être avoir recours à d'autres moyens de vous soigner. Vous devriez d'abord jeter un coup d'oeil sur votre alimentation. Une chose est certaine – **aucun effet iatrogénique (provoquée par le médecin) n'est possible avec une bonne alimentation**. Les aliments dans leur état naturel ne produisent aucun effet secondaire qui puisse nuire à votre santé. Au contraire, les effets secondaires des aliments entièrement naturels sont clairs : **une excellente santé !**

*(Commentaire de l'auteur : nous constatons qu'actuellement un très grand nombre de personnes âgées prennent cinq sortes de médicaments prescrits à la fois. Il est bon de se rappeler que parmi le nombre des neuf grandes catégories de médicaments présentement d'usage courant, une seule traite la cause des maladies, tandis que les autres visent les symptômes.)*

Le recours abusif à la chirurgie a également fait l'objet de reportages télévisés dernièrement. Depuis au moins trois décennies, on sait que le recours à la chirurgie est inefficace pour le cancer. Les chirurgiens seront, naturellement, les derniers à l'admettre. Tant que les gens consentiront à se faire taillader, le chirurgien opérera. Les médecins savent très bien que la chirurgie déclenche la propagation des cellules cancéreuses.

De plus, les médecins de l'hôpital Kayser en Californie ont démontré que la radiation engendre de nouvelles tumeurs là ou les rayons-X de la première radiation ont brûlé les tissus. Nous avons tous entendu parler des expériences, soit de membres de notre famille, de nos amis ou de nos connaissances qui ont souffert de fortes nausées, de fatigue, de faiblesse générale et qui ont perdu leurs cheveux après avoir subi ces traitements radicaux. Ou peut-être avez-vous subi ce traitement vous-même.

La chimiothérapie n'est pas aussi efficace que nous sommes portés à le croire. Des études démontrent nettement que lorsqu'il s'agit de prolonger la vie des patients, ce traitement connaît un succès très mitigé. Bien qu'elle détruise les cellules cancéreuses dans le sang, la chimiothérapie endommage les cellules normales et affaiblit également le système immunitaire. De plus, la chimiothérapie a pour effet de « fortifier » les cellules cancéreuses alors qu'elles réagissent devant la drogue qui les « attaque ».[4]

À mon avis, si les Américains veulent vaincre le cancer, les maladies du coeur, l'arthrite, le diabète, l'obésité, et une foule d'autres conditions débilitantes, ils devront adopter des méthodes de traitement non orthodoxes, reposant grandement sur l'alimentation et d'autres remèdes « que la nature met à notre disposition ».

La façon dont les médecins nous soignent laisse souvent une fausse impression – et des millions de gens semblent se faire prendre. On peut facilement croire que nous avons une affection cardiaque parce que nous n'avons pas assez de Digitalis ou de Lanoxine dans le sang. Ou que nous souffrons d'hypertension parce que nous manquons d'Aldomet ou d'Aldactizide. Peut-être mes troubles gastriques sont-ils dûs au fait que ma mère n'a pas su me faire prendre du Maalox ou du Tagamet ! Voilà quelques unes des conclusions auxquelles on peut en arriver pour expliquer les symptômes que nous ressentons alors qu'on NE TIENT PAS COMPTE de la cause de nos malaises. La plupart du temps, cette condition est engendrée par l'excès ou la carence d'éléments nutritifs naturels tels que les acides aminés, les vitamines, les oligo-éléments, les fibres, l'eau, les glucides, les enzymes ou les corps gras.

De plus en plus, le grand public commence à faire le lien entre les maladies et la carence alimentaire ou les abus. C'est l'évidence même, même pour les gens qui ne s'y connaissent pas. Ce qui étonne c'est que les professionnels de la santé continuent d'ignorer ce lien et qu'ils ne se donnent pas la peine de chercher la solution là où il serait si facile de la trouver – dans les aliments et la nutrition.

La situation dans laquelle nous nous trouvons n'est pas d'hier. Jésus raconte l'histoire d'une femme qui souffrait d'hémorragie depuis 12 ans. Elle avait souffert « à cause des médecins », dont les honoraires l'avaient appauvrie alors que son état ne s'était pas amélioré mais c'était, au contraire, détérioré. (Mathieu 9, 20-22.)

## LA MÉDECINE MODERNE REFUSE LE CHOIX DE TRAITEMENT

L'AMA sera-t-elle un jour en mesure d'offrir l'expertise nécessaire en alimentation par des médecins formés dans ce domaine? Je l'ignore. Il y a longtemps, le D$^r$ Benjamin Rush, M.D, signataire de la Déclaration d'Indépendance, avait prévu ce qui nous arrive lorsqu'il a écrit : « À moins d'enchâsser dans la Constitution la liberté de choix en matière de soins de santé, il viendra un moment où la profession médicale se transformera en dictature clandestine... La Constitution de cette République devrait contenir des mesures spéciales en vue d'assurer la liberté sur le plan des soins de santé... au même titre que la liberté religieuse. »

Il faut se rendre à l'évidence. On nous refuse le libre choix dans le traitement de nos maladies. Les médecins qui s'écartent des pratiques courantes de la médecine sont emprisonnés et on leur refuse le droit d'exercer leur profession s'ils ne se soumettent pas aux règlements de la « dictature clandestine ».

Cette situation changera peut-être lorsque le grand public refusera d'accepter les procédures médicales courantes et choisira l'auto-médication, si nécessaire. Ou bien, on aura la possibilité de fréquenter les cliniques situées à l'extérieur des États-Unis, notamment celles du Mexique et des Bermudes. Quoi qu'il en soit, le principe qu'on voit à l'oeuvre au sein de la profession médicale a fait ses preuves dans plusieurs autres domaines. **Le monopole engendre toujours des services de qualité inférieure à des prix plus élevés.** Pour des millions d'Américains, ce phénomène est devenu une réalité dans le domaine de la médecine. Il existe un besoin urgent de traitements préventifs qui ne font pas encore partie de la médecine conventionnelle.

Avant que vous en veniez à la conclusion que je suis contre les médecins, permettez-moi d'insister sur un point. Je ne suis pas contre les médecins – je suis contre l'abus qu'il font du pouvoir. J'éprouve une grande inquiétude devant le fait qu'un organisme professionnel puisse empêcher ses membres d'apprendre, de faire l'apprentissage de méthodes nouvelles et d'utiliser celles qu'ils jugent les plus efficaces, particulièrement en ce qui a trait aux possibilités préventives et curatives d'une bonne nutrition.

Mais laissez-moi d'abord vous affirmer ceci, au nom des nombreux médecins consciencieux et respectueux de l'éthique qui se dévouent corps et âme à notre service. Je crois sincèrement qu'ils font partie du plan divin pour guérir la maladie et soulager la douleur. À mon avis, et particulièrement en ce qui concerne les maladies dégénératives, chacun de nous doit prendre ses responsabilités beaucoup plus au sérieux, sur le plan de la prévention. **Est-ce une « simple coïncidence » que les affections pour lesquelles il n'y a PAS de cure sur le plan médical sont celles qu'il incombe à chacun de nous de se sentir responsable de prévenir.** Ce qui est tragique au sujet des maladies dégénératives est le fait qu'il s'agit de conditions qui sont souvent en phase terminale au moment où elles exigent l'attention du médecin, sont précisément les mêmes conditions auraient pu être complètement évitées par un engagement personnel à une bonne nutrition.

## LA MODERNISATION DE L'ALIMENTATION : L'ENNEMI VÉRITABLE DE LA SANTÉ

En tant qu'éducateur, ayant oeuvré pendant 53 ans dans le domaine des aliments et de la nutrition, je soupçonne fortement ce qui peut être une des principales causes de notre mauvaise santé. Nous avons pratiquement enseveli l'arme la plus puissante à notre disposition pour combattre les maladies, les malaises en général et la mauvaise santé – c'est-à-dire des aliments frais cultivés dans un sol fertilisé par des méthodes biologiques sans le recours à des centaines, voire des milliers, de produits chimiques très complexes ! On ne peut comparer la valeur nutritive de nos produits alimentaires de haute technologie avec la valeur des aliments qui étaient cultivés et consommés au début du siècle.

Laissez-moi illustrer, à l'aide du tableau 1, que les scientifiques ont raison lorsqu'ils signalent que le sol ne produit plus des récoltes aussi riches en nutriments que dans le passé. Ces données ont été obtenues du gouvernement.

### TABLEAU 1

### TABLEAU COMPARATIF DES VALEURS NUTRITIVES POUR UNE TASSE DE RIZ BRUN (1956 et 1975)*

| 250 ml (1 tasse) | 1950 | 1975 | DIMINUTION EN % |
|---|---|---|---|
| Poids (g) | 208,0 | 200,0 | 3,9 |
| Énergie (calories) | 748,0 | 720,0 | 3,9 |
| Protéine (g) | 15,6 | 13,9 | 10,9 |
| Calcium (mg) | 81,0 | 64,0 | 21,0 |
| Fer (mg) | 4,2 | 3,0 | 28,6 |
| Vitamine B (g) | 0,66 | 0,63 | 7,6 |
| Niacine (g) | 9,6 | 8,7 | 9,4 |

* Composition des aliments – Crus, transformés, préparés, Agriculture Handbook no. 8, Département de l'Agriculture des États-Unis, 1950 et 1975

**Il est légitime d'affirmer que de nos jours une grande partie de nos aliments ne renferment aucune valeur nutritive.** Ils sont le produit de nos immenses laboratoires, où on les a drogués, tués et embaumés, enduits de goudron, de cire ou d'huile, vidés de toute substance, polis, transformés, raffinés, stérilisés, dégénérés, congelés, mis en conserve, desséchés, changés en camelote impure. Et maintenant on parle de les

IRRADIER. (Peut-on logiquement croire que des être humains puissent tolérer des aliments traités avec des déchets atomiques?! Je crois que non!)

On peut avaler tous les aliments susmentionnés avec plus ou moins de facilité et de plaisir mais les cellules de notre organisme n'en reçoivent aucun des nutriments nécessaires au développement et au maintien d'un corps sain. Seuls les aliments « naturels » peuvent fournir ces nutriments. L'orge, dont on déshydrate les feuilles encore tendres par pulvérisation pour en conserver la valeur nutritive, est un excellent exemple. Il faut bien sûr que les feuilles soient de culture biologique sans emploi d'engrais chimique et sans traitement à la chaleur intense ou par congélation.

Les effets de la transformation sur les aliments sont clairement illustrés au tableau 2. Vous vous convaincrez de la raison pour laquelle les professionnels qui préconisent la prévention insistent sur la consommation de céréales naturelles faites de grains entiers, de préférence à celles qui ont été transformées.

### TABLEAU 2

#### VALEUR NUTRITIVE DE DIFFÉRENTS TYPES DE RIZ*

| 250 ml_ | GRAINS ENTIERS-BRUN | BLANC | RIZ PRÉ-CUIT |
|---|---|---|---|
| Calories | 720,0 | 708,0 | 355,0 |
| Glucides (g) | 15,0 | 13,1 | 7,1 |
| Protéines (g) | 154,8 | 156,8 | 78,4 |
| Calcium (mg) | 64,0 | 47,0 | 5,0 |
| Fer (mg) | 3,2 | **5,7 | **2,8 |
| Vitamine B1 (g) | 0,68 | **0,86 | **0,42 |
| Vitamine B2 (g) | 0,10 | 0,06 | 0,0 |
| Niacine (g) | 9,4 | 6,8 | 3,3 |

* Composition des aliments – Crus, transformés, préparés,
Agriculture Handbook no. 8, Département de l'Agriculture des États-Unis, 1950 et 1975
** Enrichi de produits chimiques artificiels

On constate facilement que, même si le nombre de calories est deux fois plus élevé dans les grains entiers, ceux-ci sont deux fois plus riches en protéines et en glucides complexes, et ils contiennent 1100 pour cent plus de calcium, une plus grande quantité de fer et de vitamine B, et 300 pour cent plus de niacine. Les grains entiers sont naturels, et tous les aliments naturels sont de qualité supérieure aux mêmes aliments qui ont été raffinés ou transformés. **Actuellement aux États-Unis, on estime que 65 pour cent des aliments sont transformés, et que 60 pour cent de la population est atteinte de maladies épidémiques!** Est-il possible que ce soit l'une des raisons?

Il est relativement facile de trouver des statistiques sur les changements qui ont marqué nos habitudes alimentaires ces dernières années. Voyons d'abord notre consommation de liquides. C'est dans le domaine des boissons que sont survenus les changements les plus alarmants en matière de consommation alimentaire depuis les années cinquante. Nous consommons de plus grandes quantités d'alcool, de bière et de boissons gazeuses, mais nous buvons moins d'eau. Cepen- dant, il n'y a qu'un petit nombre d'Américains qui se rendent compte de l'effet de ces changements sur leur santé. À mon avis, outre le changement dans la consommation d'alcool, la nouvelle habitude alimentaire qui risque le plus d'avoir des conséquences désastreuses pour notre santé, est le remplacement de l'eau par les boissons gazeuses que nous consommons à tout moment et en tout temps pour nous désaltérer. Nous consommons des boissons au cola en plus grandes quantités que l'eau pure, sans se soucier de la teneur en produits chimiques de ces boissons. Dernièrement, une auditrice de la télé m'a écrit pour me raconter qu'un de ses amis, étudiant dans un collège, consommait 3 litres de boissons au cola par jour. Cela représente 8 bouteilles de 375 ml de cette boisson qui contiennent 72 cuillerées à thé de sucre (144 grammes)! Et à cette quantité de sucre s'ajoute une mesure de 240 à 464 milligrammes de caféine; vous faites le calcul en choisissant les chiffres qui vous paraissent crédibles.

Des études ont démontré que la consommation de **24 cuillerées à thé de sucre (48 g) dans une journée produit l'effet suivant sur l'organisme : les globules blancs détruisent 92 pour cent de moins de bactéries.** On n'a pas idée à quel point la consommation supplémentaire de sucre de 300 pour cent (uniquement en boissons gazeuses – sans compter les desserts, les céréales, les bonbons, l'alcool, etc.) peut affecter le système d'immunisation de ce jeune homme. Chose certaine : des études m'ont convaincu qu'il peut s'attendre à une détérioration de sa masse osseuse (celle de ses dents qui commen- ceront à branler), et s'expose à des maladies, notamment les calculs rénaux, le diabète, les maladies du coeur, le cancer, la carie dentaire, les problèmes de dos et quantité d'autres.

Quant à la quantité de caféine que cette personne absorbe, une brochure sur le sujet publiée par le gouvernement indique qu'une dose de caféine de 60 à 100 mg entraîne des effets pharmacologiques ou de drogues. On continue de faire savoir que **la caféine est reliée aux taux élevés de cholestérol responsables des maladies coronariennes et aux faibles niveaux de la « bonne sorte » de cholestérol, qui protège contre les maladies du coeur. La caféine est également responsable des ulcères gastro-duodénaux, du diabète et de l'hypoglycémie.**

Des études ont démontré que la caféine transforme les chromosomes des cellules et qu'il pourrait exister un lien entre la caféine et le cancer. Je me demande quel serait l'effet sur le corps humain d'une consommation journalière de 300 à 400 pour cent SUPÉRIEURE à la dose pouvant causer l'effet de drogue. Je suis persuadé que cela est dévastateur pour la santé, surtout pour le coeur et le système nerveux.

Dans sa lettre, l'amie de ce jeune homme m'a demandé de contacter ce brillant étudiant en droit, et de le mettre en garde contre les risques qu'entraînent la consommation de boissons gazeuses en si grandes quantités. Devrais-je le faire, ou pourrait-on dire que je me mêle trop de ses affaires ? Je n'en suis pas certain. Mais je partagerai volontiers mon opinion avec les lecteurs en espérant que vous préviendrez les membres de votre famille et vos amis. Je parlerai davantage des effets nocifs du sucre, dans un autre contexte.

Il importe de connaître d'autres faits relatifs aux habitudes de consommation de boissons. En 1950, on se désaltérait surtout en buvant du lait, de l'eau et du café, tandis que maintenant on opte pour les boissons gazeuses, les boissons aux fruits et la « caisse de six » (la bière).

Les boissons aux fruits ajoutent trop de sucre aux quantités consommées. Dans un sens, elles sont aussi susceptibles d'entraîner la dépendance. Les boissons gazeuses et la bière renferment des substances toxicomanogènes, et la dépendance mène à la surconsommation. La surconsommation entraîne l'obésité, un des facteurs de risque les plus importants pour le cancer, le diabète, les maladies du coeur et quantité d'autres maladies dégénératives.

La substance toxicomanogène contenue dans la bière est, bien entendu, l'alcool. « L'alcool en soi est une drogue, un sédatif et un tranquillisant, en plus d'être hypnotique et anesthésiant, selon la quantité consommée ».[5] Malheureusement, les boissons alcooliques ne contiennent pas suffisamment de nutriments – **surtout pas une quantité suffisante pour en justifier leur apport calorique élevé.**

À l'exception de la bière, les boissons alcooliques courantes ne contiennent aucune substance nutritive. La bière contient une quantité minime de thiamine, d'acide niconitique et de protéines; à part cela, toutes les calories proviennent de l'alcool. Pire, la consommation régulière d'alcool influe sur le choix des aliments; l'habitude de prendre ses repas à des heures irrégulières et d'ingérer des aliments à faible valeur nutritive est courante. Cette situation est souvent aggravée par la gastrite, qui fait diminuer le désir de consommer des aliments normaux chez le buveur de bière.

Actuellement, 70 pour cent des jeunes adultes boivent régulièrement de la bière, tandis que 12 pour cent sont considérés comme des « grands buveurs », c'est-à-dire, qu'ils en consomment tous les jours. Le beau côté de la médaille : il existe une façon simple d'améliorer la nutrition pour cette tranche de la population. Si vous avez des problèmes d'estomac et que vous buvez de la bière régulièrement, essayez de mettre la bière de côté. Ceci pourrait être là cure la plus simple et la moins dispendieuse que vous ayez jamais suivie !

La consommation de boissons gazeuses a augmenté de 300 pour cent depuis 1950. Bien que les annonces à la télévision nous fassent croire que les boissons gazeuses sont un « aliment de plaisir » pour ceux qui sont « assez intelligents » pour avoir un mode de vie « passionnant et trépidant », le moment viendra où ces personnes voudront tout donner pour ne pas avoir suivi ces conseils. Dans le cas des maladies du coeur, du cancer et du diabète, ce n'est qu'après de nombreuses années que le corps humain s'affaiblit et favorise les affections. C'est donc après une longue période que les buveurs de boissons gazeuses commenceront à ressentir les symptômes, mais s'ils survivent, la maladie les maintiendra à l'horizontale ! **La « génération de buveurs de Pepsi » n'a aucune chance d'éviter les problèmes de santé qui forceront ces gens à changer radicalement leur mode de vie !**

## *TROIS SITUATIONS ET UNE QUESTION*

Pour prouver ce que j'ai dit, je citerai trois exemples récents et typiques. Le premier m'a été cité par un ami qui est chirurgien. Un enfant de trois ans s'est cassé le coude en tombant de son tricycle. Lorsque mon ami l'a opéré, il a constaté que les os de l'enfant étaient trop spongieux pour accepter une tige ou un fil de métal. Il n'a pu qu'immobiliser le membre de l'enfant avec une planche à bras et le renvoyer à la maison, laissant la nature suivre son cours.

Comment se fait-il que les os d'un bambin de trois ans se soient détériorés à ce point? Le chirurgien a soupçonné que la cause remontait à deux ou trois générations; la mère et les grands-mères de l'enfant auraient consommé de grandes quantités de viande, de sucre et de boissons gazeuses. Ces aliments retirent le calcium des os. On constate facilement l'effet cumulatif – en fin de compte, il n'y a plus assez de calcium dans le corps de la femme pour que le tissu osseux de son enfant soit sain à la naissance. Selon ce chirurgien, un grand nombre de jeunes gens qui viennent le consulter (des athlètes notamment), ont les os fragiles.

Le deuxième exemple est un fait dont j'ai été témoin. La victime est une femme mariée, mère de trois enfants (neuf ans, sept ans et deux ans). Les os de ses pieds étaient devenus mous et se détérioraient. Son médecin lui a conseillé de ne pas rester debout pendant plus d'une heure et demie ou deux heures par jour. Elle s'est plainte de ne pouvoir accomplir ses travaux ménagers en si peu de temps et se demandait comment elle pourrait surmonter ce problème. Lorsque je lui ai demandé ce que le médecin croyait être la cause de son problème, elle m'a répondu « Je suis une fanatique des boissons Dr. Pepper. J'en consomme une par heure. »

Plus tard, j'ai raconté cette histoire à un ami qui est médecin, et il m'a demandé : « Lui as-tu dit que si elle n'abandonnait pas cette habitude, en peu de temps les os de ses hanches se détérioreront et elle ne pourra même plus s'asseoir dans son fauteuil roulant? Après, elle pourrait être clouée à un lit d'hôpital pour le reste de ses jours. » J'ai oublié de vous dire – elle n'a que 37 ans !

Le troisième exemple touche l'ensemble de la société. À l'assemblée annuelle de l'association dentaire d'un État, en 1986, l'un des principaux conférenciers a indiqué qu'**environ 10 millions d'Américains n'ont pas les dents solides**. En fait, il n'y a actuellement aucun moyen efficace d'empêcher les dents de branler quand l'os des gencives s'est détérioré.

Le conférencier n'a pas parlé des causes possibles de ce problème. Ce qu'il trouvait déplorable, c'est la nécessité d'extraire de très bonnes dents par mesure de précaution. Les patients risquent aussi de perdre leurs dents pendant leur sommeil et de s'étouffer à mort. Je souhaitais qu'il mette les gens en garde contre la consommation continue de boissons gazeuses, de viandes rouges et de sucre. Je me demande s'il est suffisamment renseigné en matière de nutrition pour comprendre ce qui se passe !

Maintenant que vous êtes renseignés, comment réagirez-vous sur le plan de vos habitudes alimentaires ? Permettez-moi un observation au sujet de mes nombreux amis, dont la plupart sont Chrétiens. Ils aiment citer Osée (4:6) en se référant à leur message favori : « L'ignorance détruit mon peuple. »

Nous devons, bien entendu, avoir des connaissances suffisantes et approfondies avant de prendre des décisions qui touchent nos habitudes, mais je pense parfois qu'il existe un autre problème ! Dans le domaine de la nutrition, par exemple, j'ai constaté que très souvent les gens se font du mal parce qu'ils refusent de se rendre à l'évidence. Ils savent, entre autres, que les aliments frits et ceux qui contiennent beaucoup de matières grasses (comme la plupart des hamburgers) ont des effets désastreux sur le coeur. Mais, quel restaurant fréquentent-ils le plus souvent, et quels mets choisissent-ils à cet endroit ?

Ils savent aussi que le sucre est « censé être mauvais » pour la santé, mais combien de fois refusent-il des aliments sucrés parce qu'ils contiennent trop de sucre et qu'ils sont nuisibles à la santé ?

Je vous demande donc de réfléchir à cette question. Qu'est-ce qui est pire : l'ignorance ou la désobéissance ? Chacun de nous doit décider et notre décision aura un effet de choc : nous serons en santé ou nous aurons des maladies dégénératives – celles qui sont actuellement les plus répandues aux États-Unis.

Vu le manque d'espace, je dois terminer. De nombreuses questions devront donc être laissées de côté. J'espère toutefois que vous avez retenu l'essentiel des sujets que nous avons couverts – **les Américains sont loin d'être en santé et ils doivent changer leur façon de voir le rapport qui existe entre l'alimentation et la santé, et entre l'alimentation et les maladies**.

## *LES BONNES NOUVELLES APRÈS LES MAUVAISES*

Après toutes ces mauvaises nouvelles, vous serez heureux d'apprendre qu'il y a de bonnes nouvelles. D'abord la bonne nouvelle : vous êtes responsables de votre corps. Vous trouverez dans ce livre (et dans mes deux livres précédents, *Nutrition for Christians* et *Are You Sick and Tired of Feeling Sick and Tired?*) de nombreuses suggestions pratiques et une façon tout à fait nouvelle de considérer vos habitudes alimentaires. Si vous les mettez en pratique, vous verrez que vous pouvez changer !

Mais il y a une nouvelle encore meilleure : J'ai fait la découverte d'un concentré alimentaire (une cuillerée à thé [2 g] équivaut à deux poignées de feuilles d'orge) qui, à mon avis, contient les nutriments nécessaires pour vous aider à « remonter la pente » beaucoup plus facilement et sans trop de douleur – le jus frais, desséché sous vide, des jeunes feuilles de l'orge.

Je crois que c'est un produit très spécial, parce qu'il renferme les éléments nutritifs que les Américains ne reçoivent plus en quantités suffisantes. On a l'impression que le Créateur, dans sa sagesse, l'a inventé spécialement pour nettoyer notre système et nous renforcer pendant que nous essayons de faire les changements de base qui s'imposent : nos habitudes alimentaires et culinaires doivent s'harmoniser avec les réalités d'une bonne nutrition. Et c'est ce qu'Il a fait !

## IL EXISTE UNE RÉPONSE À NOTRE DILEMME

J'inclus quelques conseils pour vous aider à faire de meilleurs choix en matière de nutrition. Ainsi, vous changerez vos habitudes alimentaires de manière à réduire le risque d'être atteint d'une maladie dégénérative. Vous les trouverez aux annexes, à la fin de cet ouvrage.

La première annexe est le guide alimentaire que la USDA a proposé aux Américains en 1978. Les conseils qu'il renferme, et ceux que j'y ai ajoutés, font de ce guide une excellente source d'information générale en matière de nutrition.

Vous trouverez ensuite, des principes directeurs visant à réduire l'excès de cholestérol dans votre régime alimentaire et à renforcer le coeur et les autres organes vitaux – *Cardiovascular Health List.* (Annexe A).

Enfin, l'annexe E comprend un graphique produit en 1984, par l'*American Institute of Cancer Research.* Je désire partager avec vous l'information puisqu'à mon avis, elle reflète avec exactitude les convictions de nombreux médecins et auteurs qui comme moi, préconisent une approche préventive en matière de santé. Je vous recommande fortement de l'examiner soigneusement et d'appliquer dans votre quotidien, les principes qui y sont énumérés.

Pour conclure, un dernier conseil. Ne faites pas le « grand ménage » du garde-manger et du réfrigérateur pour vous débarrasser de tous vos aliments « malsains ». Cela entraînera une confusion totale et d'autres réactions négatives. Pour la plupart des gens, cette méthode ne donne pas de bons résultats. **Prenez plutôt l'habitude de faire des petites améliorations chaque jour**. Consommez quelques boissons gazeuses en moins chaque jour tout en consommant davantage d'eau pure. Pour le repas du soir, choisissez de temps à autre un mets principal bon pour la santé au lieu d'opter pour des côtelettes de porc grillées avec des pommes de terres gratinées, en conserve. Remplacez parfois les beignets du petit déjeuner par des coussinets de blé filé garnis de son d'avoine, etc. Vous serez étonné de voir comme il est facile d'améliorer votre apport alimentaire.

Vous constatez certainement que cela changera également vos habitudes d'achat. La planification des menus serait évidemment la façon idéale de vous assurer de faire des changements et d'avoir à votre portée les aliments qu'il vous faut.

S'il vous est impossible de planifier, faites les changements qui vous conviennent – MAIS SOYEZ-Y FIDÈLE chaque jour. Il ne faut que 21 jours pour changer son comportement et adopter une « nouvelle » habitude.

Bien entendu, je ne pourrais terminer ce chapitre sans partager avec vous encore une fois, une de mes plus fermes convictions. **Les feuilles de l'orge sont réellement un aliment très puissant – un produit de rajeunissement naturel qui fait des miracles !**

## CHAPITRE III

# L'orge : l'aristocrate de la botanique

Selon les historiens, l'orge est une céréale bien connue dont la culture remonte à la plus haute antiquité. On la mentionne 37 fois dans la Bible. Le dictionnaire biblique *Unger* la définit ainsi : « Une espèce sauvage, qui pousse en Galilée et vers le nord-est jusqu'au désert de Syrie, pourrait être la plante à l'origine de toutes les variétés cultivées ».[1]

Le *World Book Encyclopedia* de 1986 place l'orge au quatrième rang en importance, derrière le blé, le riz et le maïs, et avant le sorgho, l'avoine, le millet et le seigle.[2] La planète en produit près de huit milliards de boisseaux par année.

L'orge se présente sous plusieurs formes et est utilisée à diverses fins. Aux États-Unis, la grande majorité est moulue ou aplatie et sert à la préparation d'aliments composés pour les animaux. L'orge perlé est moulu dans un tambour rotatif jusqu'à ce qu'il soit dépouillé de l'enveloppe et du germe. Comme vous vous en doutez, cette transformation réduit grandement sa valeur nutritionnelle. Évidemment, c'est sous cette forme que les Américains consomment le plus souvent cette céréale. On utilise parfois la farine d'orge dans la préparation de pain et de céréales de bébé.[3]

## UN PROFIL DE L'ORGE

Voici quelques faits intéressants à propos de l'orge :

- C'est la première céréale à mûrir au printemps; le blé vient ensuite et prend de quatre à six semaines de plus.
- Étant donné qu'elle résiste au gel et se cultive bien dans les hautes altitudes et les conditions climatiques du nord, elle ne subit pas l'attaque des insectes, des moisissures, des champignons microscopiques ou des vers, qui abondent plus tard durant l'été et dans des climats plus chauds.
- L'orge se compose de 67 pour cent de glucides et de 12,8 pour cent de protéines, un rapport « parfait » de ces deux substances, selon l'avis des scientifiques modernes.
- L'orge a contribué au rajeunissement et au regain de santé des peuples anciens dont les régimes alimentaires étaient maigres en hiver. Elle fera la même chose pour nous aujourd'hui.
- Malheureusement, 54 pour cent de l'orge cultivée en Amérique est destinée à l'alimentation des animaux. Une autre proportion importante sert au brassage de la bière.

## UNE DIMENSION SPIRITUELLE

On note un autre fait intéressant à propos de l'orge. La Bible rapporte que Yahvé parla à Moïse et lui dit de demander aux Israélites d'apporter la première gerbe de la première moisson d'orge à leur prêtre. « Il l'offrira devant Yahvé en geste de présentation pour que vous soyez agréés. C'est le lendemain du sabbat que le prêtre fera cette présentation » (Lév. 23:11).

Lorsque j'ai entrepris des recherches sur ce passage dans les livres historiques juifs, les encyclopédies juives et autres ouvrages de référence, ces mots ont pris vie. J'ai compris que l'orge avait un sens « spirituel » profond. C'était l'orge qui mûrissait la première et qui constituait la gerbe utilisée dans les temps anciens, de même qu'à notre époque, pour célébrer ce qu'on appelle le Festival des premiers fruits. C'est écrit dans Lévitique 23:9-11. « ...vous apporterez au prêtre la première gerbe de la moisson, la veille du sabbat. Il l'offrira devant Yahvé en geste de présentation ». Mais qu'est ce que tout cela signifiait et quel était le lien avec ma vie au XX$^e$ siècle? J'ai poursuivi mes recherches jusqu'à ce que je découvre des bouts de vérité profonds et riches.

Mes propres pensées ainsi que celles d'amis et spécialistes de la Bible ont été publiées dans un ouvrage intitulé *The Spiritual Roots of Barley*, que vous pouvez vous procurer auprès de Swope Enterprises.

Cela vous motivera à utiliser l'orge verte et à en parler à d'autres. À présent, revenons au sujet général de l'orge.

## UNE ANECDOTE À PROPOS DE L'ORGE

J'aimerais vous faire part de deux histoires qui m'ont été racontées. Je n'assume aucune responsabilité pour leur authenticité. Je crois qu'elles sauront vous intéresser.

## UNE HISTOIRE DU DANEMARK

Un médecin qui a rendu visite à une famille agricole au Danemark, un été, m'a raconté qu'il n'a jamais pu oublier la différence entre les étables danoises et américaines où se fait la traite des vaches. Les étables danoises étaient absolument inodores, même lorsqu'il y avait du fumier frais sur la litière de paille, ce qui n'était pas le cas dans les étables américaines. L'odeur de fumier y était parfois assez déplaisante.

Lorsqu'il a fait part de cette observation au fermier, ce dernier lui a expliqué que c'était à cause de l'orge dans le régime alimentaire des vaches. L'orge est un désodorisant naturel, dit-il. Est-ce vrai? Je le crois. (Pour plus de détails, voir le chapitre VI sur la chlorophylle.)

Un agriculteur du Dakota du Nord m'a dit la même chose au sujet des propriétés désodorisantes de l'orge. L'herbe et les grains d'orge comportent un grand nombre d'enzymes En outre, l'orge verte regorge de chlorophylle. Ces deux substances facilitent la digestion et, lorsque les aliments sont parfaitement digérés, les déchets de la voie intestinale sont « propres » et inodores.

J'ajouterai mon propre humour à cette histoire déjà amusante, afin de pouvoir changer de sujet tandis que vous riez encore. J'ai le fort sentiment que la partie antérieure d'une vache nourrie à l'orge est également fraîche et inodore. Je gage que l'odeur de la « bise d'une vache » serait plus agréable que l'haleine de votre propre Fido bien-aimé!

## UN AGRICULTEUR DU DAKOTA DU NORD PARLE DE L'ORGE

Lorsque j'ai commencé à écrire ce livre, j'ai rencontré un agriculteur du Dakota de Nord. Par la suite, il m'a envoyé une lettre dont j'aimerais vous faire part. Voici ce qu'il m'a écrit à propos de l'orge.

*« Dans cette région, l'orge est reconnue à titre de guérisseur de la terre en raison de sa capacité de pousser dans un sol alcalin.*

*Certains sols où rien ne pousse, sauf le kochia à balai ou le vulpin,» se prêtent bien à la culture de l'orge, si on travaille un peu le sol.*

*Il y avait sur ma propre terre un champ où, depuis ma plus tendre enfance, rien ne poussait. J'ai travaillé le sol pendant un été et semé de l'orge au printemps suivant. Ce champ a produit environ 70 boisseaux par acre! »*

*En outre, j'ai rendu visite un jour à un voisin que je respecte grandement à titre d'agriculteur. Je lui ai posé une question : « Quels sont les vérités ou les secrets les plus importants que vous avez découverts au cours de votre vie d'agriculteur? » Sa première réponse a été : « SEMER DE L'ORGE!!!*

*Puis il a ajouté : « L'une des terres les plus riches et les plus fécondes que je connaisse est la ferme Gissell ». Je savais qu'on y cultivait l'orge depuis douze ans d'affilée. »*

Ce qui m'a impressionné le plus dans ses propos, c'est que l'orge est reconnue à titre de guérisseur de la terre. Si l'orge guérit la terre, n'est-il pas logique de présumer qu'elle produira des aliments sains qui formeront des corps sains ou rendront la jeunesse aux corps malades?

Mon ami a dit autre chose qui m'a également impressionné :

*« La paille d'orge est l'aliment préféré du bétail. J'ai vu des vaches gravides en janvier (ici, nos hivers sont rigoureux à ce moment de l'année) délaisser du bon feuillage pour manger de la paille d'orge. Je connais plusieurs éleveurs de bétail qui font de l'orge l'aliment principal de leur programme d'alimentation animale.*

*J'aimerais vous donner matière à réflexion. Lorsque les agronomes examinent les exigences en matière de nutriments pour la culture des céréales, ils veulent savoir quelle est la teneur en azote, en phosphore et en potassium. Les experts en agronomie s'arrêtent ici. Toutefois, certains renégats ont constaté que cela est fictif selon le pH qui existe dans le sol. Si le pH ne correspond pas à la norme acceptable, ils parlent alors de nutriments « retenus ».*

*Il avait été question, il y a une dizaine d'années, d'ajouter un quatrième élément aux substances de base azote, phosphore et potassium. Cet élément aurait été du soufre ou un produit calcaire organique pour rajuster le pH. En ajoutant cette substan-*

*ce, une bonne partie des éléments « retenus » aurait été libérée en ramenant tout simplement le pH à un niveau préférable. »*
Mon ami a ensuite soulevé la point suivant :
    *« Peut-on appliquer ce principe à l'être humain et au pH sanguin ? Est-ce que tous les facteurs commencent à agir comme il faut en prenant de l'orge verte (qui est très alcaline, par opposition à notre régime riche en substances acides) pour rajuster notre pH sanguin ? »*
Sans aucun doute, ma réponse est OUI ! Lisez le chapitre VII pour mieux comprendre cette question.

C'est une autre illustration de la façon dont Dieu a bien intégré toute la création. Le pH du sol influe sur la croissance et la santé de toutes les plantes, tout comme le pH des liquides organiques contrôle la digestion et l'assimilation des aliments, de même que la distribution et l'utilisation des nutriments chez l'être humain et les autres animaux.

Les feuilles vertes du plant d'orge embryonnaire sont les plus alcalines d'un grand nombre de plantes vertes examinées. Pour les gens qui ont besoin d'un antiacide après un repas pour « se sentir bien », l'apport quotidien d'une ou deux cuillerées à thé d'orge verte (2 à 4 g) en poudre pourrait sûrement éliminer le besoin des préparations « artificielles », que les Américains utilisent au coût d'un demi milliard de dollars par année.

## DEUX AUTEURS QUI RECOMMANDENT LA TISANE D'ORGE

L'auteur Joseph Kadans écrit que l'orge est suffisamment douce et riche en nutrition pour soulager ceux qui souffrent d'ulcères peptiques et de diarrhée. Il estime également que l'orge prévient la perte des cheveux et améliore l'état des ongles des mains et des pieds.

Selon M. Kadans, la tisane d'orge a fait du bien à des personnes souffrant de calculs urinaires et de fièvres élevées. Il estime que cette infusion pourrait être utile dans le traitement de l'asthme, en raison d'une substance que contiennent les grains, l'hordéine, qui soulage les bronchospasmes.

Pour préparer une bonne boisson orgée, M. Kadans recommande de faire bouillir 50 g de grains d'orge entiers dans trois fois la quantité d'eau jusqu'à ce que celle-ci soit réduite de moitié. Le liquide restant est bon pour les affections intestinales, surtout si on y ajoute 50 g de figues tranchées durant la cuisson.[4]

Nelson Coons écrit que certains estiment que l'infusion d'orge est un « premier aliment » pour les nourrissons qui souffrent de troubles du rein ou de la vessie. Mélangée à du citron, cette tisane constitue également une excellente boisson pour les personnes souffrant de bronchite, d'asthme ou de maux de gorge.[5]

Quoique ces idées ne soient pas liées à l'utilisation des feuilles d'orge, je les ai incluses ici pour montrer que le grain d'orge est également un aliment précieux pour la santé. De fait, Hippocrate a dit : « À propos de l'alimentation, je crois que le gruau d'orge est meilleur que toute autre céréale pour soigner les affections aiguës; on devrait utiliser l'orge de meilleure qualité ».[6]

Ces renseignements généraux sur l'orge font ressortir la contribution réelle du grain d'orge au cours des âges à la santé de toutes les créatures vivantes, y compris l'être humain.

## *L'ABC DU JUS D'ORGE VERTE*

La découverte des capacités réparatrices sensationnelles du jus fait à partir des feuilles vertes de l'orge est issue d'une tragédie personnelle. Un médecin et chercheur pharmacologue japonais, Dr Yoshihide Hagiwara, perdit la santé à l'âge de 38 ans. Il essaya d'abord de se remettre en prenant des médicaments modernes et des doses énormes de vitamines synthétiques et de minéraux, mais sans succès.

Puis, il essaya des anciennes plantes médicinales chinoises et des diètes purifiantes, sans obtenir de bien meilleurs résultats. Lorsqu'il a cherché la guérison dans un régime riche en enzymes naturelles, en chlorophylle pure, en vitamines naturelles et minéraux, de même qu'en polypeptides (aminoacides), il a recouvré la santé – le « médecin en lui » lui a redonné la santé !

Je crois que des millions de nos contemporains peuvent témoigner de l'efficacité d'un régime riche en aliments purs, naturels, non transformés et cultivés selon des méthodes biologiques, en vue de bâtir, de réparer et de maintenir des cellules saines. Oui, **lorsque nous veillons à notre nutrition, nous pouvons habituellement oublier la maladie !**

Avant de choisir les feuilles d'orge parmi les « aliments verts » en vue de mettre au point un produit, le Dr Hagiwara a consacré dix ans à l'étude des racines, des tiges, des brindilles, des feuilles et des fleurs de plus de 300 plantes vertes à tous les stades de maturité. (Lisez son livre, *Green Barley Essence*, pour obtenir des détails complets.)

Finalement, il a trouvé la plante PAR EXCELLENCE qui était supérieure à toutes les autres. Voici ce qu'il écrit à ce sujet : « Mes recherches ont montré que les feuilles vertes du plant d'orge embryonnaire renferment l'approvisionnement équilibré de nutriments le plus prolifique qui existe sur terre dans une source unique. »[7]

Après avoir lu son livre et étudié ses données, je suis convaincu que sa poudre fabriquée à partir des feuilles vertes de l'orge est en effet le produit vert par excellence. Il a découvert la bonne plante, la bonne méthode de culture, et il a élaboré et breveté le bon procédé pour en extraire le jus et le transformer en poudre.

Ayant visité en personne ses laboratoires de recherches poussées et ses usines de transformation au Japon, je suis persuadé que son produit d'orge verte ne sera jamais surpassé. J'aime particulièrement son produit parce qu'il y a ajouté de petites quantités de riz brun et de varech en poudre. Ces aliments rehaussent les valeurs des vitamines naturelles et des minéraux qui font énormément défaut dans notre régime alimentaire moderne.

Il existe à présent plusieurs autres entreprises qui fabriquent et commercialisent des produits de l'orge verte; la plupart d'entre elles existent depuis moins de cinq ans. Toutefois, je ne connais aucun autre produit issu de recherches scientifiques ou médicales aussi poussées que celles du Dr Hagiwara au Japon. S'il existe sur le marché un autre produit de l'orge verte aussi pur au sens pharmacologique, je ne l'ai pas encore trouvé.

En 1988, des milliers de scientifiques et d'hommes d'affaires de tous les coins du monde ont rendu hommage au Dr Hagiwara, pour souligner les 21 ans qu'il a consacrés à la recherche et au développement de ce produit. Il n'est guère étonnant qu'il ait mis au point un concentré alimentaire d'une telle « efficacité », compte tenu de la peine qu'il s'est donné pour mettre au point cet aliment.

## LES FEUILLES VERTES DE L'ORGE... QUE VOUS POUVEZ BOIRE !

Permettez-moi de résumer les vertus du jus fait à partir de feuilles d'orge que j'utilise comme complément quotidien :

- L'orge est cultivée suivant la méthode biologique, sans engrais chimiques artificiels.
- Aucun produit chimique (pesticide, fongicide, herbicide) n'est pulvérisé sur les plantes.

- L'usine de transformation est située « sur place » de sorte que l'orge est transformée très peu de temps après la récolte.
- Le procédé spécial de séchage pulvérise le jus sous vide à environ 36° C pendant deux à trois secondes sans exposer les nutriments à des méthodes de transformation destructrices. Même les enzymes ne sont pas détruites.
- Il est réfrigéré immédiatement jusqu'au moment de l'embouteillage. On le conserve de cette façon aussi frais et « naturel » que possible. Je le considère pas comme un « mélange » ou préparation vitaminique, mais comme un aliment complet et VRAIMENT PUISSANT, venant du jus pur et frais de jeunes feuilles d'orge.
- Il se présente sous forme d'une poudre dont la texture est similaire à celle du café ou du thé instantané (sauf pour sa couleur vert émeraude), et tout aussi facile à utiliser (mais attention : vous détruisez les enzymes si vous le mélangez à un liquide chaud). Une cuillerée à thé (2 g) contient environ six calories, soit l'équivalent de 100 g (deux grosses poignées) de jeunes feuilles d'orge. Il se vend également sous forme de comprimé.
- Pour ce qui est du goût, la publicité dit qu'il s'apparente à celui des épinards ou du thé vert, mais à mon avis, il s'apparente beaucoup plus à l'odeur du gazon fraîchement tondu. Votre vache en raffolerait, mais peut-être pas votre conjoint ! Toutefois, le goût est très tolérable dans le jus de carottes, d'orange ou de légumes. En outre, lorsqu'il est dissous dans une boisson froide, il se reconstitue pour reprendre ses propriétés initiales en tant que jus pur et frais.

En raison de la méthode de préparation, la plupart des composantes sensibles à la chaleur (les protéines, y compris les enzymes, ainsi que les peptides et autres composantes) maintiennent leur état naturel, tout comme les matières qui sont stables sous l'effet de la chaleur (les minéraux et les polysaccharides). Étant donné que l'orge est récoltée au début de la saison, avant que les nutriments ne se concentrent dans l'épi, elle est encore pleine de substances de croissance et de facteurs juvéniles qui sont sans aucun doute utiles à nos propres cellules et tissus.

Les chapitres qui suivent traitent en détail de la valeur nutritionnelle des jeunes feuilles vertes, pures, « vivantes » du plant d'orge, « l'aristocrate » des plantes et l'aïeule de toutes les céréales.

Les paragraphes suivants traitent brièvement de la teneur en protéines et des « compléments nutritionnels » ajoutés au produit. Toutes les autres composantes sont traitées en détail dans les chapitres subséquents.

## *LES PROTÉINES*

Les jeunes feuilles d'orge sont une excellente source de tous les aminoacides essentiels. (À partir de ces éléments, l'organisme humain peut fabriquer tous les autres acides aminés.) Au poids, la teneur en protéines est de plus de 40 pour cent, et ces protéines sont utilisables à 90 pour cent, selon D$^r$ Hagiwara. À titre de comparaison, un hamburger contient de 20 à 22 pour cent de protéines, mais il a le désavantage de contenir 40 pour cent ou plus de matières grasses qui contribuent à l'accumulation de cholestérol.

Toutes les protéines ne sont pas d'égale valeur ! L'organisme peut utiliser des protéines d'un certain aliment mieux que celles d'un autre. Les protéines de sources végétales sont digérées et assimilées très facilement. Par contre, ce ne sont pas tous les végétaux qui contiennent la gamme complète d'aminoacides nécessaires à la croissance, à la réparation et à l'entretien des tissus. Les feuilles de l'orge n'appartiennent pas à ce groupe car elles contiennent tous ces acides aminés.

Beaucoup d'Américains semblent avoir une conception erronée des protéines. Ils croient que nous avons besoin de VIANDE pour bâtir de « gros muscles » qui ont « beaucoup de force et d'endurance » pour avoir la capacité d'accomplir pendant de longues heures des travaux durs sans trop de fatigue. Cette notion est absolument fausse. Les protéines végétales sont excellentes pour réaliser ces objectifs, pourvu qu'elles soient combinées convenablement et consommées au cours d'un même repas. Par exemple, le riz et les haricots produisent une protéine qui accomplira les mêmes fonctions sur l'organisme que la viande. Croyez-le !

Bon nombre d'études révèlent que les régimes végétariens, qui incorporent des quantités adéquates de céréales, légumes, noix, germes, etc., produisent des personnes en santé. Un récit biblique illustre bien ce fait.

Dans le chapitre premier du livre de Daniel, ce dernier et ses trois amis refusent de manger la nourriture du roi. Après avoir adopté un régime végétarien et n'avoir bu que de l'eau pendant trois ans, voici ce que le roi a dit au sujet de ces jeunes hommes : « Et, sur quelque point de sagesse ou de prudence qu'ils les interrogeât, le roi les trouvait dix fois supérieurs à tous les magiciens et devins de son royaume tout entier » (Daniel 1:20).

Au cours des dernières années, une étude californienne menée sur une période de neuf ans a comparé des adventistes du septième jour à l'ensemble de la population omnivore de la Californie. L'étude a démontré que les adventistes étaient en bien meilleure santé, qu'ils présentaient moins d'arthroses et qu'ils manifestaient une plus grande productivité au travail, etc. L'organisme utilise bien les protéines végétales, et ces dernières ont l'avantage de ne pas ajouter de gras ni de cholestérol au régime alimentaire. C'est une autre raison pour laquelle je préconise les feuilles pulvérisées de l'orge verte.

## COMPLÉMENTS NUTRITIONNELS : RIZ BRUN ET VARECH EN POUDRE

De très petites quantités de riz brun et de varech en poudre ont été ajoutées aux feuilles pulvérisées de l'orge verte que j'utilise (mais pas aux autres produits mis au point par le Dr Hagiwara) pour deux raisons fondamentales. Ces substances améliorent la texture de la poudre, ce qui la rend plus apte au transport et prolonge sa durée de conservation. Toutefois, le principal avantage est que ces deux aliments renforcent certains éléments essentiels du régime alimentaire et complètent l'équilibre nutritionnel du produit. Ces conclusions sont fondées sur des motifs valables.

Les végétaux marins, comme le varech, sont reconnus comme des « collecteurs d'énergie et éléments de concentration de nutriments ... ils contribuent considérablement au système global solaire de production d'aliments et d'énergie ».[8] « Le varech est une des meilleures sources d'iode; il est également riche en complexe vitaminique B, en vitamines D, E et K, en calcium et en magnésium. Il aide à conserver les muqueuses saines et à fournir l'apport nutritionnel nécessaire à la prévention de certaines affections comme l'arthrite, la constipation, les troubles nerveux, le rhumatisme, les rhumes et les irritations cutanées. »[9]

Un troisième auteur a mentionné que les Japonais utilisent le varech pour soigner le goitre (augmentation du volume de la glande thyroïde dans le cou). Il a ajouté que quiconque prend des médicaments pour la glande thyroïde devrait consulter son médecin, s'il prend de l'orge verte additionnée de varech pendant quelques semaines. Il est fort possible qu'il doive réduire la dose ou cesser carrément de prendre le médicament. Le varech renferme certains aminoacides qui agissent à titre de stimulants légers des muqueuses et du système lymphatique, et on reconnaît depuis longtemps ses qualités préventives de l'hypertension, surtout chez les personnes âgées. Puisqu'il favorise l'absorption et la distribution équilibrées des nutriments dans le corps, il est également bon pour les gens qui font de l'embonpoint ou qui sont trop maigres, en les aidant à retrouver leur poids normal.[10]

Mon expérience personnelle auprès des gens qui prennent ce produit régulièrement est que bon nombre d'entre eux ont éprouvé une normalisation de leur poids de même qu'une baisse de leur tension artérielle. Le varech pourrait être l'ingrédient qui maintient les cellules saines et, par conséquent, soulage les symptômes de ces deux états.

Le riz brun renferme des quantités généreuses d'un grand nombre de vitamines et de minéraux. Quoique la quantité de riz brun dans cet aliment soit petite, sa présence augmente l'apport de vitamines A, E, B1, B2, B6, de biotine, de niacinamide, d'acide pantothénique, d'acide folique, en plus des minéraux comme le calcium, le cuivre, le fer, le magnésium, le manganèse, le phosphore, le potassium, le sélénium, le sodium et le zinc.[11]

À présent, vous êtes sûrement en mesure de constater que l'orge verte est un aliment VRAIMENT PUISSANT.

## RAPPORT DE DERNIÈRE MINUTE

Le jeudi 26 avril 1990, United Press International rapportait dans les journaux de tout le pays une nouvelle découverte fort intéressante à propos de l'orge. La reporter Karen Klinger passait en revue une étude menée par l'université de l'État du Montana.

L'étude comparait des gens dont le régime alimentaire comprenait beaucoup de produits de l'orge, à d'autres qui consommaient beaucoup de produits de blé. Les résultats ont montré que le taux de cholestérol d'un bon nombre de gens dont le régime alimentaire était élevé en orge accusait une baisse allant jusqu'à 15 pour cent, après quatre semaines. Par contraste, chez les gens qui mangeaient du blé, les taux de cholestérol étaient inchangés ou plus élevés à la fin de période de l'étude.

On a posé comme principe que la fibre contenue dans l'orge (béta-glucane) était responsable des taux réduits de cholestérol sérique. L'avoine et l'orge renferment des quantités importantes de cette fibre, mais pas le blé.

Des essais effectués par la même chercheuse, Rosemary Newman, sur des animaux de laboratoire ont révélé qu'une autre substance contenue dans l'orge, (une huile appelée tocotriènol qui s'apparente à la vitamine E) influe également sur la réduction du cholestérol.

On espère que cette recherche servira de tremplin à d'autres études sur les avantages nutritionnels de l'orge, la consacrant l'aristocrate par excellence de la famille des céréales.

## CHAPITRE IV

# Des cellules en santé...
# la véritable prospérité

Si l'on pouvait s'attendre à ce qu'un seul principe fasse l'unanimité parmi les scientifiques, je crois que ce serait celui-ci : « **La vie commence, se maintient et se termine au niveau cellulaire.** » La santé d'une seule cellule constitue la clé de la santé de tout l'organisme.

Pourquoi cela ? Pour la simple raison que les cellules individuelles s'assemblent pour former les tissus et que les tissus s'agrègent pour former les organes. Par conséquent, conserver les cellules individuelles en santé c'est assurer la santé de tout l'organisme. À l'inverse, si les cellules sont malades, les tissus peuvent s'altérer aussi et, en l'absence de soins, causer des maladies pouvant entraîner la mort.

## FONDEMENTS DE LA CYTOLOGIE

Commençons par un bref rappel historique. L'étude des cellules (cytologie) a commencé en 1665, mais ce n'est qu'avec l'évolution des microtechniques, vers 1840, qu'on a véritablement compris la nature des fluides que contiennent les cellules – les véritables substances de la vie. C'est à cette époque que les scientifiques ont reconnu pour la première fois que toutes les plantes et tous les animaux sont composés de cellules.[1]

Trois principes de base concernant les cellules sont demeurés les mêmes au cours des temps. Ce sont les suivants :

• Les cellules sont les unités de base qui forment toute matière vivante.

• Les cellules sont les unités qui accomplissent les fonctions de tout organisme vivant.
• Les cellules sont nécessairement formées à partir d'autres cellules.[2]

Une cellule normale se compose de deux parties principales – le noyau et le cytoplasme. Le cytoplasme contient tous les éléments contenus dans la cellule, sauf le noyau. Le cytoplasme est formé de glucides, de protéines, de graisses, d'ions et de petites quantités de composés chimiques variant d'un type de cellule à l'autre. De prime abord, le cytoplasme ressemble à une masse confuse – un peu comme ce qu'on l'on pourrait voir dans un kaléidoscope – mais il n'en est rien du tout. Les recherches scientifiques ont démontré qu'une fois de plus la nature a su dissimuler son mystère! En fait, le cytoplasme est d'une merveilleuse complexité, mais il est très précisément et parfaitement organisé pour fonctionner de manière efficace.[3]

On appelle souvent le noyau le « centre de contrôle » de la cellule. Il contient des informations codées servant à la synthèse des protéines dans l'ADN; il détient ainsi la clé de la fabrication des constituants protéiniques et des enzymes.

Les cellules ne sont pas simplement de petits sacs contenant des composés chimiques, des enzymes et des fluides. Elles comprennent également des structures hautement organisées que l'on appelle organelles, et qui sont essentielles à leur fonctionnement. Sans l'une de ces organelles appelée mitochondrie, par exemple, les cellules perdraient immédiatement plus de 95 pour cent de leur approvisionnement en énergie.[4]

**Des cellules d'un même type qui sont regroupées ensemble s'appellent des tissus.** Une sorte de tissu dépend d'une autre sorte de tissu pour satisfaire ses besoins et accomplir ses fonctions propres. Les muscles, dont la fonction première est le mouvement, fournissent un bon exemple de l'interdépendance des tissus.

Les muscles ne peuvent pas se mouvoir sans l'approvisionnement en oxygène que leur fournit le tissu sanguin. Ils ne peuvent pas non plus se mouvoir sans la nourriture provenant du tube digestif, qui est lui-même un amalgame complexe de tissus divers. Pour bien fonctionner, le rythme et le type de mouvement des muscles doivent aussi être contrôlés, des fonctions qui sont assurées pas les tissus du système nerveux. Le corps humain contient de nombreux autres exemples de l'interdépendance des cellules et des tissus, tels que celui-ci.

En outre, de nombreux organes participent à l'exécution des fonctions du corps humain. **Les organes sont tout simplement des** groupements de tissus unis les uns aux autres pour accomplir une tâche déterminée – l'estomac nous en fournit un bon exemple. La membrane tapissant l'intérieur de l'estomac constitue une sorte de tissu, les muscles de l'estomac mélangeant à fond la nourriture en sont une autre, les glandes gastriques secrétant les sucs digestifs en forment une troisième, et tous ces tissus sont différents des tissus nerveux responsables de l'évacuation des matières digérées vers le petit intestin. Une description complète de ce seul organe nécessiterait de nombreuses pages.

## LES PRINCIPALES FONCTIONS DES CELLULES

Il est évident, d'après ce que nous venons de dire, que les cellules sont les unités de base de la vie. Ce sont les entités qui seules, en définitive, sont responsables de l'exécution de toutes les fonctions de la matière vivante. Elles doivent toutes remplir des fonctions bien précises, mais considérées dans leur ensemble, elles s'acquittent parfaitement de toutes les fonctions de l'organisme, si elles sont en santé.

Ceci nous amène à nous demander quels sont les critères de santé des cellules individuelles. La réponse la plus simple à cette question semble être la suivante : **La santé des cellules individuelles est déterminée par leur capacité d'accomplir l'ensemble des fonctions qu'elles doivent exécuter.** Ces fonctions sont les suivantes :

• La décomposition de la nourriture par les enzymes en 40 nutriments connus, nécessaires à la fabrication, à la restauration et au maintien des tissus et de l'énergie.

• L'absorption des substances dissoutes dans les cellules permettant d'exécuter les fonctions susmentionnées.

• La synthèse ou agglomération des composés organiques plus simples issus de la digestion, de l'absorption ou d'autres procédés de synthèse dans la cellule. Les procédés de synthèse permettent la croissance et la sécrétion des cellules ainsi que le remplacement des parties de cellule endommagée.

• La respiration cellulaire produisant de l'énergie à la dernière étape de la digestion de la nourriture.

• Le mouvement des cellules et le déplacement des substances à l'intérieur des cellules, déterminant ainsi leur niveau d'efficacité.

• L'excrétion des déchets de la cellule (les toxines et les « scories » du métabolisme). Certains résidus à éliminer sont solubles, d'autres sont insolubles et non digestibles.

• Le maintien d'un état stable au sein de la cellule (appelé homéostasie), lui permettant de se maintenir en vie et de former de nouvelles cellules.[5]

Le livre intitulé *Fearfully and Wonderfully Made*, écrit par les Drs Paul Brand et Philip Yancey, décrit de façon saisissante le fragile équilibre des conditions devant exister au sein des cellules pour qu'elles puissent vivre et se reproduire dans un état d'homéostasie (état de stabilité). Chacune des cellules fonctionne dans un état d'« équilibre dynamique ». Si des changements trop prononcés surviennent dans l'ensemble des conditions requises pour le fonctionnement d'une cellule, celle-ci meurt et l'équilibre de l'organisme peut être rompu et ce dernier peut à son tour mourir. On ne peut maintenir un état d'homéostasie dans les cellules si les conditions sont défavorables. Nous parlerons maintenant plus en détail de ces conditions et décrirons leur fonctionnement.

## ENVIRONNEMENT QUE REQUIÈRENT DES CELLULES EN SANTÉ

Qu'est-ce que l'environnement d'une cellule? Selon moi, l'environnement d'une cellule comporte deux facettes : la structure interne et la structure externe dans lesquelles la cellule vit, fonctionne et évolue. La recherche dans ce domaine est sans limite. Cependant, mon objectif ici consiste à poser les principes de base, sur lesquels les lecteurs auront toute liberté d'élaborer au cours des années à venir.

## TEMPÉRATURE DE LA CELLULE

*Environnement interne (intracellulaire).* Une cellule fonctionne normalement à l'intérieur d'une plage étroite de températures. Pour la plupart des personnes, dans des conditions normales, la température idéale des cellules se situe aux environs de 37° C. Cependant, la température du corps peut baisser jusqu'à entre 32° C et 29,5° C sans créer de problèmes pour les cellules. Elles peuvent même endurer une température de 25° C sans mourir. Mais une telle température causerait des dommages au niveau cellulaire et il faudrait consulter un médecin. Il y aurait probablement un ralentissement de la circulation sanguine qui endommagerait les tissus, entraînant ainsi un risque de gangrène après le dégel des organes concernés.[6]

À l'inverse, les cellules ne peuvent plus fonctionner lorsque la température du corps dépasse de 40° C à 41° C. Au-delà de ces températures, les cellules de tout le corps commencent à se détériorer et à se détruire, et tout particulièrement les cellules du cerveau qui, malheureusement, ne peuvent être remplacées. Les organes s'endommagent également en cas de fièvres très élevées – le foie et les reins sont particulièrement sensibles. Ces dommages peuvent être très sérieux et causer la mort. C'est pourquoi il est important que la température du corps ne dépasse pas 40° C lorsqu'une personne est malade.[7]

Ces quelques renseignements montrent que les cellules en santé ne fonctionnent à leur maximum qu'à l'intérieur d'une plage limitée de températures. Une température plus ou moins élevée que ces bornes crée des problèmes au niveau des cellules, des tissus, des organes et du « système dans son ensemble ».[8]

## pH DE LA CELLULE

Le pH, ou équilibre acide-base à l'intérieur d'une cellule, constitue un deuxième facteur essentiel à sa santé. Les cellules peuvent vivre seulement dans la bande étroite de 7,35 à 7,45. Les enzymes au sein de la cellule sont également sensibles aux variations du pH. Un environnement cellulaire hautement acidifié ou très alcalin peut perturber une cellule et l'empêcher complètement de fonctionner.

## STRESS AU NIVEAU DE LA CELLULE

Les médicaments (produits chimiques) qui ne font pas partie du milieu naturel de la cellule sont un troisième facteur qui influence le fonctionnement normal des cellules. Tous les médicaments d'ordonnance sont toxiques et ont de nombreux effets secondaires néfastes. Ils créent tous du stress au niveau cellulaire ainsi que le besoin d'une méthode de guérison que seule la nature peut procurer. Pour illustrer l'importance de ce facteur environnemental, nous examinerons les effets de l'alcool sur le corps (puisque des millions d'Américains consomment des spiritueux). Voici une liste de quelques-uns des effets défavorables de l'alcool :[9]

- L'alcool déshydrate les cellules de la bouche et de la gorge, et les rend insensibles.
- Il irrite et enflamme les cellules de l'oesophage, de l'estomac, du duodénum, des poumons et du foie.
- Il peut également causer des ulcères, des saignements et des perforations (des trous dans les parois) dans les organes susmentionnés.
- L'alcool nuit au fonctionnement normal des nerfs.
- Il empoisonne les cellules du système respiratoire et du foie.

• Et il a beaucoup, beaucoup d'autres effets dommageables !

## EAU PURE ET FONCTIONNEMENT
## DE LA CELLULE

L'absence ou la présence d'eau pure en quantité suffisante dans la cellule est le dernier facteur environnemental interne influant sur la santé de la cellule dont nous discuterons ici. Le principal fluide au sein de la cellule est l'eau. Ce fluide naturel permet tant aux substances dissoutes qu'en suspension dans la cellule de se mouvoir et de se déplacer à l'intérieur de celle-ci. Il est bien connu que des **millions d'Américains ne boivent pas assez d'eau pour que leurs cellules fonctionnent de façon optimale.** Un niveau d'eau trop bas dans la cellule nuit à l'action des électrolytes (minéraux et particules chargées), à la production et au fonctionnement des hormones, à la digestion de la nourriture et à de nombreuses autres activités cellulaires.

*Environnement externe (extracellulaire).* Un seul exemple suffira pour illustrer l'effet de l'environnement externe sur les cellules. Les cellules dépendent de la quantité de fluide extracellulaire dans lequel elles baignent, pour transporter l'oxygène des poumons vers les tissus et pour évacuer le gaz carbonique.

Ce fluide se déplace constamment entre les cellules et se mélange rapidement sous l'action du flux sanguin pour entretenir les fonctions cellulaires. « Par conséquent, toutes les cellules vivent essentiellement dans le même environnement qu'est le fluide extracellulaire. »[10]

Toutefois, un certain nombre d'affections peuvent entraver le flux sanguin et menacer la santé de la cellule. On compte parmi de telles affections l'ablation des tissus pulmonaires, la présence de caillots de sang ou de tissus cicatrisés obstruant les poumons (comme c'est souvent le cas après les opérations chirurgicales aux seins), l'emphysème, l'affaissement des alvéoles pulmonaires, etc. Lorsque le flux de sang est réduit et que l'approvisionnement en oxygène diminue, les cellules ne peuvent plus recevoir la nourriture ni l'oxygène dont elles ont besoin et meurent inévitablement. Ce simple exemple aura permis de montrer que l'environnement de la cellule a une incidence directe sur sa santé.

Les cellules ne peuvent vivre, croître, se reproduire et accomplir parfaitement leurs fonctions propres qu'aussi longtemps que le sang, les muscles, les organes, les glandes et les fluides organiques leur apportent les concentrations d'oxygène, de glucose, de vitamines, de minéraux, d'acides aminés et de corps gras requises par l'environnement interne du corps.

## DES CELLULES EN SANTÉ NÉCESSITENT UNE ALIMENTATION SAINE

Un intérêt et une expérience de cinquante ans en matière de nutrition m'ont permis de bien comprendre, je crois, comment la nature voulait originalement produire des cellules en santé. Mes connaissances sont insuffisantes pour expliquer ce mécanisme de façon complète en termes scientifiques, mais je crois que vous pourrez comprendre ce que je veux dire.

Si nous commençons par le récit biblique de l'origine du genre humain (Dieu nous a modelés à partir de la glaise du sol, Gen. 2,7;BJ), il devient facile d'expliquer le reste. Selon Genèse 1,11, « Dieu dit, que la terre verdisse de verdure : des herbes portant des semences... » et au verset 12, « Et Dieu vit que cela était bon. » Ceci s'est passé le « troisième jour », quoiqu'on pense de ce terme.

Le sixième jour de la création, la Bible nous raconte que Dieu créa l'homme et la femme. Le verset Gen. 1,29 se lit comme suit, « Je vous donne toutes les herbes portant semence, qui sont sur toute la surface de la terre, et tous les arbres qui ont des fruits portant semence : ce sera votre nourriture. » La version anglaise King James de la Bible traduit le mot « nourriture » par le mot « meat ». Or, le dictionnaire Webster donne comme première définition du mot « meat » : « nourriture, spécialement nourriture solide, comme distincte des liquides. »

Il s'agit donc là d'un enseignement simple mais profond. Il me semble que Dieu a donné à l'homme un corps magnifique puis a subvenu parfaitement à ses besoins en lui fournissant tout ce qui lui était nécessaire pour croître, entretenir et réparer ses tissus (guérison naturelle), sans aucun besoin d'interventions physiques ou chimiques.

Je voudrais souligner un fait supplémentaire : la découverte de la présence et du rôle de l'ADN et de l'ARN confirme le concept de la santé des cellules que je défends. Il y a dans chaque cellule une programmation – élaborée par Dieu pour lui dire comment se reproduire elle-même, produire son énergie, éliminer ses déchets et se guérir elle-même lorsqu'elle est attaquée par des « corps étrangers ».

Si les cellules reçoivent les bons éléments nutritifs en quantité appropriée au moment requis, elles se reproduiront d'elles-mêmes et vivront en santé sans besoin d'aucune assistance extérieure. Un scientifique a reçu le prix Nobel pour avoir prouvé cette réalité en maintenant un coeur de poulet en vie dans une éprouvette, rien qu'en appliquant la recette que la nature a prévu pour les cellules et en éliminant les toxines résultant de la consommation de ces nutriments.

J'attire votre attention sur le fait qu'on mentionne, au verset 1,12 de la Genèse, dans la version King James de la Bible, trois types de végétaux distincts : l'herbe, les plantes et les arbres. Je crois qu'un jour on prouvera scientifiquement que ces trois sortes de végétaux ainsi que l'air pur, l'eau pure et un juste équilibre entre le repos et l'exercice constituent la clé de la santé, aussi parfaite qu'il soit possible de la réaliser sur notre planète.

Adam et Ève disposaient heureusement d'une abondance d'aliments entiers, naturels, purs, frais, délicieux et prêts à être consommés – les substances précisément que requièrent des cellules en santé. **L'approvisionnement en fruits, légumes, céréales entières, légumineuses, noix, grains et baies était plus que suffisant pour maintenir le parfait équilibre chimique de la vie.**

Dieu, il est certain, a mis sur la terre tous les ingrédients nécessaires pour que se maintienne et s'épanouisse la vie de la cellule. Je crois qu'il a aussi mis sur la terre les tiges, les racines, les feuilles et les écorces contenant tous les éléments requis pour transformer une cellule malade en une cellule en santé. Il est malheureusement impossible, dans le cadre de ce livre, d'explorer plus à fond cet aspect de la santé des cellules.

J'aimerais, par contre, illustrer sommairement les effets du régime alimentaire nord-américain, composé d'aliments préparés, transformés, « artificiels » et vidés de toute valeur nutritive, sur les cellules. Imaginons, par exemple, qu'une cellule du cerveau corres- ponde à un biscuit. Pour réaliser la recette de biscuits, il faut évidem- ment de l'eau, des matières grasses, du sel, de la levure et du lait. En utilisant des produits de qualité, en quantités requises, et en mélan- geant les ingrédients et en les faisant cuire selon la bonne méthode, nous devrions obtenir chaque fois d'excellents biscuits (des cellules en santé).

Cependant, qu'arriverait-il aux biscuits, ou aux cellules du cerveau, si au lieu de matières grasses on employait de la graisse à essieux, à la place de la farine un mélange à ciment; si nous ajoutions un peu de poudre à canon pour remplacer la levure, du sable pour le sel, des liquides pollués au lieu de l'eau pure et du lait entier frais trait de la vache? Est-il étonnant alors qu'il y ait des tumeurs, des cancers, des anévrismes, des affections comme la maladie d'Alzheimer et toute une cohorte de désordres physiologiques causés par l'absence des ingrédients que requiert la recette naturelle des cellules du cerveau ?

Multipliez chaque jour par trois ces semblants de repas, presque tous les jours de la semaine, presque toutes les semaines de l'année, et il est facile de comprendre pourquoi la mauvaise qualité de notre nourriture a des effets néfastes sur la santé de nos cellules. **Ne voyez-vous pas que les cellules sont parfaitement capables de vivre, de croître, de se reproduire, de guérir elles-mêmes et de remplir leurs fonctions à condition toutefois que le sang, les muscles, les organes, les glandes et les liquides organiques leur apportent les concentrations de vitamines, de minéraux, d'acides aminés, de corps gras, d'oxygène et de glucose que demande l'environnement interne du corps ?**

J'aimerais clore notre leçon sur la nutrition des cellules de la manière suivante : toutes les fonctions qu'accomplit le corps dépendent de la santé des organes; la santé des organes dépend de la santé des tissus qui forment ces organes; la santé des tissus dépend de la santé des cellules individuelles; la santé des cellules individuelles dépend de leur approvisionnement en nutriments et en oxygène et des liquides dans le sang; et l'approvisionnement de nutriments dans le sang dépend de la nourriture que nous mangeons. Les aliments naturels sont la source la plus parfaite de tous les éléments nutritifs dont nous avons besoin pour être en santé. **Des cellules sans vie engendrent des corps sans vie, tout comme des « aliments morts » produisent des « corps morts ».**

Si vous avez suivi mon raisonnement jusqu'ici, vous êtes probablement d'accord que la source de la santé c'est notre merveilleux ensemble de 75 à 83 trillions de cellules, appuyé par un esprit solide et sain. La santé ne provient pas de la médecine, de la chirurgie ou de l'absence de germes. La santé résulte du bon fonctionnement de chacune des parties du corps, de concert avec, pour ne mentionner que quelques facteurs, de l'eau et de l'air purs, une nourriture saine, l'exercice et un système immunitaire robuste.

## COMMENT AMÉLIORER LA NUTRITION DES CELLULES

Il n'y a aucun doute qu'il faut améliorer le régime alimentaire type nord-américain. Vous trouverez des conseils à ce sujet à l'annexe A. En plus des suggestions formulées dans cette annexe, j'aimerais faire une recommandation supplémentaire – je vous conseille de prendre une cuillèrée à thé ou deux (2 à 4 g) par jour d'orge verte en poudre ou en comprimés. C'est l'un des aliments les plus nutritifs sur le marché, qui fournira aux cellules les éléments essentiels pour qu'elles fonctionnent de façon optimale.

N'oubliez pas non plus qu'un autre excellent moyen d'améliorer sa santé est de **bannir** de sa diète les aliments toxiques tels que les boissons gazeuses, le thé, le café, les épices, le chocolat, les nourritures contenant des agents de conservation, des teintures, de la cire, des produits chimiques, etc. Ces simples changements suffisent souvent à améliorer la santé des cellules malades et mal nourries. L'élimination du sucre blanc et de la farine blanche sont aussi d'excellentes précautions pour préserver la santé.

## LES CELLULES CHOISISSENT TOUJOURS CE QU'IL Y A DE MEILLEUR

Les cellules réagissent toujours aux améliorations apportées au régime alimentaire. Un article du D$^r$ Stanley Bass, D.C., explique si bien ce phénomène que nous l'avons inclus dans les annexes pour que vous le consultiez. Qu'importe depuis quand ou comment vos cellules sont devenues malades, elles feront des efforts herculéens pour recouvrer leur santé une fois qu'elles auront reçu les nutriments appropriés. Nos corps **SONT** programmés pour **ÊTRE EN SANTÉ**, non pas pour être malades. J'espère que vous vous appliquerez davantage à coopérer avec la nature, afin d'adopter des principes de nutrition saine qui vous permettront d'obtenir une santé robuste.

## DES CELLULES EN SANTÉ EXIGENT UN ESPRIT SAIN

Une attitude mentale positive est absolument essentielle pour former des cellules saines. Les fonctions mentales et physiologiques sont en constante interaction. Le D$^r$ Hans Selye, M.D., a écrit toute une série de livres qui expliquent la relation entre plusieurs maladies très répandues et notre incapacité à nous adapter aux pressions et au stress de la vie.

Comme le D$^r$ Selye et d'autres scientifiques l'ont si bien démontré, un grand nombre de perturbations nerveuses et émotionnelles, l'hypertension, l'arthrite, les ulcères d'estomac et du duodénum, le cancer et certains types de dérèglements allergiques, cardio-vasculaires, sexuels et rénaux semblent être essentiellement des « maladies d'adaptation ».[11] C'est en apprenant à s'adapter à notre environnement en perpétuel changement que nos divers organes internes, spécialement le système nerveux et les glandes endocrines (thymus, hypothalamus, thyroïde, pancréas, glandes sexuelles, parathyroïde et glande pituitaire), aident nos cellules à réaliser un état d'homéostasie – un état de stabilité, indépendamment des circonstances environnantes. Si on ne réussit pas à apprendre à s'adapter aux circonstances de la vie, on se retrouve inéluctablement victime d'innombrables maladies et d'affections.

Les recherches récentes dans des domaines tels que le rôle de l'ennui en matière d'obésité ou du rire et des pleurs dans le processus de guérison semblent réinventer la roue, puisqu'elles redonnent au rapport corps/esprit sa place en matière de santé. On pensait auparavant que la dépression causait l'obésité; maintenant, les résultats de recherches semblent indiquer que l'obésité peut provoquer un état dépressif. Le corps et l'esprit font partie d'un même système, et on peut se méprendre sur la cause des maladies si on néglige l'un des membres de l'équation corps/esprit.

Selon l'une des théories les plus importantes sur la dépendance envers les médicaments, cet abus est avant tout attribuable à un état du corps et de l'esprit qu'on appelle « dysphorie ». C'est exactement ce que ce nom suggère, l'opposé d'« euphorie ». Un état dans lequel « on se sent mal » dans le corps et l'esprit. Nous avions coutume de penser que les problèmes mentaux causaient la mauvaise santé. Maintenant, on commence à croire que certains problèmes mentaux, les dépendances par exemple, sont occasionnés par une mauvaise santé.

La mauvaise santé peut résulter d'un métabolisme obstrué entraînant un manque d'énergie. Le manque d'énergie est-il le « symptôme » de la dépression, de l'abus de médicaments, etc.? Ou en est-il la cause? Une bonne nutrition a d'énormes chances de soulager ces types de pathologies car une alimentation saine peut, de façon simple et évidente, restaurer le niveau d'énergie des cellules et conduire à la guérison. Il est certain que les feuilles d'orge séchées sont une nourriture riche en nutriments, qui peut être utilisée par le corps pour guérir les cellules et briser le cercle vicieux de la dysphorie.

Quand les cellules essaient de vivre dans un environnement pollué, elles ne peuvent pas fonctionner normalement et assurer une performance maximale du système corps/esprit. En plus de nourrir les cellules du cerveau et de nettoyer le métabolisme, les éléments nutritifs renforcent en fait les mécanismes internes de lutte contre la pollution. En agissant ainsi, ces éléments accroissent le niveau d'énergie du corps et produisent un sentiment de bien-être total, s'étendant à la fois au corps et à l'esprit. Plus le sentiment de bien-être augmente, plus l'esprit commence à envisager les choses sous un bon jour, créant ainsi un mécanisme d'autosatisfaction et d'automotivation. Comme l'attitude mentale devient plus positive, on est plus susceptible de rechercher et de choisir ce qui nous est avantageux. C'est ainsi que s'enchaîne le cycle du bien-être toujours croissant.

## DES CELLULES EN SANTÉ ONT BESOIN D'EXERCICE QUOTIDIEN

Vous êtes-vous jamais demandé comment le corps élimine les déchets cellulaires, qu'on appelle « toxines » ? Seriez-vous surpris si je vous disais que le corps a besoin d'exercice pour éliminer ces résidus de façon efficace ? Me croiriez-vous si je vous disais que si les toxines n'étaient pas évacuées des cellules, vous mourriez en moins de 24 heures ? [12] Laissez-moi vous donner quelques explications.

Presque tous les tissus du corps humain (vous vous souvenez que les tissus sont tout simplement des structures formées de cellules semblables qui se sont agrégées pour exécuter une tâche déterminée) évacuent l'excès de fluide directement des espaces qui existent entre les cellules. S'il n'y avait aucun système prévu pour évacuer ce fluide interstitiel, il se produirait un gonflement « à l'échelle du système », qui entraînerait probablement la mort.

On remarque souvent des enflures aux chevilles, sous les yeux et dans d'autres tissus. La nature savait cependant, bien avant nous, ce qui se produirait et elle a prévu un système parfait pour éliminer tous les déchets. Ce système s'appelle le système lymphatique, et le liquide enlevé est la lymphe.

La lymphe contient des protéines plasmatiques et de grosses particules d'autres matières que le sang ne peut éliminer. Les bactéries, les virus et les autres éléments étrangers sont également filtrés et détruits. Ils sont pompés par les fibres musculaires (une forme d'exercice) dans les parois des vaisseaux lymphatiques. La pression créée par la contraction des muscles du squelette lorsque le corps bouge déplace la lymphe toujours vers l'avant, jamais vers l'arrière. Voilà donc comment l'exercice permet aux cellules de se maintenir en santé. [13]

Il a été prouvé que faire du trampoline quelques minutes par jour ou marcher d'un pas très accéléré pendant un minimum de 30 minutes stimulent grandement les ganglions lymphatiques partout dans le corps, permettant ainsi de filtrer les débris avant qu'ils ne retournent dans le circuit sanguin.

On peut ici tirer une conclusion importante par rapport au concept de la santé des cellules : les gens « actifs », qu'ils aient ou non un programme d'exercice précis, éliminent plus de débris cellulaires (toxines) que les personnes sédentaires. **Par conséquent, si vous êtes une personne toujours fatiguée et qui manque d'entrain dans la vie, faites de l'exercice pour débarrasser vos cellules de leurs toxines et « constatez la différence ».**

## DES CELLULES EN SANTÉ ONT BESOIN DE PROTECTION SPÉCIALE

Le système de défense du corps humain est tout à fait extraordinaire. Il a préservé l'homme de l'annihilation pendant des siècles dans un environnement hostile, qui était rempli de nombreux organismes pathogènes (causes des maladies). En outre, l'homme moderne doit subir chaque jour les effets néfastes de l'impureté de l'eau et de l'air, d'un sol contaminé par les produits chimiques et d'une chaîne alimentaire abritant toutes sortes d'ennemis menaçant les cellules. Comment avons-nous donc pu survivre jusqu'à ce jour ?

En premier lieu, il faut dire que **nous sommes nés avec certains systèmes de protection de base – en quelque sorte une armée, une marine et une aviation.** Nous décrirons tout d'abord l'armée, notre première ligne de défense.

La peau du corps humain est l'un des principaux organes servant de défense contre les bactéries, les virus ainsi que plusieurs organismes et produits chimiques qui pourraient être néfastes à notre système, s'ils n'étaient pas mis en échec. La peau ne permet même pas à des quantités infimes de substances inoffensives telles que l'eau et l'air d'infiltrer le corps. La peau constitue un système de protection efficace pour la cellule. En outre, la peau produit de petites quantités de vitamine D et l'hormone sexuelle mâle testostérone. L'excrétion de petites quantités de déchets cellulaires par la transpiration constitue une autre fonction utile de la peau. La peau procure donc un type de protection très efficace pour la santé.

Les muqueuses qui tapissent les voies digestives, respiratoires, urinaires et reproductives forment une autre aile de cette armée chargée de protéger la cellule. Le mucus sécrété par ces membranes protectrices élève une barricade autour des envahisseurs menaçant notre santé, les prend au piège et les détruit. Le mucus des voies nasales, par exemple, filtre des « tonnes » de substances potentiellement dangereuses et les emprisonne dans les cils (forme de cheveux) pour qu'on puisse ensuite les évacuer. Par contre, si elles sont avalées, comme c'est parfois le cas, les sucs gastriques très acides détruisent facilement tous ces éléments pathogènes – sans pitié !

Les bactéries utiles qui vivent dans les intestins constituent la troisième défense de cette armée. Elles produisent de la vitamine B, qui est un élément protecteur important pour les cellules. Cette flore intestinale, c'est le nom que l'on donne à ces bactéries, n'est pas très bien connue par la science médicale, mais on ne doute pas et on ne conteste pas ses effets bénéfiques. Cependant, les médecins ignorent souvent que les médicaments d'ordonnance, dont ils sont si prodigues, détruisent ces vaillants soldats.

Une fois que nous avons perdu la protection de cette flore, nous pouvons facilement tomber malade, car elle peut être aisément remplacée par des bactéries pathogènes dans les intestins. (N'oubliez pas cela lorsque vous avalerez sans penser des médicaments synthétiques !)

Les glandes lacrymales fournissent une quatrième forme de défense. Elles humidifient les globes oculaires, les protègent contre les polluants de l'air et sécrètent ce merveilleux baume que sont les larmes. Les larmes contiennent une enzyme qui attaque les parois des cellules des bactéries et protègent les yeux contre l'invasion de ces dangereux ennemis. Toute personne qui a souffert du syndrome des « yeux secs » comprend très bien le bienfait de l'humidité pour les cellules des globes oculaires.

Examinons maintenant les défenses de notre soi-disant « marine ». Si certains de nos ennemis ont été assez astucieux pour échapper aux tactiques de notre armée et échapper à la mort, nous disposons d'une seconde ligne de défense, toujours prête à entrer en action. Les armes de l'arsenal naval se composent d'**une température corporelle plus haute que la normale (fièvre), du système lymphatique et des phagocytes – sorte de cellules spéciales d'élite.**

Puisque nous avons déjà discuté de la température du corps et du système lymphatique dans le présent chapitre, et que nous discuterons des phagocytes séparément dans le chapitre sur le système immunitaire, nous en resterons là pour le moment. Cependant, cette marine forme une importante partie du système de défenses de nos cellules. Nous ne pourrions pas jouir de cellules en santé sans ces précieux alliés.

Ceci nous amène à parler du rôle de notre supposée « aviation » – la troisième source de protection pour les cellules du corps. Ce système de défense se compose d'éléments chimiques – des molécules protéiniques complexes produites par le corps et qu'on nomme anticorps. Les anticorps sont transportés par le sang dans toutes les parties du corps. Ils peuvent détruire les toxines produites par certaines entités pathogènes ainsi que ces entités mêmes. Ces microorganismes s'appellent des antigènes, et les anticorps sont produits par notre armée de l'air dans le thymus, la rate et les ganglions lymphatiques. Nous discuterons plus en détail de ce sujet dans un des chapitres suivants, portant sur l'immunité.

Avant de quitter le sujet de la protection des cellules, j'aimerais vous faire part de l'une de mes convictions profondes : si vous êtes en santé et entendez le demeurer, ou si vous êtes malade et désirez recouvrer la santé, il n'en dépend en grande partie que de vous – personne ne peut agir à votre place !

## LE CORPS : UN SYSTÈME QUI SE RÉPARE LUI-MÊME

Au niveau le plus simple, comment le corps se protège-t-il et se répare-t-il lui-même ? Comment restaure-t-il et reconstruit-il les tissus endommagés par l'usure quotidienne ? Je crois qu'il le fait en utilisant les mêmes éléments chimiques qui le composent – minéraux, vitamines, enzymes, protéines, glucides, graisses et eau. Je ne crois pas qu'il puisse le faire au moyen de médicaments et de mixtures artificielles contenant des éléments non naturels de certains types, en quantités déterminées. Aucune formule magique pour la santé créée par l'homme ne pourra guérir, restaurer ou favoriser la croissance mieux que les produits que nous fournit la nature.

**Oui, la nature guérit; la nature restaure la santé; la nature crée de nouvelles cellules, du nouveau sang, de nouveaux os, de nouveaux tissus, etc.** La nature travaille lentement et méticuleusement, elle prend son temps, que cela nous plaise ou non. Mais la nature vise toujours la perfection. **La perfection est en fait son seul objectif. Elle est orientée vers la santé** dans le sens le plus complet qui soit. La nature n'a besoin que de notre coopération, c'est-à-dire d'une attitude positive et patiente de notre part ! Nous devons croire à cette approche axée sur la santé et savoir que la guérison ne tardera pas.

## *DONNEZ À VOTRE SYSTÈME CE QU'IL Y A DE MIEUX ET « CONSTATEZ LA DIFFÉRENCE »*

Vous pouvez certainement comprendre, après tout ce que nous venons de dire, que la santé au niveau cellulaire est un concept valide et solidaire par définition. Comme vous le verrez dans la $2^e$ partie de ce livre, un grand nombre de personnes croient que la consommation régulière de feuilles pulvérisées d'orge verte a permis de fournir à leurs cellules les nutriments nécessaires pour que leur corps redevienne sain et vigoureux.

Je vous encourage à ajouter cet aliment à votre régime alimentaire. « Vous constaterez la différence ! »

## CHAPITRE V

# Le système immunitaire : votre « Guerre des étoiles » personnelle

par Susan C. Darbro
*B.A. en anglais, B.Sc. Inf.*
*Indianapolis (Indiana)*

Le système immunitaire est extrêmement compliqué et complexe. Il a été mal compris, même par les scientifiques du XXe siècle avec tous leurs outils technologiques modernes, jusqu'à tout récemment. Au cours des dix dernières années, une explosion de nouveaux renseignements a fait surface, entraînant une compréhension nouvelle et plus approfondie de ce qu'est le système immunitaire et de son mode de fonctionnement. Selon un expert, « on estime qu'il existe un déluge de documentation traitant de l'immunologie – environ 7 000 articles publiés dans 800 revues techniques à la grandeur de la planète, chaque année ».[1]

Vous vous demandez peut-être en quoi cela vous concerne ? Vous devez comprendre que votre système immunitaire est ce qui vous protège contre l'invasion et l'infection. C'est pourquoi je l'appelle votre « Guerre des étoiles » personnelle.

Au lieu de passer directement aux « leucocytes polynucléaires » et aux « cellules entérochromaffines », permettez-moi de simplifier les concepts en vous racontant une petite histoire. Écoutez attentivement.

## UNE RÉUNION DE FAMILLE

Grand-père Mac Forsythe allait avoir 75 ans. C'était un bon vieil homme qui aimait tout le monde. Son principal plaisir dans la vie était de manger. Depuis toujours, il avait la réputation d'avoir le plus gros appétit de toute la ville. Les gens disaient qu'il avait eu faim dès sa naissance. Il se plaisait autant à manger des aliments simples que des plats de haute cuisine, et il n'y avait rien qu'il n'aimait pas. Parvenu à l'âge de 70 ans, il pesait près de 180 kilos !

Grand-père Mac vivait avec son épouse Estelle dans une vieille grande maison de la rue Maple. (Estelle était une vieille femme ratatinée et décharnée, prisonnière de son fauteuil roulant, et personne ne lui prêtait trop attention.) La maison des Forsythe avait fait fureur dans la ville lorsqu'elle était toute neuve, mais à présent, elle était vieille et s'était détériorée graduellement – grand-père Mac était trop occupé à manger pour peinturer la maison ou réparer la toiture !

Grand-père Mac et Estelle avaient eu deux enfants, des filles – Helga et Bea – et ces dernières les avaient quittés depuis des années. Helga, l'aînée, était d'une extrême gentillesse, sauf qu'elle aimait les commérages. Elle avait également la mauvaise habitude de mener tout le monde à la baguette, et, lorsqu'il y avait des disputes, elle incitait toujours les combattants. Helga bougeait constamment, et elle se faisait aussi aller la bouche à 100 km à la minute. À 16 ans, elle tomba amoureuse d'un garçon casse-cou qui habitait de l'autre côté de la voie ferrée, Nat Teasel. Tout le monde l'appelait « N.K. ». N.K. était reconnu à des kilomètres à la ronde pour sa mauvaise réputation. Il avait un sale caractère et une humeur massacrante. Certains disaient qu'il avait le naturel d'un tueur, ce qui a bien failli briser le coeur de sa mère (Madame Teasel était une adorable vieille dame).

Donc, Helga et N.K. se sont enfuis et se sont mariés. N.K. devint gardien de nuit, et il eut un enfant avec Helga, un petit garçon nommé Preston. Preston, le pauvre petit, était un enfant doux qui essayait toujours de faire la paix au sein de la famille. Lorsque N.K. se mettait en colère, Preston pleurait et répétait sans cesse, « Je t'en prie, papa, arrête ». Madame Teasel vint habiter avec eux peu après la naissance de Preston. C'était une vieille femme au tempérament doux qui passait la majorité de son temps assise dans un fauteuil berçant, sur le perron avant, à évoquer ses souvenirs d'enfance.

Bea (son vrai nom était Beatrice Humor), la fille cadette de grand-père Mac, s'était mariée, mais elle était incapable d'avoir d'enfants.

Un jour, elle entendit parler d'un nouveau traitement pour son problème appelé « thérapie plasmocytaire », et en un rien de temps, elle eut quatre groupe de triplets – Petite Bea, Brenda, Bonnie, Benjamin, Bert, Beauford, Betty, Barbara, Billy, Brittany, Babette et Butterball. Les enfants de Bea étaient très rigolos, mais ils étaient aussi très espiègles. Ils étaient toujours en train de mettre la cuisine en désordre, prétendant faire des expériences de chimie. On ne savait jamais à quoi s'attendre avec eux.

Eh bien, toute la famille vint voir grand-père Mac et Estelle pour l'anniversaire de naissance de grand-père. La vieille grande maison de la rue Maple était pleine de rires et de bruit.

Tout à coup, il y eut un grand fracas, et une partie de la toiture s'effondra. Grand-père Mac était assis dans son fauteuil et remarqua quelque chose de violet parmi les gros morceaux de plâtre et les éclats de bois tombés du plafond. Croyant aussitôt que c'était quelque chose à manger, il se précipita vers l'objet et le saisit. Tous les autres étaient demeurés immobiles et observaient la scène, les yeux grands ouverts – ils n'avaient jamais rien vu de semblable auparavant et étaient vraiment effrayés. Dès que grand-père Mac eut pris quelques bouchées, Helga se mit à crier, « Mon Dieu, mon Dieu ! C'est un Martien ! Nous avons été envahis par des Martiens ! À l'aide ! À l'aide ! » En effet, une par une, en succession rapide, les étranges petites choses violacées tombaient du trou béant dans le plafond.

Ce fut immédiatement le charivari dans toute la maison. Les petits Martiens violets étaient partout. N.K. entra en courant du vestibule, brandissant son pistolet chargé, et commença à tirer sur les créatures. Grand-père Mac trébucha sur elles et ensuite les mangea. Helga courait dans toutes les directions, comme d'habitude, demandant à tout le monde de venir et leur disant quoi faire.

Tous les enfants de Bea se précipitèrent de la cuisine, transportant des bols et des pots. Bonnie tenait une bouteille de lessive de soude qu'elle versa sur un malheureux Martien, ce qui fit bouillonner et fondre sa peau. Billy tenait un pistolet arroseur rempli de colle dont il aspergea plus d'une douzaine de Martiens, qui s'enchevêtrèrent complètement les uns avec les autres. Butterball tenait le pot de miel et inondait les créatures de miel, ce qui fit se précipiter grand-père sur elles parce qu'il raffolait du miel.

Barbara, Bernice, Brittany et Babette se donnèrent la main et formèrent un cercle autour de grand-mère Estelle, qui ne se rendait pas compte de ce qui se passait et qui ne pouvait pas se défendre. En peu de temps, tous les envahisseurs furent maîtrisés. « Arrêtez, arrêtez », s'écria Preston. « Tout va bien, vous pouvez arrêter. Il n'y a plus de danger ! »

La maison était un véritable fouillis, avec des Martiens morts et des débris partout. Helga donna l'ordre de sortir l'aspirateur et tout fut vite balayé. Quelle journée inoubliable !

Lorsque le calme fut enfin rétabli, madame Teasel les rassembla et leur raconta comment des voleurs avaient envahi sa maison, un jour. « À présent, mes enfants », dit-elle, « Vous devez toujours vous rappe-ler de ce qui est arrivé aujourd'hui. » « Ne vous inquiétez pas », répondit Petite Bea, « Je ne l'oublierai JAMAIS ! »

À présent, vous devez sûrement vous demander comment une histoire aussi farfelue peut vous aider à comprendre le système immu-nitaire, alors je vais vous l'expliquer sans plus tarder.

## LA CAPACITÉ DE RECONNAÎTRE LES ENVAHISSEURS

Le système immunitaire protège le corps contre les invasions, alors la première question que nous nous posons est la suivante : « Comment le système immunitaire sait-il qui est l'ennemi ? » J'ai choisi des Martiens violets pour mon histoire, parce que le concept le plus important pour reconnaître qui sont les méchants est de compren-dre que le corps les perçoit comme des substances étrangères. **Le corps a la capacité de faire la distinction entre ce qui le constitue en propre, « le soi », et les autres choses, le « non-soi ». Les envahisseurs appar-tiennent au « non-soi »,** et on les appelle habituellement les antigènes.

Un antigène peut être un virus, une bactérie, un champignon ou un parasite, ou même une portion ou un produit d'un de ces organismes. Les tissus et les cellules d'une autre personne, à moins qu'il ne s'agisse d'un jumeau identique, peuvent également se comporter comme des antigènes. Étant donné qu'un organe transplanté est considéré comme un « étranger », la réaction naturelle du corps est de le rejeter. Le corps rejettera même des protéines nourrissantes, à moins qu'elles ne soient d'abord décomposées, par le système digestif, en leurs éléments bâtisseurs primaires.[2] Les antigènes comme les virus, les bactéries et les champignons doivent pénétrer dans des cellules saines afin de se reproduire. C'est leur objectif, et c'est ce que le système immunitaire cherche à prévenir.

## LES ÉLÉMENTS D'IMMUNITÉ : LE SYSTÈME

À présent que nous connaissons l'ennemi, débrouillons les autres éléments de ma petite histoire. Chaque élément correspond à un élément de notre système immunitaire. La vieille maison de la rue Maple représente notre corps. Les maisons exigent beaucoup d'entretien, et nous aussi. Grand-père Mac n'a pas pris soin de sa maison, et elle s'est effondrée. Lorsque nous ne prenons pas soin de notre corps, c'est-à-dire lorsque nous négligeons de mettre en pratique de bonnes habitudes sanitaires – régime alimentaire convenable, repos adéquat et exercice régulier – nous faisons la même chose. Pour que nos systèmes immunitaires soient forts et sains, nous devons avoir un corps fort et sain pour les loger.

## LES STRUCTURES

Avant d'aller plus loin, il serait bon de s'arrêter un moment pour apporter une précision. Un grand nombre de systèmes organiques de votre corps – par exemple, les voies urinaires ou le tube digestif – sont reliés entre eux et fonctionnent suivant un ordre logique progressif, comme le système de plomberie dans une maison. Toutefois, ce n'est pas le cas du système immunitaire. Il est dispersé çà et là dans notre corps.

Les tissus du système immunitaire s'appellent « tissus lymphoïdes ». Ils comprennent, entre autres, les amygdales et les végétations adénoïdes dans le cou, le thymus dans la poitrine, la rate du côté gauche de l'abdomen, l'appendice du côté droit de l'abdomen, la moelle osseuse à l'intérieur des os long du corps, les ganglions lymphatiques dispersés partout dans le corps, et diverses cellules des tissus et cellules sanguines qui sont à peu près partout à la fois.

Ils comprennent également le « système lymphatique » – un réseau de vaisseaux de drainage qui est parallèle au circuit sanguin, vital au fonctionnement du système immunitaire.

Comme un système de petits cours d'eau et de ruisseaux qui se déversent dans des rivières de plus en plus grandes, les vaisseaux du réseau lymphatique confluent avec des tributaires de plus en plus grands. À la base du cou, les grands canaux lymphatiques se déversent dans le circuit sanguin.[3]

**Nos corps sont bâtis expressément pour résister à la maladie**, tout comme un mur de pierre ou une clôture élevée empêchent les étrangers d'entrer dans une maison. Notre première ligne de défense est notre peau, qui agit comme une couche protectrice ou une coquille sur notre corps. La peau peut sécréter des acides grasalc qui ont un effet mortel sur certains microorganismes.[4] À moins qu'elle ne soit endommagée par une blessure quelconque, la peau suffit à repousser l'attaque de la plupart des envahisseurs en puissance.

La taille de l'envahisseur a peu d'importance, parce que des envahisseurs minuscules peuvent être aussi mortels que ceux que nous pouvons voir. Le virus du SIDA, par exemple, est tellement petit que 230 millions d'entre eux pourraient occuper un espace pas plus grand que le point à la fin de cette phrase.[5] Cela signifie qu'une égratignure minuscule ou une piqûre d'épingle pourraient avoir des conséquences mortelles, et vous devez faire en sorte que vos blessures soient bien pansées et propres, surtout lorsque vous côtoyez une personne malade.

Nous disposons d'une autre particularité sur mesure dans les voies respiratoires – de toutes petites projections poilues qui revêtent l'intérieur des voies respiratoires, cernant les corps étrangers et les empêchant de se loger dans les cellules, où ils peuvent commencer à croître et à se multiplier. En outre, une substance épaisse et collante qui prend également les envahisseurs au piège exsude des revêtements intérieurs de nos voies respiratoires et de notre tube digestif, appelés muqueuses. Les enzymes spéciales qu'on retrouve dans les larmes et la salive sont nuisibles à bon nombre d'organismes, juste au cas où ceux-ci pénétreraient dans les yeux ou la bouche. Beaucoup de liquides organiques, y compris le sang, renferment des substances chimiques qui neutralisent l'attaque des antigènes.

## *PORTRAITS DE FAMILLE : LE MACROPHAGE*

Passons maintenant à la famille. Vous vous souviendrez que grand-père Mac Forsythe était le premier personnage de mon histoire. Son vrai nom est **macrophage**, et il représente **une grosse cellule spécialisée dont la tâche est d'engloutir et de consommer les substances étrangères.** Un macrophage est un type de phagocyte qui engloutit et digère les envahisseurs. Cela signifie pour nous que si nous sommes assis par hasard à côté de quelqu'un qui éternue, un macrophage dans notre corps s'amènerait et constaterait que les particules éternuées sont un « non-soi », et il essayerait immédiatement de les consommer avant qu'elle ne se réfugient à l'intérieur d'une cellule. (On présume que les projections poilues présentes dans le nez ou la trachée n'ont pas réussi à cerner les particules.) Les phagocytes, dont grand-père Mac est un type, constituent un élément très important de notre système immunitaire.

## LA CELLULE SOUCHE

Estelle, l'épouse âgée de grand-père Mac, représente une cellule souche mère. **Les cellules souches produisent de jeunes cellules de combat** qui se déplacent vers d'autres parties du corps pour se développer. Si elles parviennent à maturité dans la moelle osseuse, elles deviennent des « cellules B », tandis que si elles passent par le thymus, elles deviennent des « cellules T ». Les cellules souches ne participent pas directement à l'attaque, mais elles produisent des cellules de combat qui y participent.

Le système de défense immunitaire se divise souvent en deux catégories, un peu comme l'armée et la marine. La première s'appelle la division « humorale », laquelle est représentée par Beatrice Humor et tous ses enfants. L'autre s'appelle la division cellulaire ou « à médiation cellulaire », représentée dans notre histoire par Helga et sa famille.

## LA FAMILLE DES CELLULES T

Parlons d'abord d'Helga Teasel et de sa famille. Le vrai nom d'Helga devrait être cellule T auxiliaire, ce qui signifie qu'elle est née d'une cellule souche mère et qu'elle a migré dès son jeune âge au thymus, où elle a « grandi ». Il existe plusieurs types de cellules T (techniquement, ce sont des « lymphocytes T »), et **le rôle de la cellule T auxiliaire est d'activer les cellules T et les cellules B**. C'est pourquoi nous avons vu Helga courir çà et là en donnant des ordres et agiter tout le monde sur les lieux.

Un autre type de cellule T est la cellule T suppressive, représentée par Preston Teasel dans notre histoire. **Le rôle d'une cellule T suppressive est de mettre fin au combat** une fois que l'intervention du système immunitaire a repoussé une invasion avec succès. Un autre type de cellule T est la cellule K, ou la cellule « tueuse » (vous vous souvenez de N.K. Teasel ?), **qui attaque et détruit d'autres cellules en perforant leurs membranes cellulaires.** Les cellules « tueuses » attaqueront les cellules de notre propre corps si elles ont été envahies par des antigènes. N.K. était un gardien de nuit pour illustrer le fait que les cellules « tueuses » rôdent dans notre corps à la recherche d'anomalies, comme des cellules cancéreuses, et les détruisent.

Notre système immunitaire comporte beaucoup d'autres genres de lymphocytes T, mais les trois susmentionnés représentent les principaux types de cellules de combat. Une autre de leurs tâches est de fabriquer des produits chimiques nuisibles aux antigènes. Les cellules T fabriquent des lymphokines, « produits chimiques variés et puissants qui peuvent activer beaucoup d'autres cellules et substances... »,[6] comme la substance appelée «interféron» dont vous avez probablement entendu parler. Voilà pour Helga et sa famille.

## LA DIVISION HUMORALE

La division humorale du système immunitaire est représentée dans mon histoire par Bea et ses enfants, notamment les cellules B. Vous vous souviendrez que les cellules B (ou lymphocytes B) naissent d'une cellule souche mère et se développent dans la moelle osseuse. **La tâche principale d'une cellule B est de sécréter des substances appelées anticorps** (représentées dans l'histoire par les nombreux enfants de Bea). Comme les flocons de neige ou les empreintes digitales, les anticorps sont tous différents les uns des autres et conçus pour un antigène en particulier. Il existe des milliers ou des millions d'antigènes, et notre corps a la capacité de fabriquer des anticorps assortis à chacun d'eux, comme la clé d'une serrure. « En emmagasinant juste quelques cellules propres à chaque envahisseur éventuel, notre corps a suffisamment de place pour une armée entière. »[7]

Ainsi, « Le système immunitaire accumule un arsenal formidable... »[8]

## LA PROLIFÉRATION D'ANTICORPS

**Lorsqu'un antigène apparaît, la cellule B correspondante se gonfle en ce qu'on appelle une « cellule plasmatique »** (souvenez-vous du traitement de Bea pour son infertilité) **et commence à reproduire rapidement des anticorps.** De dire le Dr Michael Weiner, « lorsqu'un antigène particulier se présente, les cellules correspondantes sont stimulées et se multiplient en une armée complète. »[9] Un grand nombre de cellules B sont incapables de reconnaître le corps étranger tant qu'un macrophage ne présente l'antigène partiellement digéré à sa surface, et c'est pourquoi Helga a appelé Bea et ses enfants seulement après que grand-père Mac eut pris quelques bouchées du premier petit Martien.

Les anticorps ne fonctionnent pas tous de la même façon. Certains, comme Bonnie et sa bouteille de lessive de soude, dissolvent les envahisseurs. D'autres, comme Billy et son pistolet à colle, altèrent la surface des antigènes de sorte qu'ils s'agglutinent, ce qui les rend incapables de fonctionner. L'agglutination permet aux macrophages et aux autres cellules nécrophages de les repérer plus facilement et de les digérer. D'autres anticorps, comme Butterball et son pot de miel, enduisent les antigènes, ce qui les rend plus attrayants pour les phagocytes. D'autres encore les couvrent de protéines toxiques qui rendent les antigènes inoffensifs. Enfin, comme Barbara, Bernice, Brittany et Babette, certains anticorps cernent un secteur et empêchent les antigènes de pénétrer.

Selon un expert, le corps peut renfermer plus d'un million de sortes de cellules B, chacune produisant un anticorps différent.[10] Je dois clarifier une partie de mon histoire à ce moment-ci. Les cellules B ne produisent qu'un seul type d'anticorps chacune. Par conséquent, Bea aurait eu, en réalité, douze « Petite Bea », et non 12 enfants différents. J'aime bien ce que dit le Dr Weiner au sujet de la variété des réactions immunitaires :

> *Les composantes du système immunitaire sont organisées et reliées entre elles de sorte qu'elles permettent des réactions d'une flexibilité remarquable. Il est rare que notre corps soit limité à une seule façon de se défendre contre l'attaque d'un antigène. Si une stratégie de défense échoue, notre système immunitaire est prêt à utiliser une autre stratégie.*[11]

## LES CELLULES « À MÉMOIRE »

Vous vous souvenez de la vieille madame Teasel, qui passait la majorité de son temps assise à évoquer ses souvenirs? À la fin de l'histoire, elle recommandait vivement à Petite Bea de se rappeler de l'invasion des Martiens. Madame Teasel représente une **cellule T « à mémoire »** et Petite Bea représente une **cellule B « à mémoire »**, toutes deux dotées d'une mémoire « photographique » dans laquelle est gravé le souvenir des envahisseurs, et capable de programmer le corps de sorte qu'il puisse fabriquer des anticorps contre ces derniers, au pied levé. Les cellules « à mémoire » vivent pendant des années, et c'est grâce à elles que les gens qui ont eu la rougeole à l'âge de deux ans ne l'auront plus jamais, malgré le fait qu'ils y sont exposés à maintes reprises au fils des ans.

## LE SYSTÈME DES VAISSEAUX LYMPHATIQUES

L'autre élément de mon histoire qui exige des explications est l'aspirateur, qui représente le système des vaisseaux lymphatiques :

*Les ganglions lymphatiques sont reliés à un réseau de vaisseaux qui recueillent le drainage des organes liés aux ganglions et de toutes les parties du corps.* **Ce système de vaisseaux lymphatiques sert à la fois de réseau d'information et de complexe de transport** *au personnel de défense de votre corps. Dans les régions où il n'y a pas de drainage lymphatique direct, les matières lymphatiques sont transportées par le sang. Les ganglions lymphatiques renferment des compartiments spécialisés – certains renfermant des cellules B, d'autres des cellules T et d'autres encore des macrophages. Les régions en toile d'araignée des ganglions lymphatiques prennent au piège les antigènes et les filtrent du liquide lymphatique transparent, la lymphe.[12]*

Tout cela n'est qu'un survol du système immunitaire, mais j'espère qu'il vous aidera à mieux comprendre votre corps.

*[Nota : Pour les lecteurs qui désirent en apprendre davantage sur ce sujet, je recommande Maximum Immunity, par Michael A. Weiner, Ph.D., et pour de superbes photographies, le numéro de juin 1986 du National Geographic Magazine.]*

## GARDEZ VOTRE SYSTÈME IMMUNITAIRE EN FORME GRÂCE À LA NUTRITION

Vous vous demandez peut-être ce que tout cela a à voir avec les feuilles vertes de l'orge, n'est-ce pas? Je sais que vous l'avez déjà entendu auparavant, mais vous êtes ce que vous mangez. Si vous donnez une bonne alimentation à votre corps, ce sera bon pour vous; si, au contraire, vous le nourrissez mal, ce ne sera pas bon pour vous.

Certains de nos aliments favoris paralysent bel et bien notre système immunitaire. Voici un bon exemple : On a découvert récemment que le **sucre réduit la capacité de notre corps de détruire les bactéries – il détruit notre système immunitaire !**[13]

Il y a neuf cuillerées à thé (18 g) de sucre dans 12 onces (375 ml) de Coca-Cola. Cela signifie que si vous buvez dans une journée trois bouteilles de Coca-Cola (ou de toute boisson gazeuse contenant du sucre), vous avez immobilisé environ 92 pour cent de vos troupes défensives !

## TABLEAU 3

| APPORT QUOTIDIEN DE SUCRE Cuillerées à thé* | NOMBRE DE BACTÉRIES QUE CHAQUE GLOBULE BLANC DÉTRUIT EN 30 MINUTES | DIMINUTION DE L'EFFICIENCE |
|---|---|---|
| 0 | 14 | — |
| 6 | 10 | 25 % |
| 12 | 6 | 60 % |
| 18 | 2 | 85 % |
| 24 | 1 | 92 % |

* 1 cuillerée à thé = environ 2 grammes

Je m'en voudrais sûrement si mon système immunitaire laissait passer une cellule cancéreuse tout simplement parce que je décidais, un jour, de manger une pointe de tarte avec de la crème glacée. Êtes-vous du même avis ? Le sucre n'est pas le seul coupable. Lisez les extraits suivants du livre de Dr Weiner :

*« Les aliments que nous mangeons, l'eau que nous buvons et l'air que nous respirons ont été contaminés progressivement par des métaux lourds – le plomb, le cadmium et le mercure. Des études chez l'animal ont montré que ces métaux interrompent tous les aspects des fonctions immunitaires, réduisant l'immunité à médiation cellulaire et l'immunité humorale, inhibant les réponses des phagocytes et augmentant la susceptibilité à l'infection »* (Gordon 1983).

*« La fumée de cigarette est une source importante de cadmium ... Les engrais biologiques fabriqués à partir des boues résiduaires renferment souvent des taux dangereux de cadmium. On a démontré que des taux élevés de cadmium entravent la résistance de l'hôte, la réponse des anticorps, la réponse des cellules B et des cellules T, de même que la réponse des phagocytes (Beisel 1982), et inhibent les fonctions de la moelle osseuse (Weiner 1981). »*[14]

*« Il est clair à présent que l'apport élevé de graisses alimentaires peut porter de graves atteintes à la fonction immunitaire. »*[15]

*« On note une diminution de la capacité phagocytaire des macrophages qui présentent un taux élevé de cholestérol. Certaines études suggèrent également qu'un cholestérol alimen-*

*taire élevé peut réduire l'immunité à médiation cellulaire et l'immunité humorale.* »[16]

« *Une alimentation riche en gras entraîne des taux élevés d'acides biliaires dans le côlon. Ceux-ci se décomposent en acides désoxycholiques, qui sont des cancérogènes dangereux ... le cancer du sein, du pancréas, de la vésicule biliaire, de l'ovaire, de l'utérus, de la prostate, de même que la leucémie, sont tous en corrélation certaine avec un régime alimentaire riche en protéines animales, en gras et en cholestérol... Les régimes alimentaires riches en gras et l'obésité sont également en corrélation avec l'incidence du cancer du sein, la grosseur de la tumeur et la rapidité de l'évolution du cancer.* » *(deWaard 1982).*[17]

## L'ORGE VERTE : SOUTIEN DU SYSTÈME IMMUNITAIRE

Nous nous posons alors la question suivante, «Comment pouvons-nous aider notre système immunitaire ? » L'orge verte en poudre ou en comprimés est une bonne source de vitamine A, laquelle, on le reconnaît depuis longtemps, facilite la résistance non spécifique à une grande variété d'agents pathogènes... »[18] M. Weiner poursuit ainsi :

« *En aidant à conserver l'intégrité de la peau et des muqueuses, la vitamine A aide à maintenir les barrières protectrices qui empêchent les organismes infectieux de pénétrer dans le corps. La vitamine A est également nécessaire à la production de lysozymes, éléments présents dans les larmes, la salive et la sueur, et qui luttent contre les bactéries.* » *(Rosenbaum 1984)*

« *Des études d'animaux présentant une carence en vitamine A ont révélé une atrophie du thymus et des tissus lymphoïdes, une diminution du nombre global de cellules T et de cellules B, de même qu'une dépression de la réponse des cellules T aux ... agents infectieux.* »[19]

Les auteurs d'un article publié dans le *Journal of the American Medical Association (JAMA)* sont du même avis, « Des augmentations modestes de vitamines A alimentaires améliorent la résistance à l'infection chez les animaux ... »[20]

L'orge verte est une source extraordinaire de vitamine B1, qui stimule légèrement le système immunitaire. Lorsque le régime alimentaire présente une carence de cette vitamine, la grosseur des organes lymphatiques est réduite et le nombre de cellules T et de cellules B diminue.[21]

La vitamine B2, appelée riboflavine, est présente en grandes quantités dans l'orge verte. La riboflavine est un activateur de l'immunité et joue un rôle dans la production d'anticorps. Les carences sont liées à des diminutions de la réponse des anticorps, de la grosseur des organes lymphatiques et du nombre global de cellules T et de cellules B dans le sang.[22]

La vitamine B6, ou pyridoxine, qui est également abondante dans l'orge verte, « semble être la plus importante en vue d'assurer la bonne fonction immunitaire, les carences de cette vitamine provoquant des problèmes immunitaires plus graves que les carences d'autres vitamines B ».[23] Les chercheurs de l'article du JAMA ont également constaté que « les sujets qui présentaient des carences expérimentales à court terme de vitamine B6 ne pouvaient pas réagir normalement aux vaccins ».[24]

Le même article fait ressortir que, « la carence d'acide folique inhibe les fonctions immunitaires chez les animaux et chez l'être humain ».[25] En outre, la carence d'acide folique cause la résorption des tissus lymphoïdes, de même que la réduction du nombre de cellules de combat. M. Weiner souligne que l'insuffisance d'acide folique fait également en sorte que le corps permette aux tumeurs de grossir plus facilement.[26] Toutefois, j'ai de bonnes nouvelles pour vous. L'orge verte est riche en acide folique !

La choline est un autre ingrédient présent dans l'orge verte, lequel est excellent pour votre système immunitaire. Sans la choline, la division humorale du système immunitaire (Bea et ses enfants) ne fonctionne pas convenablement. C'est particulièrement vrai lorsque la carence alimentaire survient durant la grossesse, selon des expériences effectuées sur des animaux.[27]

La vitamine C est un autre élément essentiel au bon fonctionnement de votre système immunitaire. Les chercheurs de l'article du JAMA nous rapportent qu'en plus d'aider les phagocytes (la famille de grand-père Mac) à se déplacer d'où ils se trouvent pour se rendre où ils sont requis, la vitamine C influe également sur les fonctions destructrices des cellules « tueuses ». En outre, vous devriez noter que :

> *« L'aspirine produit un effet anti-vitamine C, favorisant l'élimination de vitamine C par l'urine et réduisant également la captation de la vitamine par les globules blancs. Le fait de prendre de l'aspirine semble également accroître le risque d'une*

*infection virale transmissible ... Pour ces motifs, il serait bon de bien réfléchir avant de prendre de l'aspirine en même temps que de la vitamine C pour soigner un rhume ou une grippe. »*[28]

Un fait intéressant que j'ai recueilli dans le cadre de mon étude du système immunitaire est qu'un excès de vitamine D, peut inhiber la fonction immunitaire. Et devinez quoi – l'orge verte n'en renferme pas du tout ! Évidemment, toute vitamine liposoluble peut s'accumuler dans le corps et causer des problèmes si vous en prenez trop pendant une longue période de temps. Donc, attention aux compléments vitaminiques – il est plus sûr de prendre de l'orge verte qui ne peut causer d'hypervitaminose.

Les minéraux sont également nécessaires au bon fonctionnement de notre système immunitaire. « La carence de cuivre a été liée à une diminution de la résistance. »[29] L'orge verte est une bonne source de cuivre ! Le fer, présent également dans les feuilles vertes de l'orge, est nécessaire, quoiqu'ici encore, on doive faire preuve de prudence lorsqu'on prend des compléments de fer parce que trop de fer est tout aussi dangereux pour notre corps que pas assez. Il faut du fer pour acheminer de l'oxygène aux cellules, et les cellules du système immunitaire ont besoin d'une quantité « relativement élevée » d'oxygène.[30] Les chercheurs de l'article du JAMA mentionnent également que la carence de fer cause la résorption des tissus lymphoïdes et entraîne des « vices de fonctionnement des macrophages et des polynucléaires neutrophiles ».[31] Le zinc, en abondance dans l'orge verte, « est un stimulant immunitaire extrêmement important, favorisant tout particulièrement l'immunité des cellules T »[32] – Helga et sa famille en ont besoin. Sans zinc, l'activité des cellules « tueuses » est réduite, les anticorps ne fonctionnent pas comme il faut, et cela nuit à la croissance des cellules souches dans le thymus.

Tout cela se résume à une chose – si nous voulons demeurer en santé, nous devons faire en sorte que notre système immunitaire soit en parfait état. L'orge verte est pleine de vitamines et de minéraux dont notre système immunitaire a besoin. Donc, il s'ensuit que l'un des meilleurs moyens dont nous disposons pour nous aider à demeurer en santé est de consommer régulièrement l'orge verte en poudre ou en comprimés.

## CHAPITRE VI

# Faites connaissance avec votre amie la chlorophylle

**Susan C. Darbro**
*B.A. en anglais, B.Sc. Inf.*
*Indianapolis (Indiana)*

Si vous êtes comme moi, le mot « chlorophylle » vous rappelle des souvenirs – vous êtes tout-à-coup dans une salle de classe, où c'est mal aéré et il fait chaud. Vous patientez du mieux que vous pouvez, dans l'espoir que la cloche va bientôt mettre fin à votre cafard. C'est qu'on vous assomme avec un cours sur la photosynthèse. Les tableaux périodiques des éléments, qui tapissent les murs, ne font qu'augmenter votre sentiment d'ennui et de claustrophobie. Eh bien, si vous pensiez que la cloche vous avait libéré pour de bon, détrompez-vous... voici un autre exposé sur la photosynthèse ! Je ferai cependant mon possible pour simplifier cette matière. Pour apprécier à sa juste valeur ce que l'orge verte peut faire pour votre santé, il faut d'abord connaître un peu la chlorophylle, et pour connaître la chlorophylle nous devons d'abord parler de photosynthèse.

## UNE LEÇON DE SCIENCES

Les produits faits à partir des feuilles d'orge doivent leur couleur verte à la chlorophylle, un pigment que l'on trouve chez toutes les plantes. La chlorophylle est répartie en plusieurs groupes chimiquement reliés – la chlorophylle-a, la chlorophylle-b, etc. La chlorophylle est en majeure partie de type chlorophylle-a, qui existe dans tout organisme qui dépend de l'oxygène. Nous laisserons donc de côté les autres groupes de chlorophylle spécifiques aux algues et aux autres espèces végétales moins évoluées.

Comme vous le savez, les plantes ne puisent pas l'énergie dont elles ont besoin dans les oeufs du petit-déjeuner ou les casse-croûte au MacDonald's. Elles doivent tirer les sucres et amidons dont elles ont besoin de l'air, de l'eau et du soleil. Cela se fait selon une formule plutôt longue et compliquée, et notre amie la chlorophylle y figure comme un des principaux ingrédients. Les molécules de chlorophylle agissent comme de minuscules mais puissantes antennes servant à capter la lumière et à l'acheminer vers d'autres molécules de chlorophylle. Celles-ci subissent alors une oxydation chimique transformant cette lumière en une énergie chimique qui alimente la plante.

La photosynthèse est le processus par lequel une plante extrait, à partir du gaz carbonique de l'air, de l'eau du sol et de l'énergie lumineuse du soleil, les éléments nécessaires à sa survie et à sa croissance. Ce que l'on doit retenir, surtout, c'est que la photosynthèse serait impossible en l'absence de la chlorophylle.

La chlorophylle a donc énormément d'importance pour vous et moi. **Sans chlorophylle, pas de photosynthèse. Sans photosynthèse, pas de vie végétale. Et sans végétaux, il n'y aurait pas de vie animale ou de vie humaine sur cette planète!** La chlorophylle est donc absolument essentielle à la vie.

## UNE LEÇON D'HISTOIRE

On s'intéresse à la chlorophylle depuis déjà longtemps. En 1844, un chercheur du nom de Verdeil observa que la chlorophylle et le pigment rouge du sang réagissaient de façon similaire au test des composés acides.[1] Ce n'est toutefois qu'en 1913 que la structure moléculaire précise de la chlorophylle a été établie par un chercheur allemand nommé Richard Willstatter.[2] Au même moment, E. Buergi, un médecin suisse, découvrait que la **chlorophylle stimule la croissance des tissus humains.**[3] L'intérêt soulevé par la chlorophylle mena à la création en 1930 de la Foundation for the Study of Chlorophyll and Photosynthesis [Fondation pour l'étude de la chlorophylle et de la photosynthèse], au Antioch College en Ohio.

À cette époque, le Dr Hans Fischer, qui avait remporté le prix Nobel en 1931 pour ses recherches sur le pigment rouge du sang, a annoncé qu'il avait utilisé de la chlorophylle pour traiter ses patients et obtenu des résultats « prometteurs ».[4] Au même moment, le département de pathologie expérimentale de Temple University à Philadelphie a relevé le défi et mis au point des solutions et des onguents à base de chlorophylle extraite d'orties.

On a par la suite administré ces formules à des patients de l'hôpital de Temple University dans le cadre d'expériences soigneusement contrôlées.[5] Les expériences ont donné lieu à une étude d'envergure sur les effets thérapeutiques de la chlorophylle, menée par le docteur Benjamin Gruskin, directeur du département de pathologie expérimentale et d'oncologie à Temple University. Le Dr Gruskin a non seulement contribué personnellement à cette étude, mais il y a travaillé en collaboration avec 19 éminents collègues, et s'est servi d'une base de données contenant des renseignements sur 1200 patients. Le compte rendu de cette étude, qui a été publié en juillet 1940 dans l'*American Journal of Surgery*, a suscité énormément d'intérêt pour mener des recherches plus approfondies et pour mettre la chlorophylle à contribution à diverses fins pratiques.

En 1952, la chlorophylle avait déjà été reléguée au second plan comme sujet de recherches scientifiques, et la demande populaire internationale en avait fait une panacée. Le monde des affaires avait pris les devants, laissant derrière lui, dans un nuage de poussière verte, les scientifiques plus conservateurs et méthodiques.

## LES GUERRES DE LA CHLOROPHYLLE

Plus de 40 firmes américaines s'occupaient en 1951 de la vente des produits contenant de la chlorophylle et ce commerce représentait un marché annuel de 22 millions de dollars à l'échelle mondiale[6] – une somme imposante à l'époque. La chlorophylle était utilisée dans un grand nombre de produits à usage médicinal, et on l'ajoutait à plus de 150 produits de consommation, au nombre desquels figuraient : papiers hygiéniques, rince-bouche, régénérateurs pour les cheveux, comprimés antiacides, gommes à mâcher, purificateurs d'haleine, dentifrices, déodorants, shampoings, pilules amaigrissantes, désodorisants, semelles intérieures et poudres pour les pieds, eaux de Cologne, lotions après-rasage, oreillers, crèmes nettoyantes, bains moussants, pastilles pour la toux, tabac et cigarettes, nourriture pour chiens. On traitait même les draps pour berceaux à la chlorophylle !

On pouvait lire sur l'emballage d'un produit australien nommé « SOBER Tablets » [comprimés pour le dégrisement] : « pour le soulagement des séquelles de la consommation d'alcool; soulagement des symptômes de la gueule de bois, de la nausée et des vomissements. » Les messages publicitaires diffusés dans les médias avaient précisé, a-t-on dit, que les *SOBER Tablets* neutralisaient les effets enivrants de l'alcool.[7] Un autre exemple que j'aime bien est celui de ce produit contenant de l'aspirine et de la chlorophylle, que la publicité recommandait comme remède contre « une sale migraine ».[8] Comme le note un auteur, « de toute évidence, plusieurs produits à base de chlorophylle ont été le fruit de l'imagination en pleine effervescence du personnel des services des ventes. »[9]

Pendant un certain temps, les « guerres de la chlorophylle » ont opposé les partisans de celle-ci et les sceptiques, et chacun se disait victorieux. Les propriétés déodorantes de la chlorophylle étaient au coeur des débats. La documentation sur la question est intéressante, à témoin, par exemple, les passages suivants :

*Il ne fait plus aucun doute que la chlorophylle, utilisée dans une concentration adéquate, réduit considérablement la mauvaise haleine causée par des particules d'aliments logés dans la bouche. Des chercheurs dans plusieurs laboratoires, notamment deux laboratoires d'essais renommés pour leur intransigeance à l'égard des produits commerciaux, ont mélangé les comprimés verts avec diverses substances âcres, allant de l'oignon ou de l'ail broyé jusqu'au mercaptan de benzyle, c'est-à-dire l'essence de moufette, et au mercaptan d'éthyle, le produit chimique odorant que l'on ajoute au gaz de cuisson pour faciliter la détection des fuites. Dans tous les cas l'odeur a disparu et les éprouvettes sont demeurées inodores par la suite.*

*Un comprimé de chlorophylle qui se dissout lentement dans la bouche élimine, dans la plupart des cas, la mauvaise haleine causée par la consommation d'oignons, d'alcool ou d'autres substances qui dégagent une forte odeur.*

*En outre, les comprimés verts peuvent réduire les odeurs corporelles et menstruelles. J'ai interviewé une autorité en la matière qui a déclaré : « À ma connaissance, on n'a jusqu'à maintenant mené aucun test rigoureusement scientifique à ce sujet. On ne m'a pas encore convaincu. Toutefois, certains des résultats sont impressionnants et je ne dis pas que la chose est sans fondement. »*

*Le docteur Westcott lui-même signale qu'un seul comprimé de chlorophylle pris le matin a réduit les odeurs de transpiration pendant toute la journée chez 67 patients et autres personnes ayant participé à cette expérience.*

Le D^r Frederick S. Tablor du New Jersey a découvert que les comprimés avaient éliminé les odeurs menstruelles pour plus de la moitié d'un groupe de patientes.

*Le docteur Harry E. Tebrock, directeur médical au Sylvania Electric Corporation, a affirmé que les comprimés ont éliminé les odeurs corporelles pour plus de 80 pour cent des 584 employés de l'usine.* [10]

Parmi les divergences plus récentes, une qui est à certains égards digne de mention a fait l'objet d'un article paru en août 1952 dans la revue *Good Housekeeping*. L'article exprime un certain scepticisme, voire un mépris, devant les déclarations qui vantent les mérites des produits à base de chlorophylle. La revue *Good Housekeeping* « a fait un certain nombre de vérifications relatives à l'haleine des membres de groupes témoins en utilisant divers dentifrices contenant de la chlorophylle ». L'article conclut :

*« Comme vous le savez, l'habitude de se brosser les dents avec un bon dentifrice après les repas est un excellent moyen de réduire la mauvaise haleine. Jusqu'à maintenant, nous n'avons pu toutefois déterminer si les résultats obtenus étaient attribuables à l'usage d'un bon dentifrice ou à la chlorophylle. »*

Pour ce qui est de l'odeur de transpiration, *Good Housekeeping* rapporte :

*« Nous avons organisé un test auquel ont participé 50 femmes. Pendant une semaine, celles-ci ont pris ces comprimés (de chlorophylle) et n'ont pas utilisé de déodorants pour aisselles. Les pilules n'ont eu aucun effet... »* [11]

Ou encore :

*« Quoiqu'il en soit, la chlorophylle ... n'a probablement aucun des pouvoirs déodorants ou autres propriétés remarquables qu'on lui prête. Si c'était le cas, les chevaux, le bétail et les mangeurs d'épinards auraient l'haleine la plus fraîche au monde. »* [12]

*« J'ai soumis la chlorophylle à rude épreuve en l'administrant à un chien. Duke, notre danois de 77 kilos, qui aurait dû normalement être en mesure de jouir de ses vieux jours, traversait une période difficile. Bien qu'il ait eu pour nous et nos amis le plus grand attachement, personne ne s'approchait plus de lui pour échanger les marques d'affection d'usage. La pauvre bête en était triste et perplexe, ça se voyait dans ses yeux. Même si ses dents et son régime recevaient toute l'attention voulue, de*

*jour en jour il devenait plus difficile de supporter ce pauvre animal.*

*Il a fallu beaucoup de chlorophylle, étant donné le gabarit de cette énorme bête, mais six comprimés par jour ont complètement eu raison de son haleine. Voilà donc ce qu'a légué Duke au genre canin, de même qu'à tous les humains qui ne veulent pas se débarrasser de leur chien à cause de sa mauvaise haleine.*

*Notre expérience a été répétée par le D$^r$ Maurice E. Serling à son hôpital vétérinaire de Larchmont (N.Y.). Épagneuls ou barzoïs, ses patients ont tous été délivrés des mauvaises odeurs et de leur mauvaise haleine six heures environ après avoir reçu la potion verte. Le problème réapparaissait dans les 24 heures qui suivaient l'arrêt du traitement, mais disparaissait quand on l'administrait à nouveau ! »*[13]

## QU'EN EST-IL AU JUSTE ?

Cette divergence apparente d'opinions s'explique, en partie, du fait que l'industrie de la chlorophylle n'avait pu uniformiser les types de chlorophylle et de dérivés de celle-ci qu'on utilisait, ou leur qualité. À l'époque, tout comme il en est aujourd'hui, deux principaux types de chlorophylle faisaient l'objet de recherches scientifiques visant des applications médicales. Un de ces types est la chlorophylle-a, qui possède une structure chimique qui la rend insoluble dans l'eau. Les premiers chercheurs croyaient donc que la chlorophylle à l'état naturel offrait peu d'applications pratiques. En 1958, un médecin reconnu, le D$^r$ H.R. Wetherell de l'école de médecine de l'Université du Nebraska, donnait encore à ses patients l'avertissement suivant :

*« Nous ne voulons pas faire croire que la consommation en grandes quantités des légumes riches en chlorophylle, tels que les épinards ou les betteraves, ait un effet salutaire sur le coeur. Les produits que nous avons examinés contenaient de la chlorophylle qui avait été soumise à plusieurs procédés complexes en laboratoire. »*[14]

Toutefois, des recherches plus récentes ont démontré que les intestins peuvent absorber la chlorophylle à l'état naturel d'une façon analogue au mode de digestion de la vitamine A.[15] La chlorophylle naturelle serait absorbée beaucoup plus facilement par l'organisme si elle n'était pas enveloppée de fibres végétales. C'est ainsi que s'explique l'avantage que possèdent les feuilles d'orge  par rapport aux légumes crus : ayant été libérée de la gaine de fibre qui l'emprisonnait, la chlorophylle qu'elles contiennent s'absorbe plus facilement.

Étant donné que les premiers chercheurs ignoraient ces faits, ils ont élaboré une méthode pour rendre la chlorophylle naturelle soluble dans l'eau. Parmi les quelque 800 dérivés de la chlorophylle qui ont fait l'objet d'essais, les « cholorophyllines » se sont avérées de loin les plus utiles et importantes.[16] On obtient ces dernières en enlevant les chaînes latérales de la molécule de chlorophylle grâce à un procédé chimique, et dans plusieurs cas on remplace l'atome central de magnésium par celui d'un autre métal, habituellement le cuivre ou le fer. Bien qu'on s'accorde pour dire qu'« il y a une différence entre la consommation d'une grande quantité de légumes riches en chlorophylle et l'administration de chlorophylle ou de ses dérivés aux animaux de laboratoire »[17] il n'en demeure pas moins que la chlorophylle à l'état naturel a une immense valeur thérapeutique. Allons scruter encore un peu la recherche menée avant l'incontrôlable explosion commerciale des produits à base de chlorophylle.

## APPARENTÉS PAR LE SANG

Une découverte des plus fascinantes en biologie fut l'observation d'une similitude entre le pigment vert des plantes et le pigment rouge du sang. Il s'agit, de fait, de pigments à peu près identiques. La principale différence est que l'atome clé de la chlorophylle est le magnésium tandis que celui de l'hémoglobine est le fer. Qu'est-ce que cela signifie ? À mon avis, il semble évident que le pigment de la chlorophylle constitue le « sang » des plantes, et cette ressemblance frappante avec le pigment qui transporte l'oxygène dans notre sang et qui lui donne sa couleur n'est pas une simple curiosité.

Le Dr Hans Fischer a été l'un des premiers chercheurs à observer ce lien et à utiliser la chlorophylle dans le traitement de patients souffrant d'anémie.[18] Certains chercheurs se sont bientôt aperçu que la similitude entre la chlorophylle et l'hémoglobine allait même plus loin – toutes deux demeuraient presque identiques au moment de la dissociation chimique. Dans les expériences menées au collège Antioch, on a utilisé de l'herbe partiellement digérée pour l'étude de la décomposition de la chlorophylle. Lois Miller a formulé le commentaire suivant sur cette étude dans le *Science News Letter* : « *Et lorsque cet aliment partiellement digéré a été administré aux rats, **il a directement stimulé la création des globules rouges**.* »[19]

De nos jours, les chercheurs tendent à dénigrer l'idée que le sang des plantes puisse servir à générer le sang chez les humains. Moi, j'estime qu'ils ont tort. Des scientifiques ont admis dans un article d'une grande érudition que : « Malgré ces variations en matière de structure et de fonctions, il a été prouvé que la biosynthèse de la porphyrine (c.-à-d. la production du pigment respiratoire : l'hémoglobine pour le sang humain et animal, la chlorophylle pour les plantes) est essentiellement un phénomène de nature similaire pour tous les systèmes biologiques. »[20]

## *LA CHLOROPHYLLE QUI GUÉRIT*

Le Dr Gruskin est arrivé aux mêmes conclusions que le Dr Buergi, un chercheur suisse qui, après avoir administré la chlorophylle et ses dérivés à 1200 patients, s'est aperçu que celle-ci avait un « effet stimulant sur la croissance des tissus conjonctifs et sur le développement des tissus de granulation. »[21] Cette constatation est très significative en médecine, et plus particulièrement dans le domaine de la chirurgie puisque **le corps doit se restaurer et la chlorophylle lui vient en aide.** Le terme « tissu de granulation » est utilisé pour désigner les premières cellules granuleuses qui se forment à la surface d'une plaie durant la cicatrisation. Bref, les docteurs Buergi et Gruskin ont démontré que la chlorophylle accélère le processus de guérison !

Quinze ans plus tard, d'autres recherches effectuées par les docteurs Sack et Barnard et dont on a publié les résultats dans le *New York State Medical Journal,* laissent supposer que ce phénomène est attribuable à l'application de chlorophyllines, qui augmentent le flux sanguin localisé.[22] Puisque le sang fournit les éléments nutritifs et l'oxygène nécessaires à la reproduction des cellules, si le ravitaillement sanguin est plus efficace, le pouvoir de guérison en sera accru.

Selon les recherches effectuées par Sack et Barnard, le processus de cicatrisation s'accélère pour une autre raison. En présence d'inflammation de la plaie, les globules rouges s'agglomèrent et par conséquent ne peuvent agir avec efficacité. Les études de ces chercheurs indiquent que la chlorophylle exerce un « effet inhibiteur » sur cette agglomération, connue sous le nom de « hémoagglutination » dans le jargon médical. Voici ce que les chercheurs ont conclu :

> *« Le processus de cicatrisation a été le résultat direct de l'application d'onguent au chlorésium. En effet, on n'avait pas réussi, avec les traitements antérieurs, à enrayer l'ulcération et même si les plaies étaient stériles (exemptes de bactéries) avant*

*le début de l'étude, elles ne donnaient aucun signe de cicatrisation. Le processus de cicatrisation a été le résultat de l'effet chlorophyllien sur l'exsudat (drain) de la plaie. Cela aurait été prouvé par le fait qu'il est possible de réduire uniformément les propriétés hémo-agglutinatives et inflammatoires des exsudats avec la chlorophylline in vitro (dans une éprouvette). Ceci contredit toute conclusion voulant que le changement dans la nature de l'exsudat de la plaie ait été la conséquence et non la cause du processus de cicatrisation. »*[23]

La guérison des plaies est également importante dans d'autres branches de la médecine. Faisons un autre retour en arrière : un dermatologue qui a participé à l'étude menée à l'hôpital de Temple University en 1940, affirme avoir utilisé « de la chlorophylle sous forme d'onguent pour le traitement de diverses affections cutanées et l'avoir trouvé particulièrement utile pour le traitement d'ulcères chroniques... ». Des oto-rhino-laryngologistes ont administré de la chlorophylle à des patients atteints d'une infection chronique des sinus, amenant « la guérison de tous les symptômes qui étaient présents auparavant. » La conclusion des expériences en oto-rhino-laryngologie est la suivante : « il y a eu une amélioration ou le patient a été guéri dans chaque cas qui faisait partie de l'étude. »[24]

## LA CHLOROPHYLLE ET LES INFECTIONS

Le docteur Gruskin et ses associées ont été confrontés à toutes sortes de problèmes de santé, notamment des plaies ouvertes, des infections de plaies chirurgicales profondes, des fistules (canaux de drainage anormaux communiquant à l'intérieur du corps) dans l'abdomen et la poitrine, l'emphysème (pus dans les poumons), des abcès du foie et du rein, des lésions rectales, des ulcères à la jambe causés par une mauvaise circulation, des abcès cérébraux, des appendicites gangreneuses et des cancers utérins. « Cette liste partielle de cas permet de constater, dit-il, que **l'usage de la chlorophylle pour guérir les infections chroniques génératrices de pus a nettement amélioré l'état des patients**. »[25] La chlorophylle peut décomposer le gaz carbonique et dégager de l'oxygène, un processus dévastateur pour plusieurs des bactéries qui se développent dans les plaies profondes en l'absence d'oxygène.

Le Dr Gruskin et ses associés n'ont pas été les seuls à obtenir ces résultats. Le Dr Lawrence Smith, dans son article intitulé « The Present Status of Topical Chlorophyll Therapy » déclare : « Le point culminant au cours des dix années qui ont suivi la publication du rapport de Temple University, a été la confirmation quasi universelle des conclusions initiales de la recherche. »[26]

Le numéro d'octobre 1952 du *Science Digest* offre des exemples faciles à lire :

> *« Les docteurs Michael Weingarten et Benjamin Payson, de l'hôpital Beth Israel à New York et d'autres équipes de chirurgiens ont découvert que les comprimés de « chlorophylle » avaient des propriétés désodorisantes pour les patients qui avaient subi une colostomie (ouverture artificielle dans le gros intestin, près du rectum), leur permettant ainsi de reprendre leur vie normale.*

> *« Le Dr Earnest B. Carpenter du Veterans Administration a constaté que les pansements à la chlorophylle désodorisaient et accéléraient la guérison des infections ostéomyélitiques tenaces. Le Dr S. Goldberg de Chicago a pu accélérer la guérison d'une grande variété d'infections buccales.*

> *« Le Dr Lewis J. Pollock et ses associés de l'hôpital des vétérans à Hines dans l'Illinois, ont constaté que, parmi 11 produits testés, les préparations à base de chlorophylle étaient le remède le plus efficace contre les plaies de lit, un problème sérieux pour les patients paralysés. En Australie, le Dr Henry Haughton a obtenu la guérison rapide de brûlures graves grâce aux pansements verts. »[27]*

## LES BIENFAITS DE LA THÉRAPIE À LA CHLOROPHYLLE

Un article du Dr Smith, publié en juillet 1950 dans le *New York State Medical Journal* contient, à mon avis, le meilleur résumé des bienfaits de la thérapie à la chlorophylle. J'aimerais vous en présenter quelques extraits :

> *« L'absence de toxicité est l'une des caractéristiques notables observées pendant plus de dix années d'utilisation clinique, et les opinions suivantes sont courantes dans les rapports :*
> *1.« La chlorophylle », sous forme d'onguent ou de solution, favorise la croissance des tissus de granulation sains.*
> *2. Elle favorise la production d'une base de granulation propre.*
> *3. Les patients obtiennent en général un soulagement rapide des démangeaisons, des douleurs et des irritations locales, symptômes souvent associés aux ulcères, aux brûlures, aux plaies et aux*

*dermatoses; et ils en sont très reconnaissants.*
*4. Si l'on traite « à la chlorophylle » les brûlures et les dermato-*
*ses, la reconstitution normale et l'épithélisation (formation de*
*nouveaux tissus, comme dans la guérison d'un ulcère) sont plus*
*rapides que lorsqu'on utilise d'autres produits. Les lésions malo-*
*dorantes (nauséabondes) sont désodorisées (à ne pas confondre*
*avec la simple désodorisation par contact, dont il est question*
*dans certaines réclames publicitaires qui manquent de*
*précision).*
*5. Le traitement « à la chlorophylle » présente presque toujours*
*les caractéristiques suivantes : atténuation de la douleur,*
*préservation des tissus, absence de toxicité, confort et*
*soulagement. »*[28]

## *LA CHLOROPHYLLE EST À LA HAUTEUR*

Un autre point extrêmenent intéressant qui se dégage de l'article du Dr Smith, est le résultat de la comparaison de la chlorophylle avec d'autres remèdes. Le Dr Smith cite une étude dans laquelle on a comparé l'effet des sulfamides, de la pénicilline et de l'onguent à la vitamine D à celui de la chlorophylle. C'est la chlorophylle qui l'a emporté, et de beaucoup, sur les autres produits ![29]

La deuxième guerre mondiale a constitué un laboratoire parfait pour tester rigoureusement l'effet de la chlorophylle comme aide au processus de cicatrisation, et vérifier l'exactitude des travaux du Dr Gruskin. Le *Reader's Digest* relate :

*« Durant la guerre, le Dr Warner F. Bowers et ses collègues,*
*à l'hôpital général des forces armées américaines, ont appliqué*
*des onguents et des bandages humides à la chlorophylle sur les*
*plaies béantes et nauséabondes de jeunes soldats allongés dans*
*les salles. Ces plaies puaient tellement que même les médecins*
*et les infirmières, et pas seulement les victimes, en perdaient*
*l'appétit. Afin d'effectuer une comparaison rigoureusement*
*scientifique, on a appliqué des pansements à la chlorophylle à*
*la moitié d'un groupe de patients. Chose étonnante, en moins*
*de 48 heures toutes les odeurs émanant de ces patients avaient*
*disparu.*

*Les soldats non traités se mirent alors à réclamer : « Donnez-*
*nous de ce médicament vert à nous aussi ! » Et la puanteur dans*
*les salles réservées aux victimes d'ostéomyélite et de fractures a*
*disparu. »*[30]

Le Dr Bowers a affirmé qu'il estimait que la thérapie à la chlorophylle avait permis d'éviter plusieurs amputations.[31] C'est là une solide recommandation.

## OÙ EN EST LA RECHERCHE SUR LA CHLOROPHYLLE?

Très peu de recherches cliniques ont été entreprises sur la chlorophylle depuis 1955. Un article du Dr Leo Siegel, publié en 1960 dans *Gastroenterology*, rapporte les résultats d'une étude menée à l'hôpital Presbytérien de Newark au New Jersey. Voici quelques extraits du sommaire :

> « ...dans 14 cas sur 15, la suppression des odeurs a été totale ou entièrement satisfaisante pour le patient et les gens qui l'entouraient... Les patients ayant subi une colostomie avaient plus de chances de voir disparaître les odeurs que ceux qui avaient subi une iléostomie. Cependant, en tant que groupe ces derniers ont obtenu des résultats très satisfaisants...
>
> « On n'a noté aucune réaction secondaire et il n'y a pas eu d'effet toxique. Des produits comme les comprimés à la chlorophylle à forte concentration dont on a parlé rendront vraisemblablement la vie beaucoup moins difficile pour le patient et sa famille. »[32]

Vingt ans plus tard, le monde médical cherche encore à se convaincre du pouvoir de la chlorophylle, comme en témoigne un article publié dans le *Journal of the American Geriatrics Society*. Pouvez-vous en deviner le contenu ?

L'étude portait sur 62 patientes résidant dans une maison de soins infirmiers pour personnes âgées. Avec la chlorophylline, on a réussi à contrôler les odeurs corporelles et fécales chez 85 pour cent des patientes. L'étude indiquait également que la **chlorophylline avait aidé à réduire la constipation ainsi que les malaises causés par les gaz chez 50 pour cent des patientes**. L'article ajoute que ces estimations très favorables sont impressionnantes si l'on considère que, sans la chlorophylle, il n'aurait pas été facile de traiter des patientes atteintes de troubles intestinaux. »[33] En 1983, les recherches se poursuivaient. Selon un article publié dans *Drug Intelligence and Clinical Pharmacy*, « Il semble que la chlorophylline apporte une aide efficace pour réduire les odeurs d'urine. »[34]

Une étude publiée en 1968 dans *Obstetrics and Gynecology* recommande de teindre les ganglions lymphatiques avec de la chlorophylle, afin de les rendre plus facilement repérables sur les radiographies et pour aider les chirurgiens lorsqu'ils doivent enlever les ganglions lymphatiques cancéreux.[35]

Dans les années soixante-dix on envisageait la possibilité d'utiliser la chlorophylle pour le traitement de la pancréatite aiguë, une très vilaine maladie où le pancréas se consomme lui-même, en quelque sorte. Un article publié dans *Digestive Diseases*[36] et un autre qui a paru dans *Archives of Pathological Laboratory Medicine* ont reconnu que la chlorophylline était utile : « Les animaux soignés avec... des injections de chlorophylle ont affiché un taux de survie plus élevé que ceux des groupes témoins qui n'avaient pas reçu ce traitement. »[37] Toutefois, un article donnant une opinion contraire a paru dans *Annals of Surgery*. J'estime que la raison pour laquelle cet article n'a pas présenté un bilan positif est que la pancréatite était due à la sous-alimentation des animaux d'expérimentation.[38] L'état de santé général des rats était au départ si mauvais que même la chlorophylle n'aurait pu venir à bout d'une maladie aussi grave. Bien entendu, ces trois études ne portaient que sur des animaux de laboratoire, et même si je crois qu'elles peuvent donner lieu à des applications générales pour les humains, une telle affirmation ne cadre pas avec les règles de la rigueur scientifique.

Dans les années quatre-vingt, les études sur la chlorophylle mettaient l'accent, semble-t-il, sur son utilisation dans le traitement des calculs rénaux. Deux articles publiés dans *Investigative Urology* s'entendent sur le fait que **la chlorophylline soluble ralentit la croissance des cristaux (les calculs rénaux se composent en réalité de cristaux) et retarde leur formation.**[39] Avec le scepticisme propre à la recherche médicale, les articles arrivent à la conclusion que « la chlorophylline soluble pourrait avoir une grande importance pour le traitement d'urolithiase d'oxalate de calcium. »[40] Un troisième article sur ce sujet, publié dans *Urological Research,* convient que les « données obtenues laissent supposer que la chlorophylline pourrait être utile pour le traitement des patients qui ont des calculs formés par l'oxalate de calcium. »[41] Ceci devrait certainement intéresser ceux et celles d'entre vous qui souffrent de calculs rénaux !

J'espère qu'après avoir lu tout ce qui précède (et si vous avez trouvé cela difficile et assommant, vous devriez essayer de consulter certaines de ces revues professionnelles !), vous conviendrez avec moi que **la chlorophylle mérite d'être appelée un « médicament miracle » au même titre que les autres médicaments miracles synthétiques de**

**notre siècle**. L'orge verte contient une grande quantité de chlorophylle facile à digérer. Comme nous l'avons déjà mentionné, la chlorophylle présente dans les feuilles d'orge verte est tellement « vivante » qu'elle peut générer le phénomène de la photosynthèse. C'est pourquoi je suis d'avis que cet aliment possède une puissance AUTHENTIQUE !

Puisque j'estime que la recherche qui a produit des résultats négatifs a été menée selon des méthodes qui laissent à désirer, et que, par ailleurs, l'usage de la chlorophylle a connu un succès soutenu dans le traitement d'une myriade de problèmes de santé, **je peux maintenant déclarer que je crois fermement au pouvoir curatif de la chlorophylle. Si la chlorophylle était brevetable, je suis convaincu qu'elle serait largement utilisée par le corps médical !**

## CHAPITRE VII

# La puissance des feuilles d'orge sur le pH

En décrivant les qualités remarquables des feuilles d'orge à titre d'aliment vraiment puissant, le fait qu'elles soient fortement alcalines est un excellent avantage pour ceux dont le régime alimentaire typiquement américain a une teneur « élevée en cendres acides ». Pour comprendre ceci, vous devez comprendre le symbole pH. Qu'est-ce que pH signifie et pourquoi est-ce important ?

### QU'EST-CE QUE LE pH ?

Le pH est le coefficient du rapport entre les acides et les alcalis dans nos liquides organiques – l'échelle varie de 0 à 14, le pH neutre est de 7,0. Un pH de 0 à 7,0 indique un liquide acide, tandis qu'un pH de 7,0 à 14,0 indique un liquide alcalin.

La liste des pH de quelques-unes des substances les plus importantes comprendrait ce qui suit :[1]

| | | | |
|---|---|---|---|
| **Acide :** | Acidité de l'estomac (HCl) . . 1, 0 | | |
| | Acide gastrique . . . . . . 1,4 | Urine . . . . . . 6,0 | |
| **Neutre :** | Eau pure . . . . . . . . . . 7,0 | | |
| **Alcalin :** | Sang . . . . . . . . . . . . 7,35 | Bile . . . . . . . 7,5 | |
| | Suc pancréatique . . . . . . 8,5 | | |

Un moyen rapide de déterminer le pH d'une personne est de vérifier le pH de son urine. En consultant la liste qui précède, vous pouvez voir que si, par exemple, le pH urinaire d'une personne est acide, le pH est exprimé par un chiffre inférieur à la normale sur l'échelle du pH. Le contraire est vrai pour une urine alcaline. Dans ce cas, il serait exprimé par un nombre supérieur à la moyenne, et le médecin vous dirait que votre pH est en dessus de la normale. Par conséquent, pour demeurer en bonne santé, vous devez maintenir l'équilibre de votre pH.

## *UN pH ÉQUILIBRÉ – UN MOYEN DE DEMEURER EN BONNE SANTÉ*

Un pH urinaire élevé indique habituellement que la personne ne boit pas suffisamment d'eau. On me dit que peu d'Américains boivent des quantités suffisantes d'eau – pas des **liquides**, mais de l'eau – pour demeurer en bonne santé. Les litres de boissons gazeuses, de thé glacé et de mélanges à boissons instantanés ne comptent pas. Votre poids, en kilos, divisé par trente donne le nombre de litres d'eau dont vous avez besoin chaque jour. **Si votre digestion est mauvaise ou lente, si vous manquez d'énergie ou si vous avez un côlon paresseux, vous pourriez y remédier facilement en buvant plus d'eau!**

Pour être en excellente santé, il suffit en partie d'assurer l'équilibre de votre pH. Les cellules de votre corps ne peuvent pas fonctionner si le pH s'écarte trop de la norme étroite de 7,35 et 7,45. Le maintien d'un pH constant dépend, en dernière analyse, de l'activité excrétoire des poumons et des reins. (Les trois principaux mécanismes de contrôle de l'équilibre acido-basique sont complexes et exigent certaines connaissances de la chimie pour être compris. Je présume que la plupart des lecteurs préféreraient comprendre l'influence du régime alimentaire sur l'équilibre acido-basique plutôt que la chimie du corps.)

## *LES ALIMENTS ACIDIFIANTS-ALCALINISANTS*

Une fois que les aliments que nous consommons sont digérés, ils se décomposent en un produit terminal acide ou alcalin dans nos tissus. Ce produit terminal s'appelle la « cendre » et demeure dans le corps. Les aliments qui produisent une cendre alcaline sont des aliments « alcalinisants », et ceux qui produisent une cendre acide sont appelés aliments « acidifiants ». Ces expressions se rapportent à la façon dont le corps utilise les aliments que nous consommons; elles n'ont rien à voir avec le goût de ces aliments dans la bouche. C'est un concept important que vous devez retenir.

La plupart des gens saisissent mal ce principe. En effet, certains fruits, comme les oranges, les citrons, les limettes, les cerises, les pamplemousses, etc., sont surs et ont un goût acide. Cependant, une fois digérés, ils se décomposent en cendre alcalinisante. C'est un fait, mais la réponse typique de quelqu'un qui ne saisit pas ce principe est la suivante : « Je me fiche de ce que l'on dit. Les pamplemousses sont trop acides pour **mon** système et je refuse d'en manger. »

Il n'y a que les pruneaux, les prunes, la rhubarbe et les canneberges qui se décomposent en cendres acides et qui produisent, en effet, des liquides organiques acides ! Si les agrumes, par exemple, engendrent les symptômes de l'acidose, c'est parce que l'acide citrique a réveillé des produits acides déjà présents dans le corps, dans le but de les désintoxiquer et de les éliminer. Cette réaction peut être inconfortable, mais elle est bonne pour votre santé. Si cela vous arrive, ne mangez pas d'agrumes pendant quelques jours et recommencez ensuite à en manger de petites quantités, de temps à autre, jusqu'à ce que le problème passe.[2]

Le corps a besoin des deux types d'aliments. Toutefois, il est préférable que les aliments alcalinisants prédominent légèrement sur les aliments acidifiants. Le corps peut assimiler une gamme étendue d'aliments acidifiants sans perturber l'équilibre. Cependant, le régime alimentaire actuel des Américains a dévié considérablement de cette gamme de normalité. Nous sommes devenus trop pleins d'acide, et en conséquence, nous souffrons d'un grand nombre de maladies qui se plaisent dans un milieu acide. C'est une des raisons pour lesquelles l'orge verte en poudre ou en comprimés est un aliment extraordinaire – il s'agit d'un aliment fortement alcalin.

Lorsque vous constatez quels sont les aliments qui appartiennent à chacune de ces deux catégories, vous comprenez très clairement pourquoi notre pH est trop acide. Les aliments acidifiants sont : la viande, le poisson, la volaille, les oeufs, les produits de céréales, le maïs et les sucres de toutes sortes. Les aliments alcalinisants sont : le lait, les noix, les fruits, les légumes et la plupart des céréales.[3] Voyez-vous pourquoi notre régime alimentaire doit être modifié ? En effet, il doit être modifié si nous voulons vivre en santé et sans maladie.

## *LES SOURCES DE GLUCIDES*

Examinons les aliments riches en glucides et leur contribution à l'équilibre du pH dans notre corps. On distingue deux types principaux de glucides – les sucres et les amidons. Ces deux groupes produisent des cendres acides au moment de la digestion. Voici une liste des principaux aliments riches en glucides dans chacune des catégories :

| SUCRES | | AMIDONS |
|---|---|---|
| sucre de canne | gelées | farines |
| sucre de betterave | confitures | riz |
| jus de fruits | fruits séchés | haricots secs |
| boissons gazeuses | lévulose | pois secs |
| bonbons | fructose | céréales |
| glaçage de gâteau | maltose | grains entiers |
| miel | lactose | patates douces |
| mélasse | glucose | pâtes alimentaires |
| sirops | galactose | pains |

Lorsque vous ajoutez quelques aliments frais à la liste qui précède, vous avez les éléments principaux des repas de millions d'Américains. L'apport calorique est très élevé, mais l'apport nutritif n'est pas suffisant pour nous garder en bonne santé. C'est pourquoi, à mon avis, l'ajout de feuilles d'orge à notre régime alimentaire est un moyen tellement simple, facile et rapide de fournir à notre corps les éléments nutritifs absents de notre alimentation habituelle, à un prix abordable !

## L'ÉQUILIBRE DES GLUCIDES EST ESSENTIEL

Il serait bon de souligner qu'environ 80 pour cent des glucides que vous mangez devraient provenir du groupe **amidon** et que seulement 20 pour cent devraient provenir des monosaccharides. Étant donné que l'amidon est un glucide complexe, il prend plus de temps à être digéré que le sucre. En outre, la digestion de l'amidon ne dégage que deux calories par minute dans le courant sanguin, tandis que la digestion du sucre dégage 10 calories par minute. C'est pourquoi les organes, les tissus, les nerfs et autres parties du corps réagissent si violemment à « l'inondation » qui se produit lorsque nous consommons un aliment à teneur élevée en sucre ou un glucide pur. Nos corps n'ont pas été conçus par le Créateur pour tolérer des quantités excessives de monosaccharides.

Je suis persuadé qu'en réalité, nos régimes alimentaires sont inversés à cet égard. Nous consommons 80 pour cent de nos glucides sous forme de sucre, et 20 pour cent sous forme d'amidon. Même en tenant compte de cela, il est très facile de consommer trop de sucre lorsque nous mangeons ce que nous croyons être de l'amidon. Un pain à hamburger de chez McDonald, par exemple, n'est pas sucré au goût, mais le sucre est un ingrédient principal d'un grand nombre de produits farineux.

Bon nombre de médecins qui ont une certaine formation en nutrition approuveraient une longue liste de maladies causées ou aggravées par notre apport élevé de sucre. Clairement, la liste comprendrait l'obésité, l'artériosclérose, la cardiopathie, le cancer, le diabète, l'arthrite, les lithiases rénales, les problèmes dentaires, l'hypertension, l'hyperactivité, l'hypoglycémie et beaucoup d'autres maladies.

## *LES FIBRES ET L'EAU AIDENT À MAINTENIR L'ÉQUILIBRE DU pH*

Nous entendons beaucoup parler de fibres alimentaires de nos jours. La cellulose (fibre végétale) est également un glucide. La capacité du corps de digérer la cellulose est très faible, mais celle-ci donne du volume et aide à l'élimination des déchets de l'intestin. Un de mes amis qui est médecin a déclaré au cours d'une conférence que 90 pour cent des cancers de l'intestin pourraient être éliminés en consommant de 2 à 3 cuillerées à thé de son (4 à 6 g) et en buvant de 6 à 8 verres d'eau par jour. Les aliments riches en cellulose sont : le son, les fruits séchés, les légumineuses, les fruits avec peau, les fruits à pépins et à graines, les légumes à feuilles vertes (chou frisé, chou-rave, feuilles de moutarde, feuilles de navet, chou cabus, etc.) et les légumes à fibres grossières comme le céleri.[4]

Dr Dennis Burkett, un chirurgien qui a vécu pendant plusieurs années en Afrique du Sud, a écrit dans des livres et des articles que dans les sociétés où le régime alimentaire est composé de 80 pour cent de glucides complexes (c'est-à-dire d'amidon), les gens sont sains, robustes, et présentent beaucoup moins de problèmes médicaux. Les végétariens sont en meilleure santé; des études de tout genre ont prouvé ce point.

Le corps est doté d'un excellent système de secours capable d'effectuer rapidement des rajustements chimiques extraordinaires lorsque nous faisons des folies, par exemple lorsque nous buvons un litre de jus d'orange frais (aliment alcalin) d'un trait ou lorsque nous mangeons un steak de 450 g (aliment acide) avec une grosse portion de « patates frites » (aliment acide) et une boisson gazeuse (aliment acide) pour le dîner. Néanmoins, il n'est pas rare de voir des membres de notre famille ou des amis prendre un comprimé antiacide quelconque après le repas. De fait, c'est une pratique tellement courante que nous la considérons « naturelle » – comme avoir des dents cariées ! Nous devons modifier nos attitudes envers ces conditions anormales et planifier nos repas avec plus de soins.[5]

Il serait peut-être intéressant de comparer les qualités de certains aliments relativement à leur capacité de laisser un résidu acide ou basique dans le corps. (Voir le tableau 4.) En règle générale, on peut consommer des aliments alcalinisants à profusion, et des aliments acidifiants avec modération.

## *L'ACIDOSE ET L'ALCALOSE*

Un plus grand nombre de gens souffrent de l'acidose que de l'alcalose, et le régime alimentaire n'est qu'un des facteurs liés à ces problèmes. Une liste des quatre causes les plus courantes de l'acidose, outre le régime alimentaire, comprendrait : la **diarrhée** – une des causes les plus fréquentes. Chez les enfants, c'est une des causes les plus courantes de décès; le **diabète sucré** – les diabétiques sont incapables de métaboliser convenablement le glucose, ce qui entraîne un accroissement rapide de la production d'acide; les **affections rénales** – le mauvais fonctionnement des reins est la troisième cause importante de l'acidose; les **vomissements** – peuvent causer des pertes d'acide et d'alcali et provoquer l'acidose métabolique.

L'acidose peut également être causée par des problèmes du foie, un choc, l'apport excessif de sel, de viande ou d'aliments gras, l'obésité, la fièvre, une pulsation cardiaque trop élevée, la malnutrition, le stress et beaucoup d'autres troubles.

L'effet principal de l'acidose est la dépression du système nerveux central. Les gens deviennent d'abord déprimés, puis désorientés et par la suite peuvent entrer dans le coma, s'ils ne reçoivent pas les soins nécessaires.

Les symptômes les plus courants d'un pH déséquilibré sont les aigreurs d'estomac. Une sensation de brûlure au creux de l'estomac et le renvoi d'un liquide fortement acide sont des symptômes indubitables de l'acidose. Une sensation de gonflement, des éructations et une sensation de plénitude gastrique excessive sont d'autres symptômes courants.

## TABLEAU 4

### Qualité acidifiante et alcalinisante relative[6]

(portions de 100 calories)

| Aliment | Cendre acide (mg) | Aliments | Cendre alcaline (mg) |
|---|---|---|---|
| Huîtres | 30,0 | Épinard | 113,0 |
| Aiglefin | 12,0 | Concombre | 45,5 |
| Éperlan | 10,1 | Céleri | 42,5 |
| Poulet | 10,0 | Bette poirée | 41,1 |
| Oeuf, blanc | 9,5 | Laitue | 38,6 |
| Flétan | 7,8 | Figues séchées | 32,3 |
| Poisson blanc | 7,6 | Tomate fraîche | 24,5 |
| Oeuf entier | 7,5 | Carottes | 24,0 |
| Oeuf, jaune | 7,0 | Olives | 18,8 |
| Boeuf, ronde, maigre | 6,7 | Panais | 18,2 |
| Maquereau, frais | 6,7 | Chou | 18,0 |
| Veau, poitrine, maigre | 6,7 | Chou-fleur | 17,4 |
| Saumon | 5,4 | Ananas frais | 15,7 |
| Dinde | 3,7 | Jus d'orange | 14,4 |
| Blé concassé | 3,3 | Citrons | 12,0 |
| Blé en lanières | 3,3 | Abricots frais | 11,0 |
| Agneau, poitrine | 3,3 | Radis | 9,8 |
| Gruau d'avoine | 3,0 | Pommes de terre | 8,6 |
| Orge perlé | 2,9 | Raisins secs | 6,8 |
| Pain de blé entier | 2,7 | Courges | 6,1 |
| Pain blanc | 2,7 | Babeurre | 6,1 |
| Riz | 2,7 | Pomme fraîche | 6,0 |
| Mouton, paleron | 2,0 | Poire fraîche | 5,6 |
| Pois verts | 1,2 | Lait entier | 2,6 |

## *LES SYMPTÔMES DE L'ACIDOSE*

Nous pouvons observer un certain nombre d'autres symptômes qui indiquent également la présence d'un excès d'acide. En voici une liste partielle : essoufflement, soupirs fréquents, respiration irrégulière, transpiration de « sueurs froides », sécheresse de la peau, de la bouche ou de la gorge, insomnie, hyperirritabilité, diminution de la miction, selles sèches et dures, tachycardie (pulsations cardiaques rapides), intolérance à la lumière, agitation, aphtes, ongles qui se brisent facilement ou qui sont mous et s'écaillent.[7]

Quel traitement devriez vous envisager si vous souffrez d'hyper-acidité ? Une chose que **vous ne devez pas faire** est de prendre des produits qui contiennent du bicarbonate de sodium et autres sels alcalinisants. L'usage continu de ces antiacides qui se vendent partout, sans ordonnance, peut provoquer l'alcalose, qui rend vos problèmes encore plus complexes.

## LE PARADOXE DE L'USAGE D'UN ANTIACIDE

Avant que vous ne commenciez à faire un autodiagnostic ou une auto-médication, j'aimerais vous faire part d'une autre observation. Trop peu d'acide est un problème courant de la population en général. Selon un médecin qui utilise le titrage du pH pour mesurer l'acidité de l'estomac (de fait, peu de médecins vérifient ce coefficient), de 35 à 50 pour cent des gens examinés avaient trop peu d'acide gastrique plutôt qu'un excès d'acide gastrique. C'est le cas en particulier des patients qui avaient pris des antiacides de façon régulière. Dans ce groupe, plus de 50 pour cent affichaient des niveaux d'acidité sous la normale.

Pendant des années, les Américains ont été bombardés de messages publicitaires télévisés extrêmement astucieux, créant l'impression que presque tout le monde a besoin de prendre quelque chose pour régler sa digestion. En 1982, les ventes globales des préparations antiacides sans ordonnance se chiffraient à plus d'un demi-milliard de dollars, donc nous avons cru les experts de l'avenue Madison.

Nous avons le choix parmi des centaines de produits. Ils sont offerts en liquides, en comprimés, en capsules, en poudres effervescentes – tous dans le seul but de neutraliser l'acide gastrique. Toutefois, le fait de prendre ces produits n'a aucune incidence sur la **cause** de l'hyper-acidité, si de fait un tel problème existe. Il masque tout simplement les symptômes et nuit à votre état de santé général si vous êtes un utilisateur invétéré de ces produits pendant une longue période de temps.

Si vous êtes déjà un utilisateur régulier des produits antiacides, sur quoi avez-vous fondé votre choix de marque de produit? Les messages publicitaires que nous voyons à la télévision ne constituent pas une base scientifique valable pour faire un choix entre les centaines de produits vendus. Pourquoi? Parce qu'ils sont fondés sur des tests in vitro (dans un récipient de verre), et non in vivo (dans le corps humain). Ce n'est que ce qui se passe à l'intérieur de notre corps qui compte vraiment!

## LES EFFETS SECONDAIRES DES DIVERS COMPOSÉS ANTIACIDES

Alors, si vous utilisez un antiacide, savez-vous quel est l'ingrédient principal qu'il contient? Renferme-t-il plus d'un ingrédient actif? Êtes-vous conscient des dangers de masquer les symptômes qui vous mettent en garde contre la présence d'une maladie grave?

L'antiacide le plus ancien et probablement le plus courant est le bicarbonate de sodium, qui est tout simplement du bicarbonate de soude. Il est extrêmement efficace pour neutraliser l'acide gastrique, et il fait son travail rapidement. C'est formidable, n'est-ce pas? Toutefois, son utilisation crée des problèmes. En raison de son efficacité à neutraliser l'acide, le bicarbonate de sodium peut perturber **gravement** l'équilibre acido-basique dans le corps, causant alors l'alcalose.

Il contient également des quantités très élevées de sodium, que devrait éviter toute personne qui suit un régime alimentaire à faible teneur en sel, ou qui souffre de cardiopathie, d'une affection rénale ou d'hypertension. Les gens dont les fonctions rénales sont réduites doivent éviter de prendre du bicarbonate de sodium parce que l'usage prolongé peut provoquer des infections urinaires qui reviennent souvent (parce que l'urine devient alcaline), de même que la formation de lithiases rénales. En outre, plusieurs produits dont l'ingrédient principal est le bicarbonate de sodium renferment d'autres ingrédients, comme l'aspirine, qui ont un effet indésirable sur la muqueuse déjà irritée de l'estomac! Lisez attentivement les étiquettes avant d'acheter ou de prendre ces produits.[8]

Le carbonate de calcium est probablement l'antiacide le plus efficace, et il n'a aucun effet sur l'équilibre acido-basique. Toutefois, il cause souvent la constipation, et l'utilisateur doit alors prendre des laxatifs. C'est un autre des principaux antiacides qu'on retrouve dans de nombreux produits en vente libre. Comme le bicarbonate de sodium, il agit rapidement et il est assez efficace.

L'usage prolongé et excessif du carbonate de calcium peut entraîner des troubles rénaux et la formation de lithiases rénales, de même que des niveaux élevés de calcium dans le sang. Qui pis est, une étude publiée dans un journal médical de renom a rapporté que l'ingestion de carbonate de calcium crée une «hyperacidité réflexe» – c'est-à-dire que, après avoir neutralisé temporairement l'excès d'acide, il fait en sorte que le corps produit encore plus d'acide qu'auparavant![9]

Un troisième ingrédient important utilisé dans la préparation d'anti-acides est le magnésium, qu'on retrouve dans plusieurs composés. En règle générale, ces composés sont inoffensifs (sauf pour les personnes souffrant de maladies chroniques), mais ils ont un effet laxatif que bien des gens ne peuvent tolérer.[10]

Un quatrième géant sur la liste des antiacides est le composé d'hydroxyde d'aluminium. Quoique son action soit favorable sur une période prolongée, il est lent à agir au début et peut entraîner la constipation grave. Jusqu'à tout récemment, les chercheurs croyaient que le corps éliminait l'aluminium présent dans les médicaments. De nouveaux résultats de recherches indiquent qu'une partie est absorbée dans la circulation sanguine, et de là, peut s'accumuler dans d'autres régions cibles, notamment le cerveau.[11]

Cette nouvelle est alarmante, surtout à la lumière du fait que l'accumulation d'aluminium dans les cellules du cerveau a été liée à la maladie d'Alzheimer. Bon nombre des antiacides populaires combi-nent des composés d'aluminium et de magnésium, ce qui a entraîné une hausse de la consommation quotidienne moyenne d'aluminium, chez les Américains, de 20 mg à 100 mg ou plus. La « charge » en aluminium provenant des antiacides est-elle en train de nous em-poisonner ?

N'oubliez jamais de consulter votre médecin, peu importe le genre d'antiacide que vous utilisez. «L'hyperacidité », les « aigreurs d'esto-mac » et les « brûlures d'estomac » sont des signes que le corps éprouve des problèmes. Ne confondez pas les brûlures d'estomac avec une crise cardiaque.

Dans la dernière série de messages publicitaires que j'ai vus à la télévision et qui font la promotion des antiacides, on soutient que ces produits sont une source efficace de calcium. Nous savons, n'est-ce pas, que pratiquement tous les Américains ont besoin de plus de calcium ? Nous observons des proportions épidémiques d'ostéoporo-se, de maux de dos, de dents qui se déchaussent, d'ongles cassants et de beaucoup d'autres conditions liées à une carence de calcium. Toutefois, y a-t-il un seul fabricant qui nous dit que la majeure partie du calcium présent dans les antiacides n'est pas utilisable, parce que ces produits ne contiennent pas les nutriments nécessaires à une action synergique avec le calcium ! Aucun d'entre eux, évidemment ! L'orge verte, et non les antiacides, constitue le produit idéal à cette fin, parce qu'elle est une riche source naturelle de calcium et renferme des quantités généreuses de tous les minéraux requis pour l'assimilation de celui-ci.

Il serait bon de mentionner un autre point relativement à l'acidose. On a écrit beaucoup au sujet des effets indésirables du stress sur l'équilibre acido-basique. Le stress mental, physique, émotionnel ou financier entraîne l'hyperacidité.

Il n'y a aucun doute que les préoccupations, les craintes, l'anxiété, la jalousie, la haine, l'amertume, la colère, la rancoeur et les phobies de toutes sortes influent sur l'équilibre acido-basique et sur notre état de santé.

Un médecin l'a très bien exprimé lorsqu'il a dit : Il n'existe aucun médicament capable de régler l'hyperacidité provoquée par les pensées, les attitudes et les émotions négatives. Ces problèmes exigent une guérison spirituelle, et non physique. (C'est également ce que je crois!)

## LES SYMPTÔMES DE L'ALCALOSE

Parlons maintenant de l'alcalose – des symptômes, des causes et des traitements de ce problème. En fait, les symptômes sont souvent similaires à ceux de l'acidose. C'est parfois difficile de déterminer si vous souffrez de l'une ou de l'autre, et vous devez alors consulter un professionnel. Parmi les symptômes courants d'un excès d'alcali, notons : l'indigestion chronique, la fatigue après les repas, un pouls lourd et lent, des crampes nocturnes, des raideurs articulaires, du sang « épais », un cholestérol élevé, la formation de calculs, l'arthrose, l'asthme, la sensibilité de la peau, la toux nocturne.[12]

Comme c'est le cas pour l'acidose, les causes possibles de l'alcalose sont nombreuses, notamment : la diarrhée, les vomissements, l'apport élevé de glucides, le stress, les affections rénales, la bronchite, l'inflammation de la prostate, les troubles ménopausiques, les déséquilibres endocriniens et autres.

## COMMENT VÉRIFIER VOTRE PROPRE pH

Deux méthodes sont recommandées pour déterminer si votre indigestion est causée par un déséquilibre acide ou alcalin :

- Prenez quatre gorgées de cidre de pomme ou d'un mélange de vinaigre de vin préparé selon la recette suivante : 30 ml (deux cuillérées à table) de vinaigre dans 250 ml (une tasse) d'eau tiède. Si cela vous soulage, vous faites de l'alcalose; si vos brûlures d'estomac sont plus fortes, vous faites de l'acidose.

• Placez un papier tournesol dans la salive de votre bouche. Le papier tournesol rouge devient bleu dans un milieu alcalin. Le papier tournesol bleu devient rouge dans un milieu acide.[13]

## UN RÉGIME ALIMENTAIRE AU pH ÉQUILIBRÉ

Pour vous soulager de l'alcalose, vous pouvez équilibrer votre régime alimentaire avec des aliments acides, prendre plus de vitamine C (qui est acide) et une pilule digestive contenant de l'acide chlorhydrique. Le sodium, le potassium, le calcium et le magnésium sont des minéraux qui aident à rétablir l'équilibre du pH dans les cas d'alcalose.

Bref, le régime alimentaire américain typique a tendance à produire des « estomacs acides ». Les messages publicitaires à la télévision nous l'ont sûrement appris ! C'est vrai parce que nous mangeons des quantités excessives d'aliments comme la viande, le poisson, la volaille, le sucre, les boissons gazeuses, les oeufs, le fromage, les légumineuses et les céréales qui brûlent et laissent une cendre acide. Nous mangeons beaucoup moins d'aliments alcalinisants comme les légumes, les fruits (sauf les prunes, les pruneaux, la rhubarbe et les canneberges), le lait et la plupart des noix.

## UNE HISTOIRE VÉRIDIQUE

Je termine ce chapitre par une histoire véridique. Un jour, mon mari et moi étions en train de déjeuner dans une cafétéria où trois femmes étaient assises à la table voisine. Il était évident que ces femmes étaient des soeurs – ressemblance frappante dans les traits du visage ainsi que dans la forte carrure de leur corps.

L'une d'elles plongea la main dans son sac et en retira un énorme flacon de Tums. (Franchement, je ne savais pas que les Tums se vendaient dans des contenants aussi gros.) Elle dit, « Je ferais aussi bien de sortir mes Tums, parce que je sais que j'aurai besoin d'en prendre dès que j'aurai fini de manger. Je ne peux plus **rien** manger sans souffrir d'indigestion. »

Une autre soeur dit, « Toi aussi ? J'éprouve la même chose. C'est rendu au point où je n'ai plus de plaisir à manger parce que j'appréhende les malaises que j'éprouve après. »

Croyez-le ou non, la troisième soeur a tenu à peu près les mêmes propos que la deuxième.

J'ai dit à mon mari, « Est-ce que ça te ferait quelque chose si j'allais à leur table pour leur parler de l'orge verte ? » Il s'est empressé de répondre, «Je t'en prie, ne fais pas cela. Tu ne peux pas sauver toute la planète, alors détends-toi et prends le temps de bien manger. »

Lorsqu'elles eurent fini leur repas, deux d'entre elles quittèrent la table pour aller aux toilettes, et je profitai de l'occasion pour aller parler à celle qui était demeurée assise. Je me suis excusée pour mon interruption et je lui ai parlé de l'alcalinité élevée des feuilles vertes de l'orge et du fait qu'à mon avis, celles-ci leur feraient beaucoup plus de bien qu'une mixture pharmaceutique quelconque.

Quelques jours plus tard, elles ont toutes acheté un contenant, et deux semaines plus tard, une d'entre elles m'a téléphoné pour me dire que non seulement leurs problèmes d'éructation, de renvoi et de gaz avaient cessé, mais qu'elles avaient toutes davantage d'énergie et un sentiment général de mieux-être.

Conclusion : L'orge verte est une excellente source d'alcalinité capable de remédier à notre régime riche en cendres acides. C'est ce qui en fait un aliment vraiment puissant.

## CHAPITRE VIII

# L'importance nutritionnelle des enzymes

Ce qu'il y a d'unique et d'exceptionnel dans les feuilles d'orge, ce sont les centaines d'enzymes « vivantes » qu'elles contiennent. Nombre de ces enzymes ont été isolées et étudiées pour en découvrir les propriétés curatives.

Pourquoi ces informations sont-elles si importantes ? Je vais essayer d'y répondre de façon claire, mais d'abord je veux vous aider à acquérir un plus grand respect quant à la nécessité des enzymes et à leur fonction dans le corps humain.

## QUE SONT LES ENZYMES ?

Dans le domaine de la nutrition, **les enzymes sont des substances chimiques dont chaque cellule vivante a besoin pour réaliser chacun de ses processus biochimiques.** Ainsi, lors de la respiration, les enzymes interviennent dans l'échange d'oxygène et du dioxyde de carbone dans les poumons. Elles nous rendent sensibles aux changements de température. Elles sont nécessaires à l'accomplissement de fonctions telles que la contraction des muscles, le transport de l'influx nerveux, l'excrétion de l'urine et presque toutes les autres fonctions métaboliques ! De fait, elles déterminent non seulement la durée de notre vie, mais également l'efficacité avec laquelle nous maintenons notre corps en bonne santé et évitons les maladies. Il y va de notre intérêt de bien se rendre compte que les enzymes sont des alliées précieuses qu'il faut protéger et dont il importe de comprendre le rôle.

## LE RÔLE DES ENZYMES DANS LA DIGESTION ET L'ASSIMILATION

L'objectif principal de ce chapitre consiste à décrire les enzymes qui se trouvent dans les aliments et participent au processus de la digestion et de l'assimilation, c'est-à-dire, leur rôle dans la distribution des substances nutritives au niveau des cellules individuelles. Sans l'aide des enzymes, il faudrait des années pour digérer un repas. Il est important que vous sachiez que l'on comprend maintenant beaucoup mieux le rôle des enzymes que contiennent les aliments.

Les scientifiques nous disent depuis des années que les enzymes sont des catalyseurs, soit des substances qui déclenchent des réactions à l'intérieur des cellules. On disait autrefois que les enzymes pouvaient intervenir dans les processus cellulaires, les accélérer, ou les ralentir, mais que les cellules elles-mêmes n'étaient aucunement affectées par les enzymes. On croyait de plus, qu'elles pouvaient être utilisées plusieurs fois sans être détruites. Cependant, à la suite de nouvelles recherches dans ce domaine, un grand nombre de scientifiques ont abandonné ces idées.

## LES ENZYMES RECÈLENT UNE « FORCE VITALE »

Selon les théories actuelles, on croit que les enzymes interviennent aux niveaux tant biologique que chimique et chacune **possède une « force vitale » – une vitalité en son for intérieur même** – qui est l'élément principal servant à maintenir le corps en santé ou à le guérir. Les scientifiques savent qu'il existe un principe de vie dans les enzymes, mais ils ne peuvent pas l'isoler dans une éprouvette afin de le mesurer ou de l'étudier. Ils sont absolument convaincus, toutefois, qu'il existe ![1]

Les étudiants en enzymologie estiment que, sans ce principe de vie, les humains ne seraient rien d'autre qu'une accumulation de matières inertes ou de débris. Les substances chimiques dont le corps humain est composé : protéines, vitamines, minéraux et eau – sont immobiles et inutiles, disent-ils, jusqu'à ce que les enzymes interviennent dans le métabolisme.[2] Si cela est vrai, il est facile de se rendre compte qu'il est important de comprendre la nature des enzymes.

De plus, selon cette nouvelle théorie, chaque personne est dotée d'une quantité limitée d'énergie enzymatique à la naissance, qui doit lui durer toute la vie. **Lorsque nous utilisons cette réserve d'enzymes rapidement, en consommant uniquement des aliments cuits ou transformés qui ne contiennent plus d'enzymes, nous raccourcissons notre vie.**[3] En plus de détruire les enzymes par les procédés de cuisson, nous en augmentons notre besoin en consommant de la « camelotte », de l'alcool, du porc, des crevettes, du homard, des palourdes, des poissons-chats, en fumant, en prenant des médicaments, en respirant de l'air vicié et en buvant de l'eau polluée, pour ne nommer que quelques causes.

## CAUSE DES MALADIES LIÉES À LA DIMINUTION DU NOMBRE D'ENZYMES

**La diminution des réserves d'enzymes entraîne l'affaiblissement du système immunitaire.** Et un système immunitaire affaibli fait de nous des cibles de choix pour le cancer, les maladies cardiaques, l'arthrite, le diabète, l'obésité, le SIDA, les allergies et plusieurs autres maladies dégénératives. Comme l'ont souligné plusieurs chercheurs, des millions d'Américains meurent en plein milieu de la vie plutôt que d'atteindre la durée normale de vie de 70 années.

Voici comment le Dr Edward Howell explique ce problème des temps modernes :

*« Étant donné la quantité importante d'enzymes requise pour la digestion de repas composés presque exclusivement d'aliments cuits, on se rend compte facilement pourquoi nous pourrions en manquer à peine arrivés à l'âge mûr. Les usages considérables et les apports insuffisants d'enzymes conduiront tôt ou tard à la faillite d'un métabolisme. Malheureusement, ce sont les glandes et les organes principaux, y compris le cerveau, qui souffrent le plus de cet abus de l'appareil digestif sur le potentiel enzymatique du métabolisme. »*[4]

Le Dr Howell nous suggère en autant que possible, de substituer les calories provenant d'aliments crus à celles provenant d'aliments cuits, en consommant des aliments tels que le lait entier, les bananes, les avocats, les céréales, les noix, les raisins de table et d'autres aliments naturels contenant des quantités assez élevées de calories et d'enzymes.

Il faut plus de temps pour digérer un repas composé d'aliments crus que d'aliments cuits, mais il faut moins de sécrétions d'enzymes endogènes (produites à l'intérieur du corps) de la fonction digestive (suc pancréatique, pepsine, érepsine, amylase, ptyaline, etc.). Les organes et les glandes se trouvent ainsi soulagés de la charge digestive. C'est également une façon de sauvegarder le principe de vie des enzymes afin que, théoriquement du moins, les personnes puissent vivre plus longtemps, en meilleure santé, tout en conservant de plus grandes réserves d'enzymes potentielles qui pourraient servir à la guérison en cas de maladie.[5]

En résumé, on peut dire que les enzymes sont porteuses de protéines chargées de facteurs énergétiques vitaux, mais elles sont comme les piles d'une lampe de poche, leur énergie s'épuise et nous devons apprendre à la conserver.

## LIEN ENTRE LES ENZYMES ET LE CONTRÔLE DU POIDS

Une autre idée qui, selon des enzymologistes, peut-être pourra sembler nouvelle pour la plupart des lecteurs, est l'existence d'un lien entre les enzymes et le contrôle du poids. Le Dr Edward Howell en parle dans son livre intitulé *Enzyme Nutrition*. Voici un bref aperçu de sa théorie.

Le Dr Howell croit que des études ont maintenant prouvé que certains aliments stimulent les glandes et les rendent hyperactives.

Deux glandes, en particulier, seraient ainsi stimulées : la glande pituitaire (le centre de contrôle des sécrétions du corps) et le pancréas (qui sécrète les enzymes digestives pour les trois types principaux de nutriments : les protéines, les corps gras et les glucides). **Les études démontrent que les aliments cuits excitent ces glandes et les disposent à faire engraisser, tandis que les aliments crus sont plutôt non stimulants et contribuent au maintien d'un poids stable.**[6]

Ce principe a été démontré dans une expérience dont l'objectif consistait à faire engraisser des porcs rapidement et de façon économique avant qu'ils ne soient mis sur le marché. Les pommes de terre cuites données aux porcs ont produit les résultats prévus, même après avoir déduit les frais élevés de main d'oeuvre, etc., pour les faire cuire.[7]

Une autre étude menée auprès de personnes se nourrissant de grandes quantités de fruits frais (par exemple, des bananes, des avocats, des pommes, des oranges, etc.,) et du lait a permis de confirmer les principes théoriques. L'apport calorique de ce régime alimentaire était plutôt élevé, mais le poids des participants n'a pas augmenté. La conclusion à tirer de cette expérience : les aliments cuits entraînent la formation de plus de matières grasses.[8]

Les enzymes influent également sur le poids, d'autres façons. Des études faites en Allemagne et à l'université de l'Illinois ont démontré que lorsque des rats étaient nourris seulement une fois par jour, leur poids était moins élevé, que les enzymes étaient plus actives dans le pancréas et que le nombre de cellules était aussi moins élevé.[9]

Bien que je n'ai participé à aucune étude de cette nature, j'ai observé plusieurs personnes qui ne prennent qu'un ou deux repas par jour et j'ai remarqué que ces personnes n'ont jamais eu un problème de poids. De plus, certaines d'entre elles semblent avoir un poids inférieur à la normale pour des personnes de leur âge, de leur sexe, de leur stature et faisant les occupations qu'elles font; elles semblent toutefois posséder beaucoup d'énergie pour effectuer du travail prolongé. Il est à remarquer que ces personnes gardent surtout un régime alimentaire végétarien, qui est réputé pour fournir une quantité plus élevée d'enzymes exogènes (provenant de l'extérieur du corps).

## LES PATHOLOGISTES CONFIRMENT L'IMPORTANCE DU RÔLE DES ENZYMES

Les pathologistes ont participé à l'élaboration de la nouvelle théorie sur le rôle des enzymes. Ils ont constaté, lors d'autopsies, que les quantités d'enzymes présentes dans le pancréas diffèrent grandement d'un cas à l'autre. Ils ont observé que les **personnes qui étaient mortes du cancer, du diabète, de troubles du foie et d'autres maladies débilitantes, avaient nettement moins d'enzymes dans le pancréas que celles qui étaient mieux portantes lors du décès.**[10]

Les cellules malades, particulièrement les cellules cancéreuses, dérobent le corps de ses éléments nutritifs et empêchent la formation d'enzymes. Ainsi, l'examen de cadavres a démontré qu'il y avait moins d'enzymes dans le corps des personnes décédées des suites du cancer. Étant donné que nous savons que ces faits ont été prouvés en laboratoire, que pouvons-nous faire pour conserver notre réserve d'enzymes ? **Nous devons apprendre à consommer une quantité suffisante d'aliments crus à chaque jour.** Tous les aliments crus renferment des enzymes, tandis que les aliments cuits n'en contiennent aucune – absolument aucune !

### DES ALIMENTS « VIVANTS » : DES ENZYMES « VIVANTES » DES ALIMENTS « MORTS » : DES ENZYMES « MORTES »

C'est ce que j'ai appris au cours d'une étude sur les fèves vertes déshydratées, lorsque j'étudiais en vue d'obtenir mon doctorat. Des poignées de fèves vertes blanchies (ébouillantées) pendant plus d'une minute ne contenaient plus aucune enzyme. La chaleur commence à les attaquer à 41,7° C et les détruit complètement à 50° C. C'est donc dire qu'aucune enzyme ne peut survivre à une température d'ébullition (100° C), et que même les enzymes contenues dans le lait pasteurisé à 62,8° C sont détruites. Il faut absolument consommer des aliments crus. Je vous fournirai d'autres détails à ce sujet plus tard.

Le régime alimentaire que les Américains ont adopté au $20^e$ siècle est composé d'aliments artificiels, complexes et « morts », et il cause une déficience grave en enzymes. Savez-vous que la plupart des **aliments en conserve, sinon tous, ont subi plusieurs transformations à des températures élevées, jusqu'au point où ils ne contiennent plus d'enzymes?** Alors, plus vos repas se composent d'aliments précuisinés (en boîte, en conserve ou congelés), plus vous manquez d'enzymes exogènes.

En outre, nous avons complètement changé la nature chimique du lait, cet aliment presque parfait, en le rendant nuisible à la santé des consommateurs. **Plus de 90 pour cent des enzymes contenues dans le lait sont détruites par les méthodes modernes de pasteurisation.** Les chimistes ont identifié 35 enzymes individuelles dans le lait cru, dont la lipase (enzyme responsable de la digestion du gras) est l'une des plus importantes. On peut sans doute attribuer, en partie, le grand nombre d'artères occluses chez les Américains à la consommation élevée de lait homogénisé ou de lait pasteurisé trop faible en enzymes pour le rendre digestible.[11]

Pendant des milliers d'années, les gens ont consommé du lait non pasteurisé et du beurre sans contracter de maladies dégénératives. La raison? Parce que le lait et le beurre étaient crus, et que tous les aliments destinés à la consommation humaine que la nature met à notre disposition renferment les substances chimiques appropriées pour nous maintenir en santé. Les gens ont vécu pendant des milliers d'années sans souffrir d'athérosclérose, de maladies cardiaques, d'obésité et d'autres maladies dégénératives qui nous frappent présentement à une fréquence telle qu'elle atteint des proportions épidémiques.

**La conversion de l'huile en margarine constitue un autre exemple de transformation d'un aliment sain en un aliment qui est nuisible à la santé.** Les huiles, à leur état naturel, sont des matières grasses non saturées, et notre corps a été conçu pour les digérer parfaitement bien. L'ajout d'hydrogène aux huiles pour en fabriquer de la margarine ou du shortening, crée une substance qui ressemble à du plastic, que notre corps ne peut assimiler par aucun moyen. Tout ce qu'il peut faire est de le laisser s'accumuler dans les artères, créant ainsi des troubles de circulation, occasionnant le durcissement des artères, et finalement, causant les maladies cardiaques. J'ai entendu un médecin dire à ses collègues, au cours d'une allocution, qu'à son avis, **la margarine est en soi l'aliment le plus dangereux sur le marché américain !**

On pourrait remplir un livre uniquement avec des exemples de ce genre. Il est important de retenir que l'homme a altéré le plan parfait de Dame Nature en matière d'aliments et de nutrition, pour en faire une opération commerciale insensible aux effets destructeurs qu'une telle transformation peut avoir pour les consommateurs. Nous tombons comme des mouches à cause de ce que le négoce agricole et les géants de l'alimentation commerciale ont fait aux denrées !

## LES LOIS DE L'ANCIEN TESTAMENT : SCIENTIFIQUEMENT À LA PAGE

Un autre moyen d'importance cruciale pour sauvegarder l'héritage des enzymes dont nous jouissons est de suivre les règlements que le Seigneur à donné aux Israélites, tels qu'ils sont indiqués dans la Bible. Il est intéressant de noter que presque toute la « nouvelle » sagesse en matière d'alimentation confirme les principes sur lesquels s'appuient les pratiques alimentaires adoptées par les Hébreux 6 000 années avant Jésus-Christ. Je trouve fascinant de lire ce que le prophète Moïse a enseigné à son peuple concernant le genre d'aliments qu'ils devaient (ou ne devaient pas) manger et la façon dont ils devaient les apprêter. Vous pouvez trouver ces renseignements en détail dans les écrits du Levitique (chapitre 11) et du Deutéronome (chapitre 14) de l'Ancien Testament. J'ai choisi quelques exemples seulement sur lesquels j'aimerais m'attarder davantage.

L'exemple le plus marquant est sans aucun doute le commandement concernant la défense de manger du porc. Il n'est pas nécessaire de vous rappeler que les Américains aiment beaucoup le porc apprêté de diverses façons (bacon, jambon, saucisse, barbecue). Ils raffolent du porc salé, fumé et ils en consomment de très grandes quantités. Devraient-ils continuer à le faire ? Absolument PAS – à moins que leur objectif soit d'épuiser leur réserve d'enzymes, de se priver d'une bonne santé et de raccourcir leur vie à cause des maladies dégénératives.

Ne trouvez-vous pas étonnant que les Hébreux des temps bibliques, lorsque les gens étaient supposés naïfs, ignorants et superstitieux, avaient des habitudes alimentaires plus saines que celles que nous avons aujourd'hui. Permettez-moi de vous expliquer la gravité de notre habitude de consommer du porc.

Récemment, mon pasteur a rendu visite à un ami qui est à la phase terminale d'un cancer, dans un centre de traitement de la côte des États-Unis. Durant la soirée, un médecin allemand s'est adressé aux patients et à leur famille. Son discours en entier portait sur les enzymes et les efforts que nous devons faire pour préserver ces forces vitales qui nous sont données à la naissance. Étant donné que le porc est la « poubelle de la terre », a-t-il indiqué, **il faut des milliers d'enzymes pour désintoxiquer la chair du porc avant que l'estomac puisse l'assimiler.** Ensuite, dans l'estomac et l'intestin grêle, il en faut des centaines d'autres pour la digérer et l'assimiler. Et puisque les Nord-américains n'ont pas beaucoup d'enzymes, a ajouté le médecin, il leur est impossible de digérer efficacement le porc. Il demeure dans nos intestins, se décompose et crée des substances carcinogènes qui causent le cancer. Il nous a conseillé de ne pas consommer de porc du tout.

Il s'est passé quelque chose de drôle lorsque mon pasteur lui a adressé la parole après son discours, en lui disant : « Selon ce qu'on lit dans Lévitique, nous ne devrions pas manger de porc, mais nous n'avons pas suivi ces conseils. » Le médecin a répliqué : « Je n'ai jamais entendu parler du docteur Lévitique ni lu ses ouvrages, mais selon les études que j'ai faites, la consommation du porc est une des causes principales du cancer et d'autres maladies dégénératives. »

Je voudrais maintenant vous poser quelques questions. Avez-vous bien compris ce que j'ai dit au sujet de la consommation du porc ? Aimeriez-vous vivre longtemps, en santé et sans contracter aucune maladie ? Alors, éliminez le porc de votre régime alimentaire le plus souvent possible.

Croyez-vous que j'ai fini de vous priver de tous les plaisirs gastrono-miques ? Pas encore ! Pour la même raison que le porc, vous devez aussi éliminer de votre régime alimentaire les homards, les huîtres, les palourdes et les crevettes, car ils sont « la poubelle » des rivières et des océans. Les consommer, c'est détruire de très grandes quantités de notre réserve limitée d'enzymes. Si nous consentons à sacrifier ces plaisirs gastronomiques, nous vivrons plus longtemps et en meilleure santé, et nos vies seront plus productives, et nous diminuerons considé-rablement le risque de mourir de l'une des maladies les plus dévastatrices. Pensez-y bien !

## LES ENZYMES : CLÉ DE LA LONGÉVITÉ?

Les enzymes constituent assurément la clé de la longévité. À mesure que nous vieillissons, il semble que moins d'enzymes sont sécrétées dans l'estomac et dans les intestins. Cet état de chose entraîne une mauvaise digestion et une mauvaise assimilation des aliments, et la sous-alimentation qui s'en suit affaiblit le corps et lui enlève sa vitalité. Les personnes qui ont moins d'enzymes meurent plus tôt que celles dont le nombre d'enzymes est assez élevé pour digérer et assimiler les aliments.

Ces informations ne sont utilisées que depuis peu dans les processus des diagnostics médicaux, comme outils thérapeutiques valables. Il est maintenant possible d'analyser les enzymes dans l'urine et d'en déterminer la quantité de façon très précise. Plusieurs centres oncologiques, situés sur les côtes des États-Unis, utilisent l'enzymologie avec beaucoup de succès comme méthode de traitement de cette maladie meurtrière qu'est le cancer. C'est peut-être l'une des raisons pour lesquelles le taux de succès de traitement de cette maladie avec cette méthode aux États-Unis est plus élevé qu'avec la méthode standard ! **Une étude récente internationale a prouvé que la chimiothérapie, les médicaments, les radiographies et la chirurgie ne constituent pas des traitements efficaces pour la guérison du cancer !**

Selon mon expérience, bien que limitée, dans plusieurs autres pays, notamment en Allemagne, les médecins utilisent les enzymes comme mode de traitement efficace des personnes âgées ainsi que les patients atteints de certaines maladies. On rapporte que le D<sup>r</sup> Hans Nieper de Hanover, en Allemagne, guérit de 74 pour cent des patients souffrant du cancer, comparativement à 17 pour cent aux États-Unis.

## LE RÔLE DES ENZYMES DANS LE TRAITEMENT DU CANCER

Le D<sup>r</sup> Neiper traite ses patients atteints de cancer en leur prescrivant une thérapie à base d'enzymes et un régime végétarien strict, très peu de médicaments. Il n'a pas recours à la chimiothérapie ou à la radiothérapie. Ne serait-il pas formidable si les médecins nous laissaient au moins avoir notre mot à dire sur le genre de traitement que nous voulons pour les maladies dégénératives ? Tout particulièrement dans le traitement des « Quatre Grandes » : les maladies du coeur, le cancer, le diabète et l'athérosclérose ?

## LES VITAMINES SONT DES COENZYMES

Les enzymes digestives ne travaillent pas seules, elles reçoivent l'aide d'une foule de coenzymes. Les vitamines font partie des coenzymes. Ceci étant dit, il est facile de constater l'importance d'absorber des quantités suffisantes (mais pas trop élevées) de vitamines nécessaires à la fonction enzymatique optimale. Devons-nous ajouter des vitamines à notre régime alimentaire ? Ce sera pour nous un grand jour lorsque les scientifiques pourront déterminer avec exactitude les niveaux de vitamines requises pour le corps humain. Mais d'ici là, je crois qu'il serait bon d'en prendre modérément.

Étant donné que le sol, les aliments et les emballages subissent toutes sortes de traitements chimiques, il est difficile d'imaginer la quantité réelle de vitamines et de minéraux que renferment les aliments. Trois exemples tirés de rapports récents illustrent bien cette affirmation. Il y a quelques mois, on effectuait des tests sur une nouvelle récolte de choux pour déterminer la concentration de vitamines C qu'ils contenaient. Puisque que le choux est un aliment naturellement riche en vitamines C, le fermier était bouleversé de constater que la quantité de vitamines C mesurée dans l'échantillon prélevé était trop faible pour enregistrer sur l'appareil de mesure utilisé par l'organisme gouvernemental. C'était incroyable ! Et malheureusement, ce n'est pas un cas isolé !

Quelques semaines plus tard, je conversais avec un fermier de la Pennsylvanie qui, depuis plusieurs années, cultive des carottes pour le marché. Sa récole rendue à maturité était toujours vérifiée à l'aide d'un réflectomètre pour mesurer le niveau de minéraux contenu dans les carottes. L'échelle de mesure se situe entre 1 et 22, ce dernier étant le niveau le plus élevé possible.

Pendant plusieurs années, la quantité de minéraux atteignait le niveau très acceptable de 16 points à l'échelle de mesure. Au cours des dernières années, les nouvelles méthodes d'exploitation agricole ayant remplacé les méthodes biologiques, les minéraux atteignent aujourd'hui seulement de 4 à 6 points ! Malheureusement, ce sont nous les consommateurs qui, en bout de ligne, sommes porteurs de ces carences. Les profits qu'a tirés le fermier de ses récoltes sont probablement demeurés plus ou moins stables, ou ils ont augmenté légèrement.

En 1985, à l'université Fairleigh Dickinson, on a repris une ancienne étude visant à déterminer la quantité de protéines contenues dans le blé cultivé à un endroit particulier de la ferme de l'université. On s'est aperçu que la quantité de protéines contenues dans le blé était passée de 17 pour cent, en 1945, à 9 pour cent, en 1985. Par crainte de m'engager dans le sujet fort controversé des méthodes actuelles d'exploitation agricole, je terminerai ici cette discussion.

## LES ALIMENTS FRAIS ET CRUS
## À NOTRE RESCOUSSE

Voyez-vous maintenant pourquoi nous devons consommer des aliments frais et crus à tous les jours ? Comprenez-vous pourquoi **il ne reste plus d'enzymes « vivantes » dans la nourriture que les Nord-américains consomment ?** Souvenez-vous bien de ceci : pas de digestion sans enzymes; pas de santé rayonnante sans la digestion ou l'assimilation; et plus important encore, aucune résistance contre les maladies meurtrières. Par conséquent, la personne avisée verra à ce que les aliments qu'elle consomme quotidiennement ne soient pas des aliments « morts », c'est-à-dire qu'ils ne soient pas dépourvus de toutes enzymes « vivantes ». Il est absolument nécessaire que les fruits et légumes crus occupent une place importante dans un régime alimentaire sain. Et souvenez-vous que le jus extrait des feuilles d'orge séchées est un aliment cru, et qu'il renferme des centaines d'enzymes « vivantes ».

## SORTES D'ENZYMES :
## ENDOGÈNES ET EXOGÈNES

Jusqu'à maintenant, nous avons uniquement discuté des enzymes que l'on retrouve dans les aliments crus. Dame Nature a fait en sorte que chaque aliment mis à notre disposition – végétal ou animal – renferme en soi les enzymes particulières requises pour au moins entamer le processus de la digestion de chacun de ces aliments. Selon des études approfondies, le plus grand des chercheurs devrait demeurer humble devant l'ampleur de ce sujet ! Aucune personne ou groupe de personnes n'aurait pu imaginer un plan aussi parfait qui puisse donner à l'univers tout ce dont nous avons besoin pour que nos cellules puissent VIVRE. Les enzymes que l'on trouve dans les feuilles vertes de l'orge en sont un exemple tellement extraordinaire que nous leur accordons une attention spéciale dans le prochain chapitre.

On ne trouve pas des enzymes que dans les aliments naturels crus. **Deux autres types d'enzymes sont également produites à l'intérieur du corps : les enzymes de la digestion et les enzymes du métabolisme.**

Les enzymes de la digestion sont synthétisées par les glandes et les organes du tube digestif. Le tableau 5 donne une vue d'ensemble de ce deuxième type d'enzymes. Pour une étude plus approfondie, veuillez consulter les manuels de nutrition que l'on peut consulter dans la plupart des universités ou établissements d'enseignement.

## TABLEAU 5

### ENZYMES DE LA DIGESTION ET LEURS ORIGINES

| Source | Digestion des amidons | Digestion du gras | Digestion des protéines |
|---|---|---|---|
| Bouche | Ptyaline dans la salive | Aucune | Aucune |
| Estomac | Aucune | Aucune | Pepsine Acide hydrochlorique |
| Pancréas | Amylase | Lipase | Trypsine Chymotrypsine |
| Intestin grêle | Amylase Maltase | Entérique Lipase | Carboxy-polypeptidase Lactase Sucrase Lipase |

La troisième catégorie d'enzymes sont les enzymes métaboliques qui sont issues des glandes endocrines (thyroïde, parathyroïde, surrénale et pituitaire). Le rôle de ces enzymes est de développer, de restaurer et d'assurer le fonctionnement de chaque organe, tissu et cellule du corps humain. En réalité, elles bâtissent le corps à partir de protéines, de glucides et de matières grasses. Sans elles, la vie serait impossible. De fait, la vieillesse et l'affaiblissement de l'activité métabolique des enzymes sont toujours des concepts corollaires; on ne les rencontre pas l'un sans l'autre. C'est la même chose dans la vie des mammifères autres que les humains.

À la suite du processus de la digestion qui commence dans la bouche et se poursuit dans l'estomac et l'intestin grêle, les aliments doivent être assimilés par le corps (absorbés par nos 78 à 83 trillions de cellules) avant qu'il puisse en bénéficier. C'est donc dire que nous ne sommes pas autant ce que nous mangeons que ce que nous digérons et assimilons, selon la quantité et la qualité des enzymes présentes dans notre système.

## SAVIEZ-VOUS QUE VOTRE SYSTÈME DIGESTIF VOUS PARLE?

Nous devons écouter ce que notre système digestif nous dit, notamment, ce qu'il nous dit aujourd'hui! Le régime alimentaire typique d'un Américain se compose d'aliments qui ne contiennent pas assez d'enzymes, car ces aliments sont surchauffés, trop cuits et qu'ils ont subi de trop nombreuses transformations. C'est la raison pour laquelle le pancréas, les glandes salivaires et les autres organes sont incapables de remplir leurs fonctions naturelles. Nous ressentons alors des symptômes courants et désagréables comme l'éructation, les brûlures d'estomac, la flatulence, etc.

## LES ENZYMES SONT INDISPENSABLES

Voici ce qui est essentiel : l'action des enzymes est nécessaire à chaque étape des processus complexes que sont la digestion et l'assimilation. Notre niveau de santé dépend en grande partie de l'action enzymatique ayant lieu à l'intérieur de notre corps. Le corps élabore des enzymes à partir des aminoacides (composantes de protéines, semblables à la structure chimique du blanc d'oeuf). Examinées au microscope, les enzymes ressemblent à des chaînes complexes d'aminoacides, et la position particulière qu'occupent les molécules à l'intérieur de ces chaînes détermine leur fonction.

Les amidons ont besoin d'amylases pour être digérés et aucune autre structure moléculaire ne peut leur être substituée. Les protéines ont besoin de protéases et les gras, de lipases. Si vous vous rendez compte de la nécessité absolue de ces « déclencheurs » de réactions cellulaires, vous ne pouvez pas vous empêcher aussi de mesurer l'importance de prendre une cuillerée à thé (2 g) de feuilles d'orge en poudre par jour, ou de consommer des légumes feuillus vert foncé ainsi que d'autres aliments frais à tous les jours. N'oubliez pas que l'action des enzymes est nécessaire à la vie et qu'il est impossible d'obtenir un bon niveau d'activité enzymatique si le corps est privé des substances nutritives dont il a besoin. Ces substances nutritives ne peuvent être présentes dans l'organisme à moins d'adopter un régime alimentaire approprié, et d'y ajouter une quantité suffisante de suppléments sur une base régulière.

## LES FEUILLES VERTES DE L'ORGE REGORGENT D'ENZYMES « VIVANTES »

Les autorités en la matière ne s'entendent pas sur le nombre des différentes enzymes ou sur la quantité totale que recèle le corps humain. Selon un auteur, il y en aurait des millions, tandis que d'autres croient qu'il y en a des centaines ou des dizaines de milliers. Je ne pourrais dire qui a raison. Toutefois, je sais que les **feuilles vertes du jeune plant d'orge sont une excellente source de centaine d'enzymes « vivantes ».** On ne peut en dire autant d'aucun comprimé de vitamines ou de minéraux fabriqués artificiellement. La plupart ne contiennent pas d'enzymes naturelles, et probablement pas d'enzymes du tout.

À leur état naturel, les feuilles vertes de l'orge constituent une source excellente d'enzymes et de coenzymes (vitamines) nécessaires aux réactions biochimiques du corps. À mon avis, il est évident qu'elles créent le meilleur environnement possible pour l'épanouissement de cellules saines et actives.

## SUPPLÉMENTS D'ENZYMES DIGESTIVES

La recherche a prouvé qu'on devrait prendre des suppléments d'enzymes aussi régulièrement et fidèlement que l'on prend des vitamines et des minéraux. Ceci est d'autant plus vrai lorsque les gens avancent en âge ou qu'ils souffrent d'une maladie qui leur dérobe la force vitale nécessaire dont ils ont besoin pour créer des enzymes. De plus, il est essentiel de consommer des suppléments d'enzymes si notre régime alimentaire ne contient pas, tous les jours, d'abondantes quantités d'aliments crus.

De nombreuses études prouvent que la consommation de repas simples, au lieu de repas complexes, modifie la quantité d'enzymes requises pour les digérer. Il a été démontré de façon conclusive que les repas composés de plusieurs différentes sortes d'aliments sont plus difficiles à digérer. Chaque aliment exige son propre groupe d'enzymes. Ainsi, **le menu typique d'un buffet à salade contenant des petites quantités de plusieurs aliments différents cause une situation de stress pour le système digestif !** Ceci est particulièrement vrai lorsque nous compliquons le problème en arrosant le tout d'une grande quantité de sauce à salade à base d'huile ! De nombreuses études démontrent clairement qu'un régime alimentaire hyper-calorique est également lié aux maladies dégénératives telles que l'obésité, les maladies cardiaques et, tout particulièrement, le cancer.

Si vous ressentez des troubles digestifs et décidez de prendre des supplément d'enzymes, il existe un grand nombre de bons produits en pharmacie ou dans les magasins de produits de santé. Consommés avant les repas, ces produits agissent promptement, de la même façon plus ou moins que les enzymes digestives produites à l'intérieur du corps. (Voir l'annexe D pour des suggestions additionnelles.)

## *RÉVISION DES FAITS IMPORTANTS*

Avant de clore ce chapitre, permettez-moi de faire une révision partielle des faits les plus importants dont nous avons parlé, en ajoutant des renseignements essentiels sur les aliments les plus riches en enzymes.

- Près de 65 pour cent des aliments en vente dans nos supermarchés ont subi des transformations (raffinés) et ne contiennent plus d'enzymes.
- Il est impossible d'assimiler de la nourriture sans les enzymes.
- Seules les enzymes « vivantes » sont bénéfiques au corps.
- Seuls les aliments frais, crus et non cuits contiennent des enzymes « vivantes ».
- Sans les enzymes, aucune musculation ou guérison des organes, des tissus ou des cellules n'est possible.
- Ce sont les enzymes qui déterminent la longueur et la qualité de notre vie.
- Des réserves appauvries d'enzymes augmentent les risques de maladies éventuelles, et tout particulièrement, de maladies dégénératives.
- L'usage rapide des enzymes, causé par la consommation de la chair des animaux se nourrissant des déchets sur terre, dans les airs ou sous l'eau raccourcit la vie.
- Les réserves d'enzymes endogènes, que l'on reçoit en quantité limitée à la naissance, sont épuisables, mais elles dureront plus longtemps si nous consommons des aliments crus et des suppléments d'enzymes.

En terminant, voici le grand message final sur les enzymes : les jeunes feuilles d'orge constituent le seul et unique aliment dont l'énergie enzymatique puissante est reconnue à travers le monde entier. Cette nourriture toute apprêtée constitue pour les Nord-Américains affairés, la façon idéale de consommer leur portion quotidienne de feuilles vertes et crues. Le prochain chapitre décrira en détail les enzymes que contiennent les feuilles vertes de l'orge.

## CHAPITRE IX

# Puissance enzymatique des jeunes feuilles d'orge

Passons maintenant à la « bonne nouvelle » au sujet de la prodigieuse puissance enzymatique des feuilles d'orge, fraîches et naturelles. Selon le D$^r$ Hagiwara, le jus fait de jeunes plants d'orge contient plusieurs centaines de différentes sortes d'enzymes, qui correspondent à celles que contiennent les cellules du corps humain. Notre méthode de fabrication du jus de feuilles d'orge, qui conserve intactes et « en vie » cette multitude d'enzymes, distingue ce jus de tous les autres de ce genre et le place dans une catégorie tout à fait à part.

## ENZYMES : « EN GARDE » CONTRE LES TOXINES !

La neutralisation des poisons contenus dans le corps est l'une des fonctions les plus importantes des enzymes. J'aimerais ici décrire quelques-unes des enzymes particulières aux feuilles vertes de l'orge, qui peuvent aider le corps à se débarrasser des toxines absorbées sous forme de polluants dans l'air, l'eau et la nourriture que nous consommons. Parmi les enzymes qui permettent de réduire les substances non digestibles dans la nourriture, nous comptons, entre autres, les suivantes : la phospholipase, qui décompose les phospholipides, la phosphatase, qui désagrège les glucoses-phosphates, l'ADNase et l'ARNase, qui réduisent les acides nucléiques, la cytochrome oxydase, la mono-amine-oxydase, l'alcool-déhydrogénase et, la plus importante, la nitrate réductase, dont on sait qu'elle peut décomposer toutes sortes de composés nitrés à base de pétrole causant le cancer.[1]

Il est bien connu que presque toutes les substances chimiques et les polluants répandus dans l'environnement ont des pouvoirs carcinogènes, c'est-à-dire qu'ils sont capables de causer plusieurs types de cancers. Les composés nitrés, qui sont des solvants de pétrole, forment soixante-dix pour cent des éléments carcinogènes. En outre, bien que la nitrate réductase soit particulièrement efficace contre les composés nitrés, ce n'est pas la seule enzyme contenue dans l'orge verte pouvant servir d'antidote à ces polluants.[2]

L'orge verte contient également en abondance deux autres enzymes qui renforcent les mécanismes de défense du corps, et qui freinent et qui s'opposent aux mutations cellulaires. Le Dr Hagiwara et son équipe de scientifiques ont découvert dans l'orge verte une molécule (protohème) d'un poids moléculaire de 53 000. Ils ont extrait de cette molécule protohémique une sorte de peroxydase qu'ils ont appelée $P_4D_1$. Cette peroxydase réduit de façon significative les propriétés carcinogènes des nitrooxydes et elle peut également contrebalancer les effets toxiques du BHT, un produit chimique utilisé comme agent de conservation dans un grand nombre d'aliments.[3]

Le fait qu'elle est plus active dans un environnement acide constitue une caractéristique importante de la peroxydase. Par conséquent, il est logique de penser que l'orge verte commence même à décomposer les substances carcinogènes dans l'estomac, là où les sucs digestifs sont très acides.[4]

Il a également été démontré que **la $P_4D_1$ a une propriété anti-inflammatoire et peut prévenir les ulcères gastro-duodénaux, sans effets secondaires nuisibles**, contrairement aux médicaments anti-inflammatoires habituels. On croit que cette peroxydase est plus efficace que la cortisone et les médicaments non stéroïdiens (dont l'un des principaux effets secondaires est de provoquer des ulcères) tels que la Phénylbutazone, aujourd'hui très utilisée dans le traitement des maux tels que les ulcères.[5]

L'association de pharmacologie du Japon a, à sa réunion annuelle de 1981, fait état d'une caractéristique encore plus importante de la $P_4D_1$. En effet, **cette peroxydase stimule de façon remarquable la restauration de l'ADN** (acide desoxyribonucléique – la chaîne génétique), y compris l'ADN des cellules reproductrices. On n'a jamais mentionné ailleurs auparavant qu'un autre agent naturel OU synthétique ait permis de stimuler l'ADN ou d'accroître l'activité des cellules reproductrices.[6]

Il est bien connu que plusieurs composés chimiques, y compris les additifs alimentaires, peuvent altérer le code génétique et occasionner des malformations congénitales. On sait très bien également que **certaines formes de cancers sont attribuables à une rupture de l'ADN.** Il y a vingt ans, la FDA annonçait que le benzpyrène 3-4, que l'on trouve dans le tabac, causait le cancer des poumons. Entre temps, on a démontré que les tryptophanes TRY-P1 et TRY-P2, que l'on rencontre dans la matière carbonisée sur les poissons et viandes grillées au barbecue, étaient 20 000 fois plus carcinogènes que le benzpyrène.[7]

En 1981, plusieurs scientifiques ont présenté des rapports prouvant que l'orge verte pouvait transformer in vitro, c'est-à-dire dans des éprouvettes ou en laboratoire, des éléments carcinogènes tels que le benzpyrène, les tryptophanes TRY-P1 et TRY-P2, ainsi que P2 et les anthracènes 2-amino en substances non mutantes.[8]

L'orge verte contient sans l'ombre d'un doute des éléments qui, en décomposant et dissolvant les mutagènes, réduisent notre risque de partager le sort des fumeurs car ils corrigent les mutations de l'ADN endommagé.

Si vous travaillez à proximité de gaz d'échappement, d'industries chimiques, de produits de nettoyage à sec, de pesticides ou d'autres substances semblables, la meilleure chose que vous puissiez faire pour vous protéger est de prendre une cuillerée ou deux (2 à 4 g) par jour d'orge verte en poudre.

## FEUILLES D'ORGE : CHAMPIONNES DE LA DÉSINTOXICATION

Les feuilles vertes de l'orge sont sûrement parmi les meilleurs agents désintoxicants. Elles sont remplies de flavonides qui désintoxiquent les cellules, et de polypeptides qui peuvent réduire la nicotine et les métaux lourds, tels que le mercure, en sels insolubles. Toutes les propriétés de l'orge verte concourent à renforcer les organes qui purifient le courant sanguin et éliminent les toxines.

Divers autres facteurs tels que les rayons cosmiques, les radiations ultraviolettes ou d'autres radiations peuvent également endommager l'ADN ou les gènes. Les systèmes de défense naturels du corps humain peuvent réparer la plupart de ces dommages, mais parfois ces réparations sont mal effectuées ou les altérations s'accumulent au niveau des génomes (jeu de chromosomes), en raison d'un affaiblissement des systèmes de restauration naturels.[9]

Plus nos cellules sont réparées rapidement et de façon précise, mieux il en vaut pour notre santé et notre capacité de préserver les attributs de la jeunesse. Lorsque nos mécanismes naturels de réparation s'affaiblissent et vieillissent, les dommages commencent à s'accumuler progressivement dans le corps. En outre, les dommages causés aux cellules de l'ADN peuvent provoquer le cancer, des allergies ou la mort des cellules.[10]

## $P_4D_1$ ET ADN ENDOMMAGÉ : PUISSANCE « NUCLÉAIRE »

Une équipe dirigée par le $D^r$ Yasuo Hotta, biologiste et spécialiste en ingénierie des gènes à l'université de Californie à San Diego, a démontré que **l'orge verte avait des propriétés favorisant la restauration de l'ADN dans les noyaux des cellules.**[11]

Dans une expérience, l'équipe du $D^r$ Hotta a exposé des cellules en culture de poumons humains à des rayons X et d'autres cellules à de l'oxyde-nitrosquinoléine (4NQO, un mutagène et carcinogène puissant) pour endommager leur ADN (contractions et vides). On a ensuite divisé les cellules en deux groupes, l'un que l'on a traité avec la $P_4D_1$ et l'autre non.

Les cellules traitées avec la peroxydase $P_4D_1$ ont incorporé davantage de thymidine H3 dans l'ADN et ont rétabli sa longueur normale beaucoup plus rapidement que les cellules non traitées, indiquant par là que la $P_4D_1$ accélère la réparation de l'ADN. Les cellules non traitées ont, en fait, affiché une piètre performance : un grand nombre sont mortes, et celles qui ont survécu n'ont commencé que très lentement le processus de la restauration. Les cellules traitées à la **$P_4D_1$, par contre, se sont réparées deux fois plus vite.** Cependant, on a remarqué que cette peroxydase n'agissait que sur les cellules endommagées, ce qui signifie qu'elle n'est pas toxique ou n'altère pas les cellules intactes de l'ADN et qu'elle est tout à fait sécuritaire pour les cellules en santé.

## $P_4D_1$ ET PRÉVENTION

Les chercheurs ont même trouvé que la $P_4D_1$ était encore plus efficace dans les cellules cultivées préalablement avec cette peroxydase, soit un cycle de génération avant l'induction des dommages. La vitesse de restauration des cellules doublait encore une fois.

## P$_4$D$_1$ *ET CELLULES GERMINALES*

Dans une seconde série d'expériences, les chercheurs ont utilisé des cellules de sperme et d'oeuf, c'est-à-dire des cellules contenant toutes les informations génétiques pour les générations futures (cellules germinales). Les cellules qui réparent les cellules germinales de l'ADN portent le nom de cellules prophases méiotiques, et ces cellules peuvent engendrer la stérilité ou des déformations congénitales si elles sont perturbées ou sectionnées.[12]

Dans le cadre de ces expériences, on a prélevé des cellules prophases méiotiques sur les testicules des souris âgées et on a mesuré la réduction de la vitesse de réparation de ces cellules. **Puis, lorsqu'on les a traitées avec la P$_4$D$_1$**.[13], on a observé une augmentation remarquable de la vitesse de réparation de l'ADN. Même si ces expériences ne constituent pas une preuve scientifique rigoureuse que cette peroxydase peut empêcher les malformations congénitales, je crois que de telles données biochimiques seront bientôt mises au jour.

Au plan de la santé, le fait que la P$_4$D$_1$ aide à réparer les cellules de l'ADN montre que les feuilles vertes de l'orge peuvent potentiellement protéger contre les risques liés à l'environnement et le vieillissement, et même ralentir le processus du vieillissement.

## CATALASE ET CANCER

Le rôle des enzymes dans le traitement des cancers devient de plus en plus important. Les scientifiques étudient maintenant une autre enzyme contenue dans l'orge verte qui pourrait éventuellement aider à traiter les cancers : l'enzyme respiratoire catalase.

*« L'enzyme respiratoire catalase constitue une autre méthode de traitement potentielle du cancer. Cette enzyme assure une activité d'oxydoréduction dans les cellules. Durant le processus de la respiration, les cellules produisent du peroxyde d'hydrogène ($H2O2$), dont l'une des propriétés est de provoquer la coagulation des protéines. C'est pourquoi on l'utilise fréquemment comme désinfectant, mais à l'intérieur du corps il est toxique et attaque les cellules.*

*La catalase décompose ce peroxyde d'hydrogène toxique en eau et en oxygène. Les cellules saines contiennent à l'état naturel des catalases. Cependant, on a remarqué que les cellules cancéreuses manquent de catalases. Contrairement aux cellules normales, les cellules cancéreuses sont anaérobies, c'est-à-dire qu'elles n'ont pas besoin de l'oxygène de l'air ou transporté dans le sang. Elles trouvent en elles-mêmes l'énergie pour leur propre métabolisme. En outre, tandis que les cellules normales se multiplient, se divisent, croissent, vieillissent et meurent, les cellules cancéreuses ne font que croître. En raison de leur méthode particulière de production de l'énergie métabolique, les cellules cancéreuses n'ont donc pas besoin de catalase.*

*La technique des rayons X, fréquemment utilisée dans la thérapie des cancers, se fonde sur cette propriété. Lorsque le corps humain est exposé aux rayons X, il se forme du peroxyde d'hydrogène. Dans les cellules saines, les catalases entrent en jeu immédiatement pour le décomposer en eau et en oxygène. Les cellules cancéreuses, par contre, qui ne possèdent presque aucune catalase, ne peuvent pas décomposer le peroxyde d'hydrogène et sont détruites.»* [14]

Selon les résultats d'une autre expérience, le lait pourrait réduire l'activité catalasique dans les fluides à l'intérieur du corps humain. Lorsqu'au cours de cette expérience on a donné à des rats un régime alimentaire très élevé en lait de vache, on a observé une réduction sensible de l'activité catalasique. Il en résulterait donc une augmentation de la production de peroxyde d'hydrogène par le métabolisme, qui nuirait ainsi aux cellules.

Une autre expérience a montré qu'un repas dans lequel il y a du lait diminuait aussi le niveau des cytochromes oxydases, une autre enzyme respiratoire importante. [15]

On attribue ces réactions à la réduction de la quantité d'ions de fer et de cuivre. La catalase est une enzyme possédant un ion de fer, et la cytochrome oxydase contient et un ion de fer et un ion de cuivre. En d'autre mots, ces enzymes ne peuvent se former à moins qu'il n'y ait une grande quantité d'ions de fer et de cuivre dans le sang.

Le lait contient peu d'ions de fer et de cuivre. Ce n'est pas seulement le cas du lait, mais aussi du beurre, du riz lessivé et du pain blanchi. Une trop grande consommation de ces aliments peut réduire l'activité de ces très importantes enzymes dans le corps que sont les catalases et provoquer le cancer.

Avant d'abandonner le sujet du cancer, j'aimerais cependant mentionner un autre aspect de l'orge verte, soit le groupe de substances qu'on appelle les mucopolysaccharides, dont le potentiel immunitaire contre le cancer fait actuellement l'objet d'études dans le monde entier. L'orge verte contient une très grande quantité de mucopolysaccharides, ce qui prouve une fois de plus que cet aliment est très puissant au point de vue santé.

## SUPEROXYDE-DISMUTASE : UNE ENZYME « SUPERSPÉCIALE » DANS LES FEUILLES VERTES DE L'ORGE

Les chercheurs du monde entier s'affairent à explorer toute une série de nouvelles applications de la superoxyde-dismutase (SOD), connue sous la marque de commerce SODEX. Il existe maintenant un comprimé de SOD beaucoup plus puissant que SODEX, qui s'appelle « Super-enzymes ». Ce nom me plaît beaucoup parce qu'il dit exactement ce que contient le produit : une enzyme superspéciale très puissante en SOD.

Il est intéressant de noter que la SOD extraite des plantes est plus stable dans le corps humain que la SOD obtenue à partir du foie de veau. De plus, puisque chez les animaux le foie est l'organe de désintoxication et qu'on injecte à beaucoup de bétail des stéroïdes pour développer les muscles, la SOD de source végétale est donc plus sûre. J'aime beaucoup cette sorte de SOD, parce que ces super-enzymes proviennent des plantes.

Avant d'expliquer en détail les propriétés de la SOD, j'aimerais vous donner certaines informations de base qui, je l'espère, vous aideront à comprendre l'importance de cette enzyme. Jusqu'à maintenant, les scientifiques ont découvert trois ou quatre sortes de SOD dans les tissus humains. Elles se concentrent principalement dans le foie, les érythrocytes (les globules rouges du sang) et les granulocytes neutrophiles (un type « amical » de globules blancs). On en a également prélevé sur une grande variété de bactéries, d'algues bleues, de champignons, de plantes, de poissons, d'oiseaux et de mammifères.[16] Ici, pour le bénéfice de nos explications, nous considérerons que les trois sortes de SOD ne forment qu'une seule enzyme que nous appellerons SOD.

La recherche scientifique a permis d'établir clairement que le principal rôle de la SOD dans l'alimentation humaine est de combattre les effets dévastateurs des superoxydes, le nom que l'on donne à toute une gamme d'éléments destructeurs appelés « radicaux libres ». Les radicaux superoxydes ne sont que des molécules d'oxygène (ou atomes) possédant une charge négative supplémentaire, à cause d'un électron non apparié sur leur couche extérieure.

Cette modification des atomes d'oxygène les rend très instables; pour ainsi dire, ils « deviennent fous » et se heurtent violemment aux autres cellules et tissus, causant ainsi de très grands dommages. Les radicaux libres peuvent même pénétrer les cellules et endommager l'ADN (partie du code génétique qui dit à la cellule comment se reproduire elle-même), provoquant ainsi ce qu'on appelle des mutations ou l'endommagement des cellules.

## SYSTÈME DE DÉFENSE DU CORPS CONTRE LES RADICAUX LIBRES

Le corps humain est doté de plusieurs mécanismes pouvant transformer de nouveau les radicaux libres en atomes d'oxygène stables et en peroxyde d'hydrogène semi-stable. Ce processus porte le nom de « dismutation ». La dismutation peut s'effectuer de trois façons différentes grâce aux éléments suivants :
- le glutathione – un polypeptide formé par le corps en combinant trois acides aminés (tous présents dans les feuilles d'orge),
- les vitamines antioxydantes C et E, avec sélénium, et
- la SOD – superoxyde-dismutase. [17]

En raison de leur électron non apparié, les radicaux libres peuvent attaquer n'importe quelles molécules du corps humain. Les dommages aux organes et aux tissus surviennent lorsque la production de radicaux libres excède celle des enzymes piégeuses de radicaux libres, qui constituent un système de défense naturel dont sont dotées les cellules de presque tous les organes du corps humain. Ces enzymes font pour ainsi dire office de pompiers, puisqu'elles sont conçues pour neutraliser les radicaux libres avant qu'ils ne brûlent d'autres tissus ou molécules, et qu'ils n'endommagent les cellules en les perforant, en rompant leur membrane ou en attaquant leurs composantes internes.

## FAITES TRAVAILLER L'« ESCOUADE SOD » POUR VOUS !

**La principale fonction de la SOD**, contrairement aux autres enzymes, **est de protéger les cellules.** Ce sont des piégeuses de radicaux libres extrêmement puissantes et rusées, qui se promènent partout et détruisent les atomes d'oxygène dangereux produits constamment comme dérivés chimiques du métabolisme cellulaire au cours de la respiration et de la digestion.

Par conséquent, vous comprendrez maintenant que les superoxydes, ou radicaux libres, sont les « méchants » et que les nutriments naturels, y compris la superoxyde-dismutase, sont les « bons » ! Au fil de mes explications, vous verrez très bien l'importance d'avoir un bon approvisionnement en SOD dans l'organisme, surtout si on est victime de l'une des maladies attribuables aux radicaux libres. Parmi de telles maladies, nous comptons **les affections cardiaques, l'arthrite, le cancer, la leucémie, les allergies et le lupus.**

Je voudrais ici ouvrir une parenthèse et énumérer toutes les propriétés de la SOD qui, je crois, sont suffisamment appuyées par les recherches; je vous donnerai ensuite la référence bibliographique. La SOD est dotée des propriétés suivantes :
- réduit l'inflammation occasionnée par l'arthrite,
- aide à la guérison des blessures,
- aide beaucoup le coeur, les reins, les intestins, le pancréas et les tissus de la peau endommagés,
- réduit le nombre et l'intensité des variations anormales des battements du coeur, appelées arythmies,
- protèges les cellules – sa fonction principale,
- réduit les chances de contracter le cancer et toute une cohorte de maladies débilitantes, et
- ralentit le vieillissement.[18]

Le Dr Joe McCord, du département de médecine et de biochimie du centre médicale de l'université Duke, a démontré que la présence de SOD endogène (à l'intérieur d'une cellule) contribuait à protéger le liquide synovial dans une articulation malade. Grâce au dosage requis de SOD, on a réussi à presque inhiber complètement le processus de dégénérescence. Il est bien connu qu'une altération du fluide synodal constitue un symptôme caractéristique de toutes les inflammations arthritiques.[19]

## *LA SOD ACCÉLÈRE LA GUÉRISON*

Robert J. Boucek, M.D., de l'école médicale de l'université Loma Linda, a soutenu à un symposium en 1984 que la superoxyde-dismutase empêchait les radicaux superoxydes de s'accumuler dans les tissus endommagés, parce qu'elle faisait subir à ces radicaux une dismutation et les détruisait.[20] En langage clair, cela veut tout simplement dire que la SOD aide les blessures à guérir. Le rapport scientifique du Dr Boucek comprenait 16 pages, et il m'a fallu user de toutes mes ressources pour le vulgariser et l'expliquer simplement. Cependant, j'aimerais vous raconter une histoire qui, elle, sera peut-être plus facile à comprendre.

## PROJET – LAURÉAT D'UN PRIX

En 1986, une étudiante d'une école secondaire en Indiana a gagné le prix d'État pour un projet en sciences dans lequel sa mère, une infirmière, lui avait aidé à montrer les effets de l'orge verte sur la guérison des blessures.

Dans cette expérience, une incision avait été pratiquée sur l'estomac de deux souris blanches. On avait donné à boire à l'une du jus fait à partir de feuilles vertes de l'orge et l'on en avait également appliqué sur sa blessure. L'autre souris ne reçut aucun traitement. L'expérience a montré que la souris qui avait été traitée a guéri plus vite et beaucoup mieux, et sans complications apparentes, que la souris non traitée. Bien que ce projet ne saurait satisfaire à la rigueur en recherche biologique exigée par le département de la santé publique des États-Unis, le public a été fortement impressionné par cette expérience! La conclusion dans ce projet était facile à tirer : quelque chose dans les feuilles d'orge accélère le processus de guérison. Personnellement, je crois que c'est la SOD, la chlorophylle et les autres nutriments qui ont fait la différence!

Le D$^r$ Irwin Fridovich, du centre médical de l'université Duke, l'un des chefs de file dans la recherche sur la SOD, a fait état d'une autre étude sur la guérison des blessures à la Conférence Harvey, Série 79. Cette étude avait pour but l'étude des dommages causés lorsqu'un chirurgien crée une interruption temporaire du flux sanguin dans un tissu durant une opération chirurgicale. Lorsqu'une telle interruption survient, comme c'est le cas par exemple en chirurgie cardiaque, des tissus s'endommagent car les cellules manquent d'oxygène. Il y a alors formation de radicaux libres. Le D$^r$ Fridovich a affirmé que plusieurs autres rapports scientifiques d'expériences sur des animaux corroboraient également ses résultats.

Selon le D$^r$ Fridovich, l'injection de superoxyde-dismutase réduit la surface de tissus endommagés (l'infarctus) et stimule en retour les neutrophiles.[21] L'un des groupes de la Johns Hopkins School of Medecine, le groupe de Myron Weisfeldt, a aussi fait état de résultats similaires. Voici l'une des observations qu'ils ont formulées : « Au plan des médicaments, la SOD est extrêmement bénigne (inoffensive), et on pourrait l'utiliser facilement sans effets secondaires. »[22]

## LA « SOD » RÉDUIT LES DOMMAGES CAUSÉS AUX TISSUS

La SOD catalyse la réaction de dismutation des anions superoxydes et les transforme en peroxyde d'hydrogène. Cette propriété est très importante pour les personnes souffrant de maladies cardiaques. Des chercheurs du département de médecine de l'université Saint-Louis ont démontré que la SOD contribue grandement au maintien des tissus endommagés du coeur.

À la suite d'une crise cardiaque, la production d'énergie par les cellules diminue de beaucoup. On peut empêcher ou différer les dommages irréversibles que peuvent subir les cellules simplement en administrant des enzymes visant spécialement à fournir de l'énergie aux cellules. La SOD est l'une des enzymes qui stimulent la production d'énergie dans les cellules.

Le D$^r$ James M. Downey, un professeur de physiologie de l'université de l'Alabama du Sud, a démontré à son tour qu'en **administrant de la SOD à des chiens chez qui on avait provoqué artificiellement un infarctus, cette enzyme réduisait l'ampleur de la crise cardiaque de plus de 50 pour cent.** En d'autres mots, la SOD permet de réduire la quantité de muscles qui meurent au cours d'une crise cardiaque.

Le D$^r$ David Hearse, de l'hôpital Saint-Thomas à Londres, a présenté des données préliminaires selon lesquelles la SOD ou des agents similaires prescrits à des rats peuvent réduire de beaucoup l'intensité des arythmies – rythme anormal des battements du coeur. Si la SOD est aussi efficace chez les humains que chez les animaux, elle pourrait réduire dans une très large proportion le taux de mortalité attribuable aux crises cardiaques, diminuer de beaucoup le nombre de décès durant les opérations chirurgicales à coeur ouvert et renforcer subséquemment les fonctions cardiaques.

Au cours des deux dernières années, la John Hopkins University a été l'un des chefs de file dans la réalisation d'expériences sur les animaux, qui ont démontré que la SOD élimine ou réduit de beaucoup les dommages causés aux tissus non seulement du coeur, mais aussi des reins, des intestins, du pancréas et de la peau. **Les feuilles vertes de l'orge constituent une excellente source naturelle de SOD.**

## LA SOD ET LA RÉPARATION DE L'ADN

L'ADN est une autre composante des cellules que les radicaux libres peuvent endommager. Comme nous l'avons déjà mentionné, selon les théories actuelles, c'est l'incapacité des cellules à se réparer elles-mêmes qui provoque le cancer aussi bien que le vieillissement. Nombre de chercheurs croient que la SOD a à peu près les mêmes effets que la $P_4D_1$ sur les cellules prophases de l'ADN. Selon des études menées sous la direction du $D^r$ Hotta, le rythme des réparation était moins rapide lorsque les cellules étaient incubées dans la $P_4D_1$ seule, comparées à celles incubées dans le jus de feuilles d'orge, c'est-à-dire l'une des sources végétales les plus riches en $P_4D_1$.

Une autre étude, dont on a fait état dans le *Environmental Health Perspectives Journal*, a confirmé les résultats du $D^r$ Fridovich. Selon les $D^{rs}$ Puglia et Powell, du département de pharmacologie du collège médical de Pennsylvanie, « Toutes les cellules utilisent de l'oxygène moléculaire (O2) dans le cours de la respiration ou des activités du métabolisme et courent ainsi le risque d'être endommagées par de l'oxygène instable (radicaux libres). Chez les mammifères, l'activité de la SOD semble être la plus intense dans les tissus consommant beaucoup d'O2. Selon des expériences effectuées sur des souris, il semble que la fonction de la SOD est d'empêcher l'endommagement des cellules par des éléments toxiques, sous-produits de l'activité métabolique normale de l'utilisation de l'O2. »[23]

## LA SOD : DÉFENSE CONTRE LES RADICAUX LIBRES

Il est clair, d'après les études que nous venons de citer et nombre d'autres, que la SOD protège les cellules contre les dommages infligés par les radicaux libres. En fait, le $D^r$ Fridovich affirme que ses travaux lui ont permis de conclure que la SOD a un haut niveau de spécialisation envers l'O2 – à la fois in vivo (à l'intérieur du corps) et in vitro (en laboratoire), et qu'une très grande variété d'effets secondaires néfastes pourraient être évités ou éliminés au moyen de la super- oxyde-dismutase.[24] La raison pour laquelle nous avons moins de chances de contracter une pléthore de maladies avec cette enzyme est évidente : la SOD nous protège !

## LA SOD, LES RADICAUX LIBRES ET LE VIEILLISSEMENT

On poursuit également des recherches sur la SOD depuis au moins 20 ans afin de déterminer ses effets préventifs sur le processus de vieillissement. Étant donné que l'on sait que les radicaux libres endommagent les cellules et que celles-ci peuvent mourir, causant ainsi le vieillissement, est-il possible que la SOD puisse renverser le processus du vieillissement ? Selon nombre d'études, c'est non seulement possible, c'est vrai !

Richard Cutler, un biophysicien du National Institute of Aging (institut national du vieillissement), est l'un des chercheurs convaincus qu'il est possible de prolonger l'espérance de vie de 5, 10 ou 15 années – tout en demeurant en parfaite santé !

Puisque je parle de ce sujet, j'aimerais insister sur le fait que le vieillissement intervient dans les cellules et les tissus privés des éléments nutritifs dont ils ont besoin pour se reproduire et réparer les dommages causés quotidiennement par les toxines, les poisons, les produits chimiques, les carcinogènes, les radiations, les maladies, et le manque d'enzymes, d'oxygène et d'eau.

**L'orge verte constitue une thérapie alimentaire pour un très grand nombre d'affections cellulaires. Elle contient un juste équilibre de vitamines B1, B2, B6, B12, de niacine, de vitamines A, E et C, ainsi qu'une grande variété de minéraux, qui ont sans aucun doute un impact sur la santé des cellules et des tissus, préservant ainsi le corps du vieillissement ou d'une trop courte espérance de vie.**

La recherche scientifique a établi clairement que l'activité de la SOD est moins prononcée chez les animaux âgés que chez les jeunes. Selon le D$^r$ Richard, l'espérance de vie de plusieurs espèces de mammifères, y compris l'humain, est directement proportionnelle à la quantité de SOD contenue dans leurs cellules. Les espèces qui ont l'espérance de vie la plus longue affichent également les niveaux les plus élevés de SOD au niveau cellulaire.[25]

En s'inspirant de ces résultats, des biologistes travaillant sur les molécules ont étudié plusieurs types de la même espèce de moisissure et ont découvert récemment que celles vivant le plus longtemps étaient celles qui étaient les plus riches en SOD. Ce résultat est intéressant, parce qu'il suggère qu'en augmentant la concentration de SOD dans les cellules, on pourrait allonger la vie considérablement.

Kenneth Mundres, biologiste moléculaire, et ses collègues de l'université du Wisconsin sont en train de poursuive des recherches qui tendent à confirmer la théorie selon laquelle la SOD peut véritablement différer et ralentir le processus du vieillissement.

Par conséquent, à mesure que le rôle de cette enzyme est mieux compris, la SOD devient de plus en plus populaire. En fait, j'ai lu certains commentaires de quelques enthousiastes qui pensent qu'en « baignant leurs cellules » dans cette « fontaine de Jouvence », ils pourront prolonger leur vie indéfiniment.

Bien qu'il puisse être vrai que la SOD diffère le processus du vieillissement, je ne crois pas que la science trouvera jamais la panacée contre le vieillissement et la mort. Nous mourrons parce que la mort a frappé notre race à cause d'un homme nommé Adam, et nous ne pourrons jamais rien changer à cet état de chose ! Cependant, les données scientifiques semblent indiquer que la SOD permet d'améliorer la qualité de la vie jusqu'à un âge avancé.

**D'autres études ont révélé que l'orge verte peut aider les cellules endommagées par des radiations.** Toute forme de radiation produit des radicaux libres, y compris l'exposition prolongée au soleil (comme c'est souvent le cas dans l'État d'Arizona, où j'habite), les écrans d'ordinateur et de télévision, les rayons X, l'irradiation des aliments, les fours à micro-ondes et les retombées des déchets atomiques.

Il est clair que les enzymes, spécialement la SOD, la glutathione-peroxydase, la méthione-réductase et la catalase sont les antioxydants les plus puissants auxquels le corps fait appel comme première ligne de défense contre les radicaux libres issus des radiations. Heureusement pour nous, la nature a prévu un excellent moyen pour que nous fassions provision de ces enzymes : la consommation de nutriments en quantité requise, de bonne qualité et de toutes sources, y compris les suppléments enzymatiques.

## LA SOD ET LES TUMEURS

L'inhibition des tumeurs grâce à la SOD est le dernier sujet que je voudrais toucher dans ce chapitre. Les résultats d'un grand nombre de travaux de recherche, tant aux États-Unis qu'à l'étranger, indiquent que la SOD peut inhiber certaines réactions biochimiques et biologiques, « renforçant ainsi les arguments selon lesquels les radicaux de l'oxygène jouent un rôle dans le processus de carcinogénèse, et que la SOD et d'autres composés similaires contribuent à sa prévention en favorisant un état homéostatique au sein de la cellule. »[26]

## LES FEUILLES D'ORGE : UNE SUPERSOURCE DE SOD !

En conclusion, n'est-il pas merveilleux que **la nature nous ait donné un aliment – les feuilles d'orge – qui peut grâce à ses enzymes et coenzymes (en plus des acides aminés, des minéraux, de la chlorophylle, etc.) donner à nos cellules les armes de base dont elles ont besoin tant pour conserver la santé que combattre les maladies.** L'addition d'une cuillerée à thé ou deux (2 à 4 g) par jour d'orge verte sous forme de poudre ou de comprimés à votre régime alimentaire constitue le meilleur moyen (et le plus économique) d'améliorer votre qualité de vie. Les feuilles vertes de l'orge constituent un aliment doté d'une véritable puissance enzymatique !

## CHAPITRE X

# Vitamines et minéraux de l'orge verte

## UN APPORT ÉQUILIBRÉ DE VITAMINES CHELATÉES D'ORIGINE NATURELLE

Les gens se rendent compte de plus en plus qu'un apport suffisant de toute la gamme des vitamines est indispensable à leur santé. Bien souvent, les aliments qui contiennent en soi beaucoup de vitamines n'ont guère de valeur s'ils ont été transformés, car le processus peut modifier ces vitamines.

Par exemple, sous l'effet de la chaleur, le fer que renferme un aliment se transforme en oxyde de fer, qui résiste à l'absorption par l'organisme. Pour traiter l'anémie, les préparations dont le fer se présente sous cette forme sont populaires mais ne favorisent guère l'hématopoïèse, c'est-à-dire la formation des globules sanguins. L'orge verte, elle, contient du fer aux liaisons organiques (fer bivalent) et peut être absorbée directement à partir du tube digestif.

J'insiste sur le fait que les vitamines de l'orge verte n'ont pas été isolées puis recombinées : elles sont présentes dans leur état naturel (chelaté), formant avec d'autres éléments nutritifs des corps composés naturels. Mélangez ensemble des quantités identiques de produits chimiques isolés ou anthropiques et vous N'OBTIENDREZ PAS les mêmes résultats.

## LES FEUILLES D'ORGE, SOURCE DE PRÉCIEUX CAROTÈNE

Les données de la science confirment la valeur des carottes et des légumes verts. Elles nous apprennent que le bêta-carotène protège les cellules phagocytaires des perturbations radicalaires. Cette substance stimule la production des lymphocytes T et B et renforce la capacité des macrophages, des cellules cytotoxiques et des cellules T tueuses d'arrêter la croissance des tumeurs et des cellules cancéreuses.[1]

Et figurez-vous que dans tout cela, il n'y a aucun effet secondaire indésirable. Si vous consommez trop de bêta-carotène, ce qui est d'ailleurs pratiquement impossible, il y a dans la cellule une recette qui permet à cette dernière de se débarrasser de l'excédent sans que les cellules, les tissus et les organes ne s'en ressentent de quelque façon que ce soit. On ne peut certainement pas en dire autant des substances synthétiques, n'est-ce pas?

D'après des études effectuées chez le rat, l'apport de doses suffisantes de bêta-carotène dans le régime alimentaire de cet animal prévient ou réduit les infections des oreilles, de la vessie, des reins et des intestins. Des enfants souffrant d'infections persistantes des oreilles se portaient mieux en consommant davantage de carotène alimentaire.[2]

Je me demande pourquoi de nos jours, les médecins recommandent des antibiotiques (qui coûtent cher, peuvent être dangereux et donnent des résultats médiocres) plutôt que du bêta-carotène. Serait-ce un autre exemple de l'incapacité de la médecine moderne de reconnaître la supériorité des moyens de protection et de guérison qu'a prévus le Seigneur? Ces moyens nous sont offerts dans la nutrition et je suis curieux de savoir si un jour, ici en Amérique, nous aurons le privilège de voir les médecins le reconnaître.

Combien de bêta-carotène vous faut-il tous les jours? Évidemment, les autorités ne sont pas unanimes. D'après une étude effectuée à l'Université d'Arizona à Tuscon, une seule capsule de 30 milligrammes de bêta-carotène (l'équivalent de ce que l'on retrouve dans une demi-douzaine de carottes) a fait reculer la leucoplasie précancéreuse chez plus de 75 pour cent des patients sans provoquer d'effet secondaire toxique.[3]

La plupart des autorités s'entendent pour dire qu'une portion QUOTIDIENNE d'une demi-tasse d'un légume vert foncé (choux à rosettes, feuilles de navet, choux verts, épinards) ou une portion d'un légume jaune foncé (patates douces, courge, carottes) suffit à l'organisme.

Les pousses d'orge en poudre contiennent de bonnes quantités de bêta-carotène et il ne faudrait donc pas hésiter à en prendre une ou deux cuillèrées à thé tous les jours. Il s'agit d'une façon pratique et peu coûteuse de satisfaire en grande partie notre besoin de bêta-carotène.

## LA FOLIE DES VITAMINES

Depuis une vingtaine d'années, la « folie des vitamines » s'est emparée d'un grand nombre de fervents de la santé. Je suis convaincu qu'en général, ils ne s'en portent pas plus mal pour autant, mais il faut prendre garde de ne pas se laisser aller à des extrêmes afin d'éviter les effets secondaires. Même les vitamines, surtout les vitamines isolées, peuvent créer des déséquilibres dans l'organisme.

L'hypervitaminose est une affection causée par la surconsommation de vitamines et survient presque toujours **lorsqu'il s'agit de préparations de vitamines synthétiques; les vitamines naturelles ne sont pratiquement jamais en cause.** Comme l'orge verte contient des vitamines qui sont à l'état naturel, son ingestion ne peut surcharger l'organisme d'une vitamine quelconque.

Ainsi, un apport massif de vitamine A peut être néfaste, mais seulement s'il s'agit de vitamine A brute. Le carotène de l'orge verte s'appelle la provitamine A et ne se transforme en vitamine A que sous l'action de l'organisme; cette substance ne peut pas déclencher l'hypervitaminose.

L'orge verte est une excellente source de vitamines naturelles vivifiantes et tout supplément alimentaire peut selon moi se limiter à elle. Toutefois, si vous êtes habitué à un apport régulier de vitamines plus important que celui qu'offre l'orge verte, rien ne vous empêche d'y ajouter cette dernière. Personnellement, aux deux multivitamines que j'ai toujours prises j'ajoute maintenant 1 à 3 cuillèrées à thé quotidiennes d'orge verte et je me sens en meilleure forme que lorsque je ne consommais que les multivitamines.

## LA QUALITÉ : PLUS IMPORTANTE QUE LA QUANTITÉ

Quel que soit votre choix, je vous recommande de consommer uniquement des vitamines extraites d'aliments et non des vitamines synthétiques. Je sais bien que dans le laboratoire, de nombreuses vitamines synthétiques semblent identiques à celles provenant de la nature, mais je persiste à penser que leur action dans l'éprouvette et leur action dans l'organisme ne sont peut-être pas les mêmes.

En définitive, les sources les plus saines et les plus sûres d'une bonne nutrition sont les céréales, les légumineuses, les légumes (y compris les plantes vertes) et les fruits. L'ingestion de grandes quantités d'aliments non naturels au contenu organique-inorganique déséquilibré provoque invariablement des effets néfastes.

Voici pour votre gouverne un tableau comparatif de la teneur en vitamines des feuilles d'orge en poudre et de certains autres aliments courants.

### TABLEAU 6

### COMPARAISON DE LA TENEUR EN VITAMINES DE L'ESSENCE D'ORGE VERTE (5 g) ET DE CERTAINS ALIMENTS COURANTS (portions moyennes)*

|  | Vit. A (U.I.) | Vit. $B_1$ (mg) | Vit. $B_2$ (mg) | Vit. C (mg) |
|---|---|---|---|---|
| **Légumes** | | | | |
| Orge verte | 287 | 0,029 | 0,049 | 4,2 |
| Brocoli | 1 940 | 0,070 | 0,155 | 70,0 |
| Chou de Bruxelles | 405 | 0,060 | 0,110 | 67,5 |
| Chou | 95 | 0,030 | 0,030 | 75,0 |
| Maïs | 330 | 0,090 | 0,085 | 6,0 |
| Haricots verts | 340 | 0,045 | 0,055 | 7,5 |
| Petits pois | 430 | 0,225 | 0,090 | 16,0 |
| Patates | traces | 0,075 | 0,035 | 15,5 |
| **Fruits** | | | | |
| Pommes | 40 | 0,030 | 0,020 | 20,0 |
| Bananes | 145 | 0,040 | 0,045 | 70,5 |
| Oranges | 180 | 0,090 | 0,035 | 450,0 |
| Pêches | 1 130 | 0,015 | 0,030 | 60,0 |
| Ananas | 55 | 0,070 | 0,025 | 130,0 |

*Les teneurs pour l'orge verte proviennent de *Green Barley Essence*, Yoshihide Hagiwara, M.D. Toutes les autres teneurs proviennent de *The Agricultural Handbook #56*, Nutritive Values of American Foods in Common Units, Service de recherche agricole, Département de l'Agriculture des États-Unis, 1975.

## LES MINÉRAUX : TOUS PRÉSENTS

L'existence de tous les organismes vivants, de leur naissance à leur mort, tourne autour des minéraux. L'homme est né de la poussière de la terre. On trouvera les mêmes minéraux dans les cendres d'une plante que dans celles d'un homme. Contrairement aux plantes toutefois, l'organisme humain ne peut tirer directement de son milieu ni fabriquer les minéraux qui lui sont indispensables. Les aliments que nous consommons en sont notre unique source.

Entre autres fonctions, les minéraux maintiennent l'équilibre du pH dans notre corps. S'il y a perturbation de la relation acide-alcalinité, notre métabolisme cellulaire en souffre et cela peut provoquer toutes sortes d'affections. Nos cellules maintiennent cet équilibre grâce à un processus ininterrompu d'ingestion, d'assimilation et de sécrétion de différents minéraux.

Les enzymes, agents moteurs du métabolisme, ne sont efficaces que si les minéraux appropriés sont dissous dans le cytoplasme sous la forme d'ions. Toutes les transformations chimiques à l'intérieur de nos cellules se produisent sous l'action des enzymes et les minéraux jouent un rôle tellement important dans le processus que l'on pourrait les appeler les enzymes des enzymes !

Si les minéraux appropriés à l'état ionisé ne sont pas présents, la plupart des enzymes cessent de fonctionner efficacement, voire même s'arrêtent complètement. Si l'on se prive les aliments riches en minéraux utiles ou si l'on consomme abusivement des aliments à haute teneur en minéraux indésirables, l'organisme ne pourra donner son plein rendement.

## OÙ SONT PASSÉS TOUS LES MINÉRAUX?

En Amérique, les gens souffrent d'une carence en minéraux parce qu'ils ne consomment pas assez de céréales et de légumes. Le squelette d'un homme mort aujourd'hui contient moins de potassium et d'autres minéraux que le squelette d'un homme mort au début du siècle.

Non seulement consommons-nous moins d'aliments riches en minéraux, ceux que nous consommons se sont appauvris. Les méthodes modernes d'exploitation agricole accélérée, en plus de polluer le sol de produits chimiques industriels, le délavent chimiquement de son énergie essentielle. De plus, les automobiles et les usines rejettent dans l'atmosphère en quantités toujours plus grandes des composés azotés qui se transforment en acide nitrique et en acide sulfurique (pluies acides).

Ces pluies acides provoquent la dissolution progressive des métaux alcalins du sol, privant ce dernier du potassium et du magnésium et des autres minéraux essentiels à la vitalité de toutes les formes de vie. La plupart des fruits et légumes que nous consommons aujourd'hui ont été cultivés dans un tel sol au moyen de telles méthodes et leur vitalité est donc beaucoup moindre qu'autrefois, par exemple il y a même cinquante ans.

## LE SEL : NATUREL ET TRANSFORMÉ

De plus, il y a des minéraux, comme le phosphore et le sodium (sel), que nous absorbons en quantités beaucoup trop grandes. L'organisme n'a besoin que de 2 grammes de sel par jour, mais la plupart d'entre nous consomment 10 fois cette quantité. Ce qui rend la situation encore plus grave est le fait que le sel que nous utilisons aujourd'hui est fabriqué par des procédés à membrane par échange ionique et est un produit chimique réactif du chlorure de sodium pur à 99.9 pour cent. Le sel naturel contient du bittern mélangé à des minéraux comme le potassium, le calcium et le magnésium, dont le sel d'aujourd'hui est dépourvu.

Un poisson vivra une semaine dans une solution de sel naturel, mais mourra dans quelques heures s'il s'agit du sel que nous consommons aujourd'hui. Le sel agit beaucoup sur nos cellules et la pauvreté en minéraux de notre variété actuelle de sel de table devrait être un sujet de préoccupation. A mon avis, elle y est pour quelque chose dans le déclin général de notre état de santé et, surtout, dans l'augmentation de la cardiopathie, de l'hypertension et de la fatigue. Payez un peu plus cher et remettez le sel de mer naturel sur la table. D'ailleurs, presque tous, nous consommons trop de sel.

## RICHE EN POTASSIUM

L'orge verte est très riche en potassium, lequel s'emploie à redresser cet apport massif de sodium. Voyons comment. La présence de potassium est surtout importante parce qu'il s'agit d'une substance dont le potentiel ionisant est très considérable. Notre organisme en consomme sans cesse durant le métabolisme énergétique. S'il y a carence en potassium, la pression osmotique de la membrane cellulaire est perturbée. Pour redresser la pression osmotique, le sodium et d'autres ions remplacent le potassium dans les cellules.

S'il y a un apport ininterrompu de ces ions potassium, tout va bien. Par contre, s'il se produit une carence, la quantité de sodium peut atteindre un niveau nuisible. Immanquablement, l'équilibre des ions dans le cytoplasme est perturbé. Certains enzymes continuent de fonctionner, mais d'autres se mettent à battre en retraite ou abandonnent carrément.

Il s'agit d'une condition que nos régimes alimentaires d'aujourd'hui provoquent souvent, parce que la proportion des aliments acides (viandes, amidon, sucres) est élevée et celle des aliments alcalins (surtout les fruits et les légumes) est faible. La surconsommation d'aliments acides combinée à un faible apport de potassium est liée à toute une série d'affections.

Selon un grand nombre d'autorités, l'hypertension et les maladies cardio-vasculaires sont attribuables en partie à la surconsommation de sel et à la présence de sodium en quantités excessives. Toutefois, on a constaté qu'un grand nombre des médicaments prescrits pour faire baisser le niveau élevé de sodium tendent également à dépouiller l'organisme de potassium, dont la carence peut entraîner une baisse de la tension artérielle ou une sensation de fatigue. D'après les recherches, si du potassium est simplement ajouté au régime, il redresse et neutralise les niveaux de sodium et aide à faire diminuer la tension artérielle.

## *L'HYPOKALIÉMIE : UNE CARENCE EN POTASSIUM*

L'hypokaliémie est le résultat d'un carence en potassium dans le sang. Cette affection se manifeste par l'affaiblissement, surtout la fatigue musculaire, et peut entraîner la paralysie. De plus, la cirrhose hépatique est d'une certaine façon une maladie associée à la perte de potassium. Par ailleurs, de nombreux médicaments font baisser dangereusement la quantité de potassium dans l'organisme. Lorsque l'on prend un diurétique ou de la cortisone, l'eau que l'organisme excrète est riche en potassium. Selon le docteur Hagiwara, une telle thérapie doit être suivie d'une absorption de potassium sous une forme complètement naturelle.[4]

De plus, le mouvement des muscles s'accompagne de la libération de potassium. Notre coeur et nos vaisseaux sanguins ne cessent de se contracter et de se détendre sans le moindre répit pendant toute notre vie. Que se passe-t-il s'ils manquent de potassium? Les muscles résistent fortement à la libération de potassium et si la carence en potassium est exacerbée par la consommation continue d'aliments acides surchargés de lipides et pauvres en minéraux, le cholestérol et les déchets s'accumulent dans les vaisseaux sanguins.

Les maladies du coeur qui frappent les gens à partir de la quarantaine, comme l'infarctus du myocarde, n'épargnent surtout pas ceux qui mangent avec abandon et qui sont trop souvent victimes de stress. Le stress est un autre facteur qui intervient dans la libération de potassium. L'orge verte fournit le potassium qui permet de combattre ces affections.

Si vous vous étonnez que toutes ces maladies puissent avoir un rapport quelconque avec une simple carence en potassium, prenez comme analogie le moteur de votre voiture. Il lui faut cinq litres d'huile, et si vous roulez constamment avec le niveau ne dépassant pas deux litres, vous allez finir par tout bousiller et rien n'ira plus. Notre corps est semblable. Privez-le de l'ingrédient clé qui lui permet de fonctionner et il va se mettre à un moment donné à faire défaut.

Le premier signe d'une carence en potassium est ordinairement la fatigue. Du point de vue métabolique, il y une différence entre la fatigue causée par l'effort physique ou intellectuel soutenu et la fatigue causée par le manque de sommeil, mais celles-ci partagent un dénominateur commun : une accumulation de sodium et une perte de potassium. La tension ou la fatigue musculaire se manifestent si l'organisme contient trop de sel ou manque de potassium.

Le docteur Hagiwara demande : « Qu'arrive-t-il à ceux dont le régime présente sans cesse une carence en potassium ? » Comme le corps est doté d'un mécanisme d'autodéfense, il fera tout pour emmagasiner le potassium à l'intérieur des cellules. S'il y a danger d'absence complète de potassium, l'organisme essaie d'empêcher la sécrétion de potassium et renonce à tout travail musculaire intense.

« La mise à contribution des facultés intellectuelles et du système nerveux, poursuit-il, devient ardue, situation qui pousse l'organisme à cesser la sécrétion de potassium et qui provoque la somnolence et l'alanguissement. Si vous voyez que vous êtes dans un tel état, prenez du potassium et les cellules retrouveront leur vigueur et raviveront le métabolisme énergétique. »[5]

Si vous êtes toujours fatigué, essayez l'orge verte et voyez si vous constaterez une différence. Il y des années que je pratique « une saine alimentation », pourtant cette substance me donne plus d'énergie – et elle pourra en faire autant pour vous, j'en suis sûr.

## LE BILAN PHOSPHORE

Le phosphore est un autre minéral que nous absorbons en trop grande quantité. Cela est particulièrement vrai de l'acide phosphorique. Dans des expériences où des souris ont reçu diverses proportions de calcium et de phosphore, les cas de malformation des os devenaient plus fréquents au fur et à mesure que les quantités de phosphore augmentaient. Le même phénomène se produisait chez les fœtus de souris enceintes. Évitez l'acide phosphorique, présent surtout dans les boissons gazeuses. Ces concoctions sont rafraîchissantes sur le coup, mais à long terme, elles sont source d'ennuis. Cessez-en la consommation et ne laissez pas vos enfants y toucher. Elles détruisent les dents et les os et perturbent l'action du calcium.

Par exemple, l'hypocalcémie est une maladie entraînée par la réduction des concentrations de calcium dans le sang. Elle se manifeste par des problèmes des os, l'ostéomalacie, l'excitation anormale des nerfs ou des désordres de la glande parathyroïde. Je ne peux pas le prouver, donc je ferais bien de ne pas dire ce que je soupçonne être la cause de la maladie de Kaschin-Beck. Mais de grâce, surtout si vous êtes enceinte, ÉVITEZ L'ACIDE PHOSPHORIQUE !

Il y a tellement d'aliments que nous consommons, surtout les viandes, qui sont riches en phosphore et pauvres en calcium. C'est l'inverse dans le cas de l'orge verte, qui peut aider à contrebalancer l'excédent de phosphore et promouvoir ainsi une meilleure utilisation de tous les minéraux. Toute carence en l'un des minéraux nuit à notre capacité de profiter des autres. (Par exemple, tant l'hypokaliémie que l'hypocalcémie peuvent être provoquées par une carence en magnésium dans les liquides organiques.)

L'orge verte renferme des minéraux dont la gamme et la quantité sont supérieures à ceux de tout autre aliment reconnu comme étant riche en minéraux. Grâce au varech qu'elle contient, on y trouve également des traces de l'ensemble des quatorze autres minéraux, notamment le molybdène, l'iode, le germanium, le sélénium et le lithium, tous dans leur état organique brut.

Le docteur Hagiwara explique : « Dans les viandes et légumes frais, les minéraux sont liés à l'état organique aux enzymes, aminoacides et sucres des cellules. En langage scientifique, ils s'appellent des minéraux liés organiquement (chelatés). Toutefois, sous l'action de la chaleur ou de la congélation, l'acide silicique, l'acide phosphorique et d'autres composés viennent s'ingérer dans les liaisons de ces minéraux et transforment ces derniers en un état inorganique réfractaire à l'absorption. » Soulignons encore une fois que les minéraux que contient l'orge verte n'ont pas été lyophilisés et se trouvent toujours dans leur état biochimique original, facile à absorber.

Voici pour votre gouverne un tableau comparatif de la teneur en minéraux de l'orge verte et de certains aliments courants.

## TABLEAU 7

### COMPARAISON DE LA TENEUR EN MINÉRAUX DE L'ESSENCE D'ORGE VERTE (5 g) ET DE CERTAINS ALIMENTS COURANTS (portions moyennes)*

|  | CALCIUM | PHOSPHORE | FER | SODIUM | POTASSIUM |
|---|---|---|---|---|---|
| **Légumes** | | | | | |
| Orge verte | 55,4 | 29,7 | 0,79 | 31,0 | 445,0 |
| Brocoli | 68,0 | 48,0 | 0,60 | 8,0 | 207,0 |
| Chou de Bruxelles | 25,0 | 56,0 | 0,90 | 8,0 | 212,0 |
| Chou | 32,0 | 155,0 | 0,20 | 10,0 | 118,0 |
| Maïs | 2,5 | 73,0 | 0,51 | trace | 136,0 |
| Haricots verts | 31,5 | 23,0 | 0,40 | 2,5 | 95,0 |
| Petits pois | 18,0 | 79,0 | 1,50 | 1,0 | 157,0 |
| Patates | 4,5 | 32,0 | 0,40 | 1,5 | 221,0 |
| **Fruits** | | | | | |
| Pommes | 4,5 | 6,5 | 0,20 | 0,50 | 69,0 |
| Bananesl | 6,0 | 19,5 | 0,56 | 1,0 | 278,0 |
| Oranges | 37,0 | 18,0 | 0,35 | 1,0 | 180,0 |
| Pêches | 7,5 | 16,0 | 0,45 | 1,0 | 172,0 |
| Ananas | 14,5 | 6,5 | 0,40 | 1,5 | 122,0 |

*Les teneurs pour l'orge verte proviennent de *Green Barley Essence*, Yoshihide Hagiwara, M.D. Toutes les autres teneurs proviennent de *The Agricultural Handbook #56*, Nutritive Values of American Foods in Common Units, Service de recherche agricole, Département de l'Agriculture des États-Unis, 1975.

# *Partie 2*

## AVIS IMPORTANT

Ce livre est un ouvrage de recherche qui ne mentionne aucune marque de commerce. Dans les pages de témoignages (p. 179 à 230), "n.p." veut dire "nom du produit". Le produit dont il s'agit dans cette étude est le BARLEYGREEN, qui a été mis au point par le Dr. Y. Hagiwara, éminent médecin et scientifique du Japon, après 20 ans de recherche. ATTENTION : Aucun autre produit d'orge verte présentement sur le marché ne répond aux mêmes critères relativement à la préservation des enzymes et des autres nutriments, sauf le "Green Magma", produit également préparé selon la méthode du Dr. Hagiwara, mais qui ne contient pas de varech. On ajoute du varech au Barleygreen pour tirer parti des minéraux qu'offrent les algues marines.

## CHAPITRE XI

# Un mot à l'intention de mes lecteurs

Comme je l'ai dit dans le prologue, la principale raison pour laquelle j'ai écrit ce livre sur les feuilles vertes de l'orge est d'inciter tous les gens dans le monde entier, et les Nord-Américains en particulier, à améliorer leur santé précaire en équilibrant mieux leur régime alimentaire.

Étant donné que je suis persuadée que le moyen qui s'avère le meilleur, le plus facile, le plus rapide et le moins coûteux d'accroître la concentration de nutriments dans un régime est de prendre chaque jour une cuillerée à thé ou deux (2 à 4 g) de poudre d'orge verte, j'ai fait de mon mieux pour vous en expliquer les propriétés au point de vue scientifique. J'espère également que la plupart d'entre vous aurez maintenant le goût de lire le livre que j'ai écrit à ce sujet, et qui s'intitule *The Spiritual Roots of Barley*. Ce livre ajoute une dimension profonde à ce merveilleux aliment qu'est l'orge.

Voilà ! Maintenant il n'en tient plus qu'à vous ! Il va de soi que le choix de bons aliments et la préparation de repas nutritifs pour vous-même et votre famille peut coûter un peu plus cher. Cependant, n'oubliez pas que NÉGLIGER de prêter attention à vos habitudes alimentaires pourrait vous coûter encore beaucoup plus cher !

J'ai consacré plus d'une année de ma vie à rédiger ce livre. Si, après l'avoir lu, vous décidez de modifier votre régime alimentaire, écrivez-moi et laissez-moi savoir quels changements vous y avez apportés. Voici mon adresse :

Mary Ruth Swope, P.O.B. 62104, Phoenix, Arizona, USA 85082.

## PUISSANCE DE LA NUTRITION EN ACTION : « CHÈRE D$^r$ SWOPE »

Passez dans mon bureau; je vous permets de lire par-dessus mon épaule. Vous prendrez connaissance des « coïncidences » remarquables dont ont bénéficié les gens qui consomment régulièrement des feuilles d'orge. Le merveilleux système que constitue le corps humain, qui a la propriété de se guérir lui-même, vous émerveillera par sa rapidité d'action et son efficacité lorsqu'on lui donne des aliments riches en nutriments, tels que l'orge verte en poudre ou en comprimés. Quand ce système obtient les quantités requises de tous les éléments nutritifs essentiels à son fonctionnement, il peut alors effectuer ce qu'il a été conçu pour réaliser : un état de vibrante santé et une très forte résistance aux maladies !

Vous m'avez entendu à plusieurs reprises faire état de ma ferme conviction dans les pouvoirs régénérateurs que recèle l'organisme humain. J'aimerais maintenant vous dire quand et comment j'en suis venue à cette conviction.

## RENCONTRE AVEC LE « DOCTEUR NUTRITION »

J'ai entendu parler du D$^r$ Nutrition pour la première fois peu de temps après le début de mon tout premier cours en nutrition, lorsque j'étais en seconde année à l'université d'État de l'Ohio.

On avait demandé aux étudiants de nettoyer les cages à souris au laboratoire de recherche de l'école médicale de l'université, et j'y étais astreinte mois aussi. (Ceci se passait à l'époque où la science médicale dans son ensemble n'avait pas encore abandonné la nutrition comme moyen efficace de promouvoir et de restaurer la santé.) C'est alors que j'ai pu observer les différences dans les caractéristiques physiques des souris auxquelles on donnait différentes rations.

J'ai pu facilement constater, même sans aucune formation théorique en nutrition, que les souris privées de vitamine A avaient la vue faible, des croûtes sur les paupières et des amas de pus aux coins des yeux. Contrairement à l'épaisse fourrure luisante du groupe au « régime alimentaire parfait », ces souris n'avaient qu'une fourrure clairsemée et terne, et leurs griffes acérées laissaient des marques sur la peau à force de se gratter. Elles étaient plus petites et, de toute évidence, en bien plus mauvaise santé que les autres souris.

Il était également évident, sans avoir besoin de lire des volumes sur la nutrition, que ces symptômes étaient attribuables à l'absence des nutriments à l'étude dans leur régime alimentaire. Ce qui est tout à fait étonnant, par contre, c'est que lorsqu'on restaurait les nutriments manquants en quantités requises dans leur régime, il devenait impossible en seulement quelques jours de distinguer entre les souris qui avaient été malades et celles qui avaient toujours reçu un « régime parfait ». Cette expérience m'a enseigné une leçon que je n'ai jamais oubliée : le « docteur Nutrition » existe vraiment !

**Pour moi, le VÉRITABLE « docteur Nutrition » c'est notre mère Nature.** Le plan parfait pour l'alimentation de l'humanité et celle des animaux a été mis en oeuvre avant même que l'homme ne fasse son apparition sur la planète. (Cette histoire nous est racontée d'ailleurs dans Genèse, au chapitre 1.)

Je suis fermement convaincue qu'on ne pourra jamais démentir cette vérité, quelque moyen qu'on emploie pour la cacher, même en adoptant des lois visant à oblitérer ce concept en faveur d'une « meilleure approche ». **La vérité, évidemment, est que le corps se restaure, se guérit et se renouvelle lui-même et crée aussi sa propre énergie.**

Le « docteur Nutrition » l'emportera toujours sur le « docteur Médicament » comme moyen de prévention des maladies et du maintien de la santé. Le « docteur Médicament » peut sauver la vie en période de crise, mais il n'est pas la source du bien-être en soi. Non, la source du bien-être c'est plutôt la grande variété des aliments naturels qui contiennent la très grande diversité des nutriments dont le corps a besoin pour croître, restaurer ses tissus et se maintenir en santé.

Il ne faut pas oublier que je ne prétends pas que les feuilles d'orge constituent une « cure » contre une maladie ou une affection en particulier. Non, il s'agit en fait de quelque chose de bien plus profond. Je vous invite maintenant à partager l'expérience de certaines personnes qui ont opté pour le mieux-être, en consommant chaque jour des produits de l'orge verte.

# *PROJET DE RECHERCHE :*

## *OPINIONS DE CONSOMMATEURS D'ORGE VERTE*

Il y a des années, la documentation sur la recherche médicale et nutritionnelle ainsi que ma propre expérience dans la recherche en laboratoire sur les animaux m'ont appris quelque chose que je n'ai jamais oublié et dont je n'ai jamais douté. Il est très facile d'induire des changements cliniques (maladies) dans des animaux par la malnutrition, et il est également tout aussi facile de restaurer la santé de façon rapide et spectaculaire (cure) chez des animaux mal nourris en leur redonnant une alimentation saine. En d'autres mots, quels que soient les maux engendrés par un mauvais régime alimentaire, un bon régime les corrigera forcément. Les nutriments sont des agents de transformation et transforment en fait les cellules malades en cellules saines. Des millions de personnes en ont déjà fait l'expérience !

Forte de cette conviction, j'ai choisi une marque de commerce sous laquelle se vendaient les feuilles d'orge les plus naturelles, cultivées de manière organique, non traitées, alcalinisantes et très nutritives, et j'ai commencé à en prendre. J'ai aussitôt « constaté la différence » et commencé à en parler aux personnes que je connaissais.

Étant donné que, par la suite, certaines personnes m'ont fait d'excellents commentaires sur ce produit, je me suis demandée s'il avait aussi provoqué des changements cliniques chez les autres utilisateurs. Motivée par cette idée, j'ai commencé à chercher à répondre à la question suivante : Est-ce que l'addition de feuilles d'orge verte au régime alimentaire quotidien produit des effets observables sur la santé ?

Nous avons élaboré un questionnaire et l'avons soumis à 205 personnes qui avaient consommé régulièrement de l'orge verte pendant une année ou plus. Les consommateurs sélectionnés représentaient un échantillon des deux sexes et une grande variété d'âges et de régions du pays.

## *RÉSUMÉ DU QUESTIONNAIRE, DES RÉPONSES ET DES LETTRES*

En tout, 120 personnes ont participé à l'enquête. Les deux tiers ont répondu en se servant des formulaires du questionnaire, et le tiers ont offert des commentaires spontanés.

Sur les 120 répondants, 102 ont fait état de résultats positifs après avoir commencé à prendre l'orge verte, et la plupart de ces répondants ont décrit les symptômes particuliers dont ils souffraient, lesquels sont disparus en utilisant les feuilles d'orge.

Au nombre des répondants, il y en a vingt qui ont fait confirmer par leur médecin les résultats positifs qu'ils avaient obtenus; cinq ont mentionné une amélioration de leur état général de santé et un sentiment de mieux-être, sans toutefois remarquer de changements quant aux symptômes particuliers; onze ont répondu n'avoir éprouvé aucun changement; et deux ont mentionné quelques troubles de digestion, sans amélioration de leurs symptômes. Chez les répondants ayant observé des résultats positifs, le quart ont fait état d'effets de désintoxication allant de légers à prononcés.

Les maladies pour lesquelles on a ressenti le plus de soulagement étaient les suivantes : 25 répondants ont mentionné l'arthrite qui venait en premier lieu; ensuite venait l'hypertension; à égalité au troisième rang on trouvait l'amélioration de la vue, l'amélioration de la couleur de la peau et les rémissions de cancers. En tout, après avoir consommé des feuilles d'orge verte, les répondants ont dit avoir éprouvé un soulagement relativement à 99 symptômes.

Il est intéressant de noter qu'environ un répondant sur dix a rapporté n'avoir éprouvé aucune amélioration. Selon moi, cet état de chose s'explique du fait que beaucoup de gens ne savent pas très bien à quoi s'attendre lorsqu'ils changent leur régime alimentaire. Quand le processus de désintoxication commence, ils se méprennent sur les effets ressentis et arrêtent de prendre le produit. Cependant, l'absence de résultats positifs a probablement plus à voir avec les particularités biochimiques de chaque personne plutôt qu'avec une maladie en particulier, puisque nous avons observé différents niveaux de réaction pour tous les symptômes mentionnés.

*[Nota : Ci-après, l'abréviation [n.p.] (« nom du produit ») sert à désigner la marque de commerce sous laquelle se vend la poudre de feuilles d'orge qui a fait l'objet de cette étude.)*

## *STIPULATION D'EXONÉRATION*

Les témoignages spontanés, tout comme les résultats des question-naires, ont été inclus aux seules fins d'information et d'éducation en nutrition. Rien dans le présent ouvrage doit être interprété comme constituant un avis médical.

**Les produits dérivés de feuilles d'orge naturelles, jeunes et vertes, que l'on consomme sous forme de poudre ou de comprimés, n'ont aucune propriété médicale. Par conséquent, elles ne constituent ni un remède ni un moyen de soulagement, de prévention ou de traite-ment d'aucune maladie, affection ou symptôme.**

Veuillez consulter un médecin ou un autre professionnel de la santé compétent si vos problèmes de santé l'exigent.

# LAISSONS LA PAROLE AUX CLIENTS

## ALCOOLISME

### NOUVELLE ATTITUDE

Je suis un alcoolique et je n'ai pris aucune boisson alcoolique depuis 14 mois. C'est ma soeur qui m'a fait essayer [nom du produit]*. Trois semaines plus tard, je n'avais plus aucun mal de tête, mais le plus grand changement concernait mon attitude mentale. Je suis tellement optimiste maintenant. L'alcool ne me manque plus du tout. Je n'en ressens plus le besoin dans ma vie, et j'ai parlé de ce jus d'orge à plusieurs de mes amis des AA. Ma mémoire s'est aussi beaucoup améliorée.

**– 1244, Austin, Texas**

## ALLERGIES

### CONGESTION, FIÈVRE DES FOINS ET URTICAIRE

J'ai souffert pendant très longtemps de la fièvre des foins et d'urticaire. J'avais très souvent des congestions nasales et à la poitrine, et je passais mon temps à éternuer et à tousser. Après avoir pris [n.p.] pendant deux mois et demi (deux cuillerées à thé par jour), la fièvre des foins a presque disparu. J'ai des problèmes d'urticaire seulement lorsque je mets du vinaigre sur ma salade, et c'est beaucoup moins pire qu'avant. Quelle différence !

**– R28, Tallahassee, Floride**

*L'abréviation [n.p.] (nom du produit) est utilisée pour désigner le produit qui a fait l'objet de cette étude*

## ALLERGIES, ARTHRITE, SINUSITE, EMBONPOINT

Avant de commencer à prendre l'orge verte, je souffrais de plus en plus d'arthrite, d'allergies et d'infections. Je souffrais également de sinusite chronique, de maux de tête, d'écoulements nasaux, d'angine, d'hypertrophie ganglionnaire, et d'enflures aux épaules et aux poignets à cause de mon arthrite.

Je suis agente de bord sur les avions de ligne et chaque fois que je me rendais au travail, mes problèmes s'aggravaient. Je prenais des décongestionnants et des antibiotiques presque chaque jour. Maintenant, je ne garde même pas un mouchoir sur moi et je n'ai pas vu mon médecin depuis des mois, tout simplement parce que les problèmes que j'avais avant de prendre ce produit sont disparus !

Lorsque j'ai commencé à prendre [n.p.], je me suis rendue compte que j'avais de moins en moins besoin de médicaments. Puis un jour, trois ou quatre semaines après avoir commencé, j'ai même oublié d'apporter des médicaments avec moi dans l'avion. Lorsqu'un collègue m'a demandé si j'avais des décongestionnants, je me suis aperçue que je n'en avais pas sur moi !

Je sens que l'orge verte a nettoyé mon organisme à fond. Je n'ai plus de mucus qui s'accumule dans la tête, le nez et la gorge. Je me sens bien ! J'ai de l'entrain pour commencer la journée avec une provision inépuisable d'énergie. J'ai perdu 10 kilos et mon apparence s'est grandement améliorée. Les gens n'en reviennent pas quand je leur dis mon âge. C'est merveilleux !

**-R26, Yorba Linda, Californie**

## POLYARTHRITE RHUMATOÏDE
## ET ALLERGIES

Je finis à peine mon premier contenant de [n.p.] et mes problèmes de sinus, de fièvre des foins et d'allergies se sont envolés. J'ai remarqué également que depuis que j'ai commencé à prendre de ce produit, les enflures occasionnées par mon arthrite diminuaient de jour en jour. Ce produit est une véritable bénédiction et je suis certain que ma santé va continuer à s'améliorer.

**-L49, Los Angeles, Californie**

## ALLERGIES, ARTHRITE, PROBLÈMES RESPIRATOIRES

Dès la première cuillerée à thé de poudre d'orge que j'ai prise j'ai été soulagée de mes douleurs arthritiques et j'ai connu un regain d'énergie dont j'avais d'ailleurs grand besoin. Je n'ai pas manqué d'énergie depuis, c'est-à-dire tant et aussi longtemps que je prends [n.p.].

Je souffre également de bronchite chronique, d'emphysème léger et de fibrose pulmonaire. Je suis aussi sujette aux pneumonies et à l'accumulation de mucus dans les poumons. Grâce à ce produit, je n'ai pas eu de maux de gorge, de rhumes, de grippes, ni fait de pneumonie cet hiver, ce qui est rare dans mon cas, croyez-moi ! Je dois aussi mentionner que je suis allergique à presque tous les médicaments. C'est pourquoi je suis tellement contente d'avoir trouvé [n.p.]. De plus, il semble que ma vue se soit améliorée depuis que j'ai commencé à prendre ce produit, il y a six mois.

– R33, Durant, Ohio

### MALADIE D'ALZHEIMER

Mon mari et moi prenons maintenant [n.p.] depuis 30 jours et nous sommes très en forme. Nous avons conseillé à ma mère, qui est atteinte de la maladie d'Alzheimer, d'en prendre aussi. Auparavant, elle pouvait à peine se lever de sa chaise sans aide, mais maintenant elle n'a aucun problème à se lever ou à s'asseoir toute seule. Elle dort aussi beaucoup mieux la nuit.

– L267, Zephyrhills, Floride

# ARTHRITE

### ARTHRITE, ECZÉMA, DÉPENDANCE ENVERS LA CAFÉINE

Nous sommes des fermiers qui pratiquons la culture biologique. Nous produisons notre propre nourriture, faisant même la mouture du blé pour obtenir notre propre farine. Nous mangeons de la viande une ou deux fois par semaine, et elle vient des animaux que nous avons élevés avec de la nourriture que nous avons nous-mêmes cultivée. Nous ne consommons pas de sucre et n'en avons pas non plus dans la maison. Nous faisons aussi beaucoup d'exercice. En plus du travail à la ferme, je cours trois kilomètres chaque jour.

Vous vous imaginerez peut-être que j'étais en parfaite santé, mais j'avais l'habitude de prendre une vingtaine de tasses de thé par jour, avant que je prenne la résolution au Nouvel An de ne plus en boire. Je commençais à soupçonner que l'eczéma séborrhéique et les noeuds d'arthrite que j'avais depuis quelque temps étaient causés par la caféine. Ces deux problèmes se sont améliorés dans les quelques jours après que j'ai cessé de boire du thé, mais je n'ai pas pu me débarrasser de ma fatigue chronique jusqu'à il y a quelques semaines, lorsque j'ai commencé à prendre la poudre d'orge.

Ma fatigue s'est envolée en moins de 48 heures après avoir pris ce produit, et ma femme a même remarqué que je paraissais moins vieux que d'habitude. En moins d'une semaine, je n'avais plus aucune trace d'eczéma et je n'en ai jamais fait depuis.

À cause de mon arthrite, j'avais une bosse sur le poignet gauche, des saillies aux médianes des doigts du côté de la paume des mains, ainsi qu'un assez gros ergot au côté intérieur du poignet droit. Les bosses ont cessé de grossir aussitôt que j'ai arrêté la caféine. Elles ont même diminué un peu et elles ne me font plus mal, à moins que je ne le fasse exprès.

Je suis un peu hésitant à vous raconter tout ce qui m'est arrivé; c'est arrivé si vite que j'ai peur que les gens ne me croient pas, qu'ils pensent que j'ai un peu perdu la boule. En moins d'une semaine (environ cinq jours, je crois), la bosse sur mon poignet gauche et les saillies sur mes jointures avaient complètement disparu! La bosse sur mon poignet droit avait elle aussi fondu et mesurait peut-être le dixième de sa grosseur initiale, même je suis persuadé que cette dernière bosse va elle aussi disparaître bientôt.

— L4, Lerna, Illinois

## TROIS TYPES D'ARTHRITE

Ma mère souffrait depuis un certain temps de trois types d'arthrite différents. Nous avions tout essayé, même les injections d'or. Sa maladie avait tellement empiré qu'elle était clouée à un fauteuil roulant et avait constamment besoin de quelqu'un pour prendre soin d'elle. Elle a commencé à prendre trois cuillerées à thé (6 g) de poudre d'orge par jour, et en trois jours seulement elle pouvait aller partout, sans fauteuil roulant ni déambulateur. Maintenant, elle peut prendre son bain seule et préparer ses propres repas.

— L132, Indianapolis, Indiana

## ARTHRITE, ÉNERGIE

...Alors, j'ai décidé d'essayer les feuilles d'orge en poudre. Les douleurs que j'avais aux genoux, causées par l'arthrite, sont disparues après six ou sept jours, ainsi que la douleur aux jointures des doigts et à l'oignon du pied gauche. Lorsque je m'éveille le matin, mes membres semblent s'étirer naturellement plutôt que d'avoir à le faire à coup de volonté. C'est tellement bon de se serrer les mains et de sentir à nouveau le toucher. Maintenant, je sais aussi que mon système immunitaire fonctionne beaucoup mieux.

**– R16, Santa Ana, Californie**

## TOUT ESSAYÉ

Les docteurs m'ont dit que je faisais de l'arthrite. On m'a prescrit les médicaments Naprosyn, Feldene et Motrin, mais aucun ne m'a aidée. J'ai de la douleur aux mains et c'est difficile pour moi de conduire la voiture. J'ai pris une cuillèrée à thé de poudre d'orge verte dans le cabinet de mon médecin et, en seulement quelques minutes, la douleur avait diminué d'intensité. Une heure après, j'avais beaucoup moins mal aux mains. Vu que personne n'avait pu m'aider pendant si longtemps, je ne pouvais pas croire que j'avais trouvé un tel produit !

**– L134, Indianapolis, Indiana**

## POLYARTHRITE RHUMATOÏDE ET HYPOGLYCÉMIE

Je venais juste de passer une période très stressante, à cause de l'arthrite qui me faisait très mal, lorsque j'ai essayé ce produit. Depuis que j'ai commencé à prendre [n.p.], ma polyarthrite rhumatoïde semble en rémission, et j'ai beaucoup plus d'énergie qu'auparavant. Je fais aussi de l'hypoglycémie et, grâce à l'orge verte en poudre, mon niveau de sucre dans le sang est maintenant stable. Ce produit m'assure un flux d'énergie constant toute la journée.

**– R10, Monett, Missouri**

## ARTHRITE, DÉGRADATION DES DISQUES, ENGOURDISSEMENT ET PICOTEMENT AUX MAINS, VARICES ET CRAMPES DANS LES JAMBES, ÉNERGIE

J'ai remarqué une très grande différence depuis que j'ai commencé à prendre [n.p.] On m'avait dit il y a quelques années, lorsque j'avais dû avoir des rayons X à la suite d'un accident d'automobile, que j'avais une maladie dégénérative au dos. Je ne sais pas si c'était l'arthrite ou une autre maladie, mais mes mains devenaient tout engourdies et picotaient. Avant de commencer à prendre l'orge en poudre, on m'avait dit aussi que je devrais subir une opération. Cependant, [n.p.] a guéri mes mains, soulagé mon mal de dos et atténué les crampes et douleurs aux jambes causées par des varices. Une jambe en particulier me faisait très mal, là où j'avais un caillot de sang, mais cela va beaucoup mieux depuis que j'ai fini mon premier pot de poudre d'orge. J'ai aussi beaucoup plus d'énergie !

**– R48, Guttenberg, Iowa**

## ARTHRITE INVALIDANTE DE LA COLONNE VERTÉBRALE

Je souffre d'une arthrite aiguë à la colonne vertébrale, qui affecte toutes les parties de mon corps. J'ai perdu l'usage des jambes, des pieds, des bras et des mains. J'ai commencé à prendre [n.p.] il y a neuf mois, et je crois que ma santé s'améliore de jour en jour. Je ne me porte pas aussi bien que j'aimerais me porter, mais je me sens mieux. Et, grâce à ce produit, je suis certaine que mon état de santé va continuer à s'améliorer à l'avenir.

Je prends une cuillèrée à thé de feuilles d'orge en poudre par jour, diluée dans de l'eau. Après les trois premiers mois, je pouvais me déplacer et me tourner plus facilement dans mon lit. Mon médecin m'a dit que je paraissais plus mobile et détendue. Je prends d'autres suppléments, et je crois qu'ils m'ont été utiles, mais je pense que c'est ce produit qui a véritablement fait la différence.

— R92, Pittsburg, Pennsylvanie

## ARTHRITE, TENDINITE, FATIGUE, TEINT

J'ai convaincu mon mari de prendre de la poudre d'orge verte et ça a soulagé de façon incroyable ses douleurs arthritiques. L'enflure a diminué, les articulations de ses mains lui font moins mal lorsqu'il heurte quelque chose, et son « doigt à ressort » est complètement guéri.

Moi-même, depuis que j'ai commencé à prendre [n.p.], les mains ne m'engourdissent plus la nuit; ça s'est arrêté peu de temps après que j'ai commencé à prendre de l'orge en poudre. Je souffrais également d'une tendinite et ce produit a aidé à soulager la douleur. Grâce aux feuilles d'orge, ma fatigue est disparue presque immédiatement et ma peau semble plus douce et plus moite qu'auparavant; en fait, je n'ai pas eu si bon teint depuis des années !

— L99, Norman, Oklahoma

## SYNDROME D'ARTHRITE DE FIESSINGER-LEROY-REITER

Merci, D$^r$ Swope ! Depuis trente jours que je prends [n.p.] trois fois par jour, mon syndrome de Reiter s'est amélioré de 30 à 40 pour cent. Je me sens aussi mieux quand je m'abstiens de manger du sucre !

— L83, Marysville, Washington

## MAL DE DOS, SENSATION DE FATIGUE

Ce produit m'a débarrassée de cette sensation de fatigue que j'avais le matin et m'a soulagée de mes douleurs arthritiques au dos. Je me suis rendue compte que j'avais moins besoin de prendre d'aspirine pour mes douleurs quand j'ai commencé à prendre de la poudre d'orge verte deux fois par jour.

– R8, Natrona Heights, Pennsylvanie

## MOINS DE MÉDICAMENTS, PLUS D'ÉNERGIE

[N.p.] m'a été d'un immense secours ! J'avais essayé depuis deux ans, à quelques reprises, de cesser de prendre du Feldene, mais en raison de la douleur je ne pouvais jamais m'en passer plus d'un jour ou deux. Ce n'est que lorsque j'ai commencé à prendre l'orge en poudre que j'ai pu complètement arrêter d'en prendre. J'ai remarqué des améliorations après seulement trois ou quatre jours, mon niveau d'énergie a augmenté en seulement une semaine ou deux et, après avoir pris cette poudre d'orge verte chaque jour pendant environ deux mois, j'ai pu cesser de prendre du Feldene.

Maintenant que je prends ce produit depuis environ trois mois, je n'ai recours au Feldene que lorsque j'en ai réellement besoin, soit une fois à toutes les trois ou quatre semaines ! Mon état de santé s'est amélioré de façon remarquable. J'ai tellement plus d'énergie et je peux très bien fonctionner tout en dormant beaucoup moins. Je suis si contente d'avoir finalement pu réaliser mon objectif de réduire ma consommation de médicaments.

– R17, Canyon Lake, Texas

## SOULAGEMENT APRÈS AVOIR ENDURÉ DES DOULEURS PENDANT 23 ANS

J'ai reçu mon premier pot de poudre de feuilles d'orge le 15 avril 1987, et j'ai commencé à en prendre le jour même. Durant tout le mois dernier, j'en ai pris une cuillèrée à thé, mélangée dans du jus, une fois par jour.

Il y a 23 ans, le médecin m'a dit que je faisais de la polyarthrite rhumatoïde. Il y a dix ans, j'ai subi une opération chirurgicale aux deux pieds, au cours de laquelle on a enlevé des dépôts de calcium sur chacun de mes orteils. Au fil des années, l'arthrite s'est propagée à mes mains, à mes genoux et elle atteint parfois mes épaules.

J'amoncelais les factures de médecins et d'hôpitaux depuis 23 ans. J'avais pris tous les médicaments possibles et je souffrais toujours de douleurs, d'oedème, de maigreur et de fatigue chronique.

J'ai pris 800 mg de Motrin quatre fois par jour pendant quatre années. Cependant, depuis que je prends [n.p.], les jambes ne me font plus mal et les enflures et la douleur ont disparu. Au cours des deux dernières semaines, ma santé s'est tellement améliorée que toutes les personnes que je rencontre n'en reviennent pas de voir à quel point je me déplace facilement. L'enflure a tellement diminué qu'aucun anneau ne peut plus me rester au doigt. Je n'ai pris aucun médicament depuis que j'ai adopté les feuilles d'orge.

– L150, Newcastle, Wyoming

# ASTHME

### DORMIR TOUTE LA NUIT

Mon fils de quatre ans avait l'habitude de tousser presque chaque nuit, même si je lui donnais du sirop pour la toux. Depuis qu'il a commencé à prendre [n.p.], il ne tousse plus et l'asthme l'incommode beaucoup moins. Nous pouvons maintenant dormir la nuit, et nous en sommes très reconnaissants !

– L135, Bethany, Oklahoma

### UNE MAUVAISE ANNÉE QUI TOURNE AU MIEUX

Mon fils de huit ans passait une année particulièrement difficile à cause de son asthme et de ses allergies. Nous avons commencé à lui donner des feuilles d'orge en poudre il y a environ sept semaines, et je peux à peine croire ce qui s'est passé. Sa toux est disparue et nous commençons même à apprécier son sens de l'humour. Ses notes à l'école se sont aussi améliorées, et son institutrice a remarqué qu'il pouvait maintenant mieux se concentrer. Son entraîneur au base-ball nous a dit qu'il ne s'était jamais rendu compte que Ryan était aussi doué. Il a grandi de deux pouces et son poids est passé de 30 à 40 kilos. Nous avons réduit ses médicaments pour l'asthme du tiers, et même si le taux de moisissure dans l'air a été particulièrement élevé cette année, il n'a eu aucun problème d'allergies.

L136, Bethany, Oklahoma

### LUTTE CONTRE L'ASTHME PENDANT HUIT ANNÉES

Ma fille aînée lutte contre l'asthme depuis huit ans. L'hiver dernier, c'est devenu tellement grave qu'elle a dû rester à la maison pendant deux mois. Nous avons tout essayé : médecins et spécialistes, tests, injections, médicaments et traitements... mais peine perdue. Puis, en février, l'oncle de mon mari, un biochimiste, nous a téléphoné pour nous parler de [n.p]. Même si personne parmi nos connaissances n'avait jamais entendu parler de ce produit, nous avons décidé de l'essayer.

Les changements qui se sont opérés en Sandy ont été remarquables. Son urticaire, un problème chronique chez elle, est disparue en trois jours. Elle a pu retourner à l'école après une semaine seulement; c'était la première fois en deux mois qu'elle pouvait y aller. Le printemps a toujours été la saison la plus difficile pour Sandy, mais elle devient de plus en plus forte. On l'a acceptée dans l'équipe de course sur piste et elle a pu effectuer trois courses, même en pratiquant une heure avant les compétitions. Au lieu de se retrouver à l'hôpital, elle a fini la journée en faisant du patin en compagnie de ses amies pendant deux heures !

**L137, Bethany, Oklahoma**

## EMPHYSÈME ET ASTHME BRONCHIQUE

Je souffre d'emphysème et d'asthme bronchique. J'ai donc un problème chronique de rhumes et de pneumonies. Depuis que j'ai commencé à prendre l'orge en poudre, je ne suis plus malade aussi souvent. Je sens que mon système immunitaire s'est renforcé.

**– R3, Indialantic, Floride**

# CANCER

## CANCER DU TISSU EPITHELIAL EN RÉMISSION

Il y quatre mois, notre médecin nous a informés que mon mari était en phase terminale d'un cancer appelé épithélioma, du tissu épithélial des bronches. Il doit recevoir le cinquième de six traitements de chimiothérapie la semaine prochaine. Grâce à [n.p.], il n'a pas eu trop de difficultés à suivre ses traitements. Le médecin nous a dit qu'il pense que le cancer est en rémission, étant donné que ses reins et ses intestins fonctionnent mieux et, qu'en plus, son diabète est sous contrôle. Il n'accorde évidemment aucun crédit au jus de feuilles d'orge, qu'il considère comme une simple potion, mais nous avons toujours confiance que ce produit aide mon mari.

**– L23, Romulus, Michigan**

## ÉNERGIE ET MIEUX-ÊTRE

Je suis tellement reconnaissante de connaître [n.p.], à la fois pour la santé et le sentiment de bien-être qu'il me procure. Après des années de lutte contre le cancer et avoir essayé de nombreux produits, celui-ci est assurément le meilleur d'entre tous ! Les douleurs aiguës chroniques que j'ai endurées pendant des années sont finalement disparues.

– L140, Bethany, Oklahoma

## GUÉRISON D'UN CANCER DU SEIN

Au mois d'avril dernier, on m'a appris que j'avais un cancer du sein. Les médecins m'ont dit que je souffrais de la forme la plus maligne des 11 sortes de cancer du sein, le cancer inflammatoire. À cette époque, je n'avais pas encore entendu parler de [n.p.].

Eh bien, j'ai commencé des traitements de chimiothérapie et de radiations, mais j'étais sous l'impression que les docteurs pensaient que ça ne réussirait pas très bien. J'ai suivi quelques traitements de chimiothérapie, mais chaque fois j'étais très malade. Par la suite, j'ai commencé à avoir mal au dos et je suis allée voir une chiropraticienne. Elle m'a dit qu'elle avait entendu dire que la poudre de feuilles d'orge pouvait aider les patients atteints de cancer à suivre leur traitement.

Au point où j'étais rendue, j'étais prête à essayer n'importe quoi. J'ai donc acheté un contenant de [n.p.] et commencé à en prendre chaque jour. Eh bien, cela a très bien fonctionné ! À chaque traitement ma numération globulaire s'améliorait et j'étais moins malade. Je pouvais aussi récupérer des effets de la chimiothérapie beaucoup plus rapidement.

Pour résumer, je m'en suis très bien sortie. Les médecins ont effectué des prélèvements une fois les traitements terminés, et les échantillons ont tous été négatifs ! Je suis convaincue que je dois la vie à ce produit. Après l'aide reçue d'en haut et les prières de mes amis, l'orge verte est le produit auquel je dois d'être encore ici aujourd'hui, et bien en vie !

– L145, Albers, Illinois

## CANCER DE L'ABDOMEN ET CHIMIOTHÉRAPIE

Je crois que [n.p.] m'a beaucoup aidée depuis 10 mois que j'ai commencé à en prendre, et spécialement lorsque je suivais des traitements de chimiothérapie. En janvier 1986, j'ai eu une opération pour enlever un cancer aux trompes de Fallope et quelques taches sur les intestins. J'ai suivi par la suite des traitements de chimiothérapie, soit un traitement par mois pendant huit mois. J'ai commencé à prendre l'orge verte en poudre en mai et, au mois d'octobre, le scanner a révélé... RIEN ! Le médecin ne pouvait pas croire que ma santé s'était autant améliorée et m'a demandé de retourner le voir juste pour s'assurer qu'il ne s'était pas trompé. Ils ont donc effectué une opération chirurgicale exploratrice et n'ont rien trouvé! Le médecin m'a dit que j'étais un cas unique. Je lui ai dit que je prenais ce produit, et il m'a dit, « Vous n'avez qu'à continuer à faire ce que vous faites, parce que vous avez fait des merveilles. »

– R60, Walburg, Texas

## CANCER DU FOIE

Bonnes nouvelles! Selon les résultats du scanner de la semaine dernière, ma tumeur au foie a diminué. Dans l'état actuel des choses, le spécialiste est très optimiste. Il n'y a aucun doute que la chimiothérapie a joué un rôle important dans cette amélioration, mais je suis convaincu que [n.p.] m'a beaucoup aidé. Avant de commencer à prendre [n.p.], la grosseur de la tumeur s'était stabilisée, mais elle n'avait pas rapetissé.

– L66, St. Louis, Missouri

## CANCER DU CÔLON

Je prends du jus de feuilles d'orge depuis cinq mois. Avant de commencer à en prendre, j'avais été opérée pour un cancer du côlon et je me sentais toujours fatiguée et abattue. Depuis que j'ai commencé à consommer de ce produit, je me sens plus forte, et mon dernier examen médical n'a révélé la présence d'aucun cancer. Le médecin dit que je suis maintenant en bonne santé.

– R72, Bangor, Pennsylvanie

## AUGMENTATION DES GLOBULES EN THÉRAPIE DU CANCER

Avant que je commence à prendre [n.p.], il m'était difficile de prendre mes traitements parce que le nombre de leucocytes n'était pas assez élevé. Ce produit m'a permis d'augmenter le décompte de mes globules blancs jusqu'au point où je n'ai presque plus eu à manquer de traitements.

– R1, Point Pleasant, Virginie Occidentale

## DIMINUTION D'UNE BOSSE AU SEIN

Le printemps dernier, j'ai remarqué que j'avais des bosses sur les deux seins. Elles mesuraient environ 7 cm chacune. J'ai commencé alors à prendre l'orge en poudre. Lorsque je suis retournée pour un examen en décembre, le médecin m'a dit que chacune des bosses mesurait moins de 6 cm, et que je n'aurais pas besoin de subir de biopsie.

– T91, Melbourne, Floride

## CAS DE CANCER CLASSIQUE
## « AVEC UN C MAJUSCULE »

Voici un rapport qui a été écrit par l'un de mes très bons amis, le 10 août 1986 :

*Vous m'avez demandé de faire une mise à jour sur l'état de santé de ma tante; ça me fait très plaisir de le faire. Cependant, je voudrais auparavant vous communiquer quelques renseignements qui vous permettront de mieux comprendre son cas.*

*En avril 1986, ma tante et moi nous nous sommes rendus à la Cité de la foi, à Tulsa, en Oklahoma, pour que ma tante y subisse son examen médical routinier. À notre grande surprise, on a diagnostiqué une tumeur aux ovaires de la grosseur d'un petit ballon de basket-ball. Nous avons appris plus tard que cette tumeur était cancéreuse. Les médecins ont conseillé à ma tante de retourner chez elle au Wisconsin, pour y subir une opération. (À ce moment-là, ma tante avait commencé à prendre deux cuillerées à thé (4 g) de [n.p.] depuis le premier décembre 1985.)*

*En route vers la maison, nous nous sommes arrêtés à une réunion de Women's Aglow, où nous savions qu'un grand nombre de femmes s'étaient réunies et qu'elles prieraient pour nous. Cependant, nous étions loin de nous attendre à ce qui allait nous arriver. La tumeur a éclaté et ma tante a bien failli y passer. Trois médecins nous ont dit que le poison dans la tumeur s'était déversé et avait recouvert le foie et les reins. Le pronostic des médecins était très loin d'être encourageant.*

*Ma tante a subi une opération le 2 mai, et elle a quitté l'hôpital le 9 mai, pour retourner à la maison. L'oncologiste voulait absolument qu'elle commence des traitements de chimiothérapie tout de suite après l'opération. Nous avons refusé et lui avons fait part de notre désir d'utiliser la nutrition et la prière comme moyens de guérison. Après avoir essayé de nous convaincre trois fois, il nous a dit avec une certaine amertume, « La nourriture n'a jamais guéri le cancer et elle ne le guérira jamais. » Nous respectons bien sûr son opinion, mais nous ne nous sommes pas laissés influencer par ses propos !*

*Depuis qu'on avait diagnostiqué un cancer en avril, ma tante prenait deux pleines cuillèrées à thé de poudre d'orge verte quatre fois par jour. De plus, elle prenait 3 000 mg de vitamine C plusieurs fois quotidiennement.*

Ma tante avait aussi l'habitude de boire du jus de carottes (250 ml) chaque matin et chaque après-midi, et elle prenait deux pleines portions de ce que nous appelons « La boisson verte ». En voici les ingrédients, qui doivent être mélangés au mixer:
2 tasses de n'importe quel jus (ma tante préfère le jus de pomme)
2 pleines cuillères de graines de tournesol moulues
2 pleines cuillères d'amandes
2 cuillèrées à table de yogourt
6 grandes feuilles de laitue romaine
2 cuillèrées à table de poudre de protéine Shaklee
1 banane

En outre, ma tante buvait chaque jour une ou plusieurs sortes de thé. Elle faisait aussi quotidiennement une marche de 20 minutes, et deux fois plus longtemps quand elle le pouvait.

Son état de santé s'est amélioré presque immédiatement. Je dois ajouter, cependant, que nous avons beaucoup lu et relu la Bible, que nous avons beaucoup prié et que nous avons beaucoup « parlé » entre nous de notre confiance en Dieu de guérir ma tante. La nourriture spirituelle a été, nous croyons, plus importante que la nourriture corporelle.

Les rubans magnétiques que vous nous avez envoyés, contenant des témoignages que nous avons écoutés maintes et maintes fois, nous ont fourni tant à ma tante qu'à moi-même une autre source d'inspiration. Le fait de savoir que ces témoignages provenaient d'infirmières qui comprenaient les comptes rendus des analyses sanguines et des autres aspects médicaux, nous a donné une confiance complète en leur message. Ces rubans nous ont également fourni des normes pour interpréter les résultats des analyses de sang de ma tante.

Le 20 mai, nous avons dit « Merci mon Dieu » en lisant les résultats des tests de sang de ma tante. Le nombre de globules rouges s'élevait maintenant à 11,6, les globules blancs à 5 000, et sa tension artérielle était à 160/84, des paramètres tout à fait normaux. La qualité de son sang s'était améliorée à chaque examen, mais c'était formidable de constater qu'il était redevenu normal.

L'oncologiste a donné à ma tante son congé le 17 octobre 1986. Son assistant nous a dit : « Je ne recommanderais même pas la chimiothérapie. Vous n'avez qu'à continuer *à faire ce que vous faites actuellement, mais je ne tiens pas à savoir ce que c'est ! »*

*Au moment où j'écris ces lignes, ma tante est en excellente santé. Elle continue de prendre deux cuillèrées de poudre de feuilles d'orge chaque jour (et parfois deux fois par jour si elle en ressent le besoin), ainsi que de 3 000 à 5 000 mg de vitamine C, un comprimé du complexe vitamine B composé, un autre de vitamine E et six comprimés de luzerne. En outre, elle prend de la boisson verte chaque jour au lieu du repas du midi. Nous nous sentons soulagés qu'une bonne nutrition et la prière aient sauvé la vie de ma tante, et que ces deux moyens continueront de nous garder tous les deux en santé, tant sur les plans physique que spirituel.*

**– L149, Sarasota, Floride**

# CARDIOPATHIE

## CHOLESTÉROL, NIVEAU D'ÉNERGIE

Juste avant le congé de Pâques, notre médecin nous a informés que mon mari avait un taux de cholestérol sanguin de 316. Durant les vacances, nous avons changé nos habitudes alimentaires, en suivant les directives du D$^r$ Swope, et nous avons commencé à prendre [n.p.]. Lorsque nous sommes retournés chez le médecin après les vacances, nous nous sommes rendus compte que le taux de cholestérol de mon mari était passé de 316 à 183 en seulement 10 jours ! Les infirmières et les médecins en étaient estomaqués.

De plus, j'ai besoin normalement d'au moins neuf heures de sommeil chaque nuit, et malgré cela, ça me prend du temps à me mettre en train le matin. Je ne me réveillais jamais avant d'entendre le son du réveil-matin. Cependant, depuis que je prends ce produit, je me couche à 23 h et je me lève à 6 h ou 6 h 15 plusieurs matins par semaine. Lorsque je me réveille, je suis vraiment éveillée et prête à entreprendre la journée. Je trouve cela incroyable de me sentir aussi bien !

**– L85**

## ANÉVRISMES, CHOLESTÉROL, NIVEAU DE TRIGLYCÉRIDES, HALEINE

J'ai survécu à deux ruptures d'anévrismes en 1986 et, depuis, je dois me rendre chez le médecin toutes les six semaines. J'ai commencé à prendre les feuilles d'orge en poudre et, entre un rendez-vous et le suivant, mon niveau de cholestérol et mon taux de triglycérides ont substantiellement baissé. De plus, mon haleine est tellement plus fraîche. Je semble aussi avoir beaucoup plus d'énergie.

– R75, San Diego, Californie

## DOULEURS AU COEUR, AUX JAMBES, AU DOS, HYPERTENSION

J'ai commencé à prendre [n.p.] il y a 11 jours et j'ai pu constater la différence en seulement deux jours. Vous pensez peut-être que deux jours ce n'est pas très long, mais j'avais à ce moment-là des points au coeur. Maintenant, je n'ai plus aucune douleur. Mon dos et mes jambes ne me font plus mal non plus. J'ai pris toutes sortes de médicaments pour l'hypertension et le coeur, mais le mal persistait et je ne me sentais pas bien. Je crois que ma santé va continuer de s'améliorer jusqu'à ce que je n'aie plus besoin de prendre aucun médicament. Je sais très bien que c'est parce que j'avais une mauvaise alimentation que j'étais en si mauvaise santé, et je sais qu'avec les bons nutriments que me fournissent les feuilles d'orge en poudre, je vais aller de mieux en mieux.

– L44, Tulsa, Oklahoma

## HYPERTENSION, GOUTTE, TENDINITE, MAL DE GORGE, DÉPRESSION

Nous nous apercevons que notre santé s'améliore en prenant des feuilles d'orge en poudre. Grâce à [n.p.], je sens que j'ai moi-même plus d'énergie et que ma tendinite est sous contrôle, et l'hypertension et la goutte chez mon mari ne sont plus aussi prononcées. Le médecin a été très impressionné par les progrès de mon mari.

Ce produit a guéri les symptômes suivants chez lui: affaiblissement, irritabilité, maux de tête et dépression. Mes douleurs aux articulations étaient comme des piqûres d'aiguilles. Le fait que l'orge verte soulage le mal de gorge ainsi que la douleur aux articulations constitue un autre avantage de [n.p.] !

– R27, Fyffe, Alabama

## HYPERTENSION, SOMMEIL, NIVEAU D'ÉNERGIE, APPARENCE

Avant de commencer à prendre [n.p.], ma tension artérielle était à 165/75. Après avoir pris du produit pendant environ cinq semaines, elle avait baissé à 119/72, et elle est restée à peu près à ce niveau depuis. J'ai perdu les 3 kilos que j'avais en trop, je dors mieux et je ne suis plus toujours aussi fatiguée. De plus, j'avais une inflammation à l'intérieur et autour des yeux, et elle est maintenant disparue. La grosseur de mes varices a diminué et l'état de ma peau, de mes cheveux et de mes ongles s'est aussi amélioré.

À 67 ans, je travaille à plein-temps comme secrétaire médicale. Il est donc facile de comprendre que ces améliorations sont très importantes pour moi. Je suis tellement reconnaissante de connaître les feuilles d'orge en poudre ! Nota : Selon une analyse de sang effectuée récemment, mon niveau de cholestérol est maintenant à 218, un peu sous la normale !

– **R25, Portland, Orégon**

### HYPERTENSION

Ma tension artérielle a diminué de façon appréciable après avoir pris [n.p.] pendant deux mois. Je ne me suis pas sentie aussi bien depuis des années.

– **L139, Bethany, Oklahoma**

# RHUMES ET GRIPPES

### PLUS D'ÉNERGIE, MOINS DE RHUMES ET DE GRIPPES

Je prends deux cuillèrées à thé de feuilles d'orge en poudre chaque jour et j'ai plus d'énergie, moins de rhumes et moins de grippes.

– **R78, Charleston, Illinois**

### MAUX DE GORGE, RHUMES ET ALLERGIES

Avant de connaître [n.p.], je devais toujours faire attention aux rhumes et aux maux de gorge. J'avais aussi des allergies. J'ai commencé à prendre l'orge en poudre l'automne dernier. Maintenant, je ne sais presque plus ce que c'est qu'un éternuement ! Je peux dire que c'est vraiment le premier hiver durant lequel je n'ai pas attrapé de rhume.

– **R58, Austin, Texas**

### PLUS D'ÉNERGIE, PAS DE GRIPPE

J'ai commencé à prendre [n.p.] au début du mois de décembre, une cuillèrée à thé par jour. C'est maintenant la fin de février et je n'ai pas encore eu de grippe cette année. J'ai aussi davantage d'énergie.

– **R45, Raymondville, Texas**

### NI RHUME NI GRIPPE MALGRÉ RISQUE CONSTANT

Dans un foyer pour personnes âgées, on est constamment exposé aux virus du rhume et de la grippe. J'ai commencé à prendre [n.p.] au début du mois de novembre et j'ai passé l'hiver sans attraper de rhume ni de grippe malgré les risques constants dans l'environnement où je travaille. J'ai aussi beaucoup plus d'énergie et plus d'endurance. Avant de commencer à prendre l'orge en poudre, je souffrais d'un manque d'énergie chronique, sans qu'aucun examen médical ne puisse en déterminer la cause.

*– R59, Belleair Bluffs, Floride*

# SANTÉ DES DENTS

## GINGIVORRAGIE (SAIGNEMENT DES GENCIVES)

Je saignais beaucoup des gencives, mais maintenant elles ne saignent plus du tout ! Je sais, que je sais, que je sais, que [n.p.] est bon pour moi !

*– R31*

## DENTISTE TRÈS IMPRESSIONNÉ, NIVEAU D'ÉNERGIE PLUS ÉLEVÉ, GUÉRISON D'UN ORTEIL

J'ai commencé à prendre [n.p.] en juillet et en moins de trois jours j'ai senti que j'avais beaucoup plus d'énergie. L'inflammation que j'avais aux gencives depuis cinq ans a guéri en seulement cinq jours. Mon dentiste était si impressionné qu'il a acheté cinq pots d'orge en poudre le jour même ! De plus, il y a cinq ans, je m'étais blessé à la matrice du gros orteil, si bien que mon ongle était à moitié soulevé de la chair. Cependant, quelques mois après avoir commencé à prendre ce produit, l'ongle a commencé à se rattacher par lui-même à l'orteil. Maintenant, c'est complètement guéri, même si cet ongle avait été soulevé pendant cinq ans. Je dis merci au ciel pour les feuilles d'orge en poudre !

*– L88, Dayton, Ohio*

## DENTS BRANLANTES, DOULEURS ET SAIGNEMENTS AUX GENCIVES

Avant de commencer à prendre [n.p.], mes dents branlaient et les gencives me faisaient mal et saignaient au moindre toucher, et particulièrement en me brossant les dents. Maintenant, non seulement n'ai-je plus aucun symptôme de maladies aux gencives, mais je suis guérie de plusieurs problèmes qui m'affectaient depuis longtemps. J'ai eu des maux de têtes ma vie durant, mais depuis que je prends l'orge en poudre, ils ont disparu. Ma vue s'est également améliorée, tout comme mes douleurs dans les muscles et aux articulations. Je me sens très en forme, j'ai de l'énergie à revendre, je suis alerte et très bien organisée. De plus, mon mari n'a plus de problèmes avec ses ulcères depuis qu'il a commencé lui aussi à prendre de ce produit.

— R81, Vancouver, Washington

# DÉSINTOXICATION ET NETTOYAGE

## NETTOYAGE DES INTESTINS

Lorsque j'ai commencé à prendre [n.p.], je me suis sentie faible et j'ai remarqué que j'allais très souvent à la toilette. En même temps que cette fatigue, j'avais mal un peu partout dans le corps. Cette étape de désintoxication a duré quatre jours, et j'en ai profité pour me reposer autant que possible. Depuis ce temps, la sensation de mieux-être augmente de jour en jour.

— L98

## pH URINAIRE

Je suis très heureux que, grâce à l'orge en poudre, le pH de mon urine a augmenté en un rien de temps et qu'il se maintient maintenant à un niveau alcalin. Il y avait quatre ans que j'essayais de rendre mon pH légèrement alcalin. Aucun autre produit n'est aussi efficace que celui-ci à cet égard. J'ai travaillé pendant une année comme rédacteur de la rubrique sur l'alimentation du *The Saturday Evening Post*, et je connais donc très bien les principes nutritionnels selon lesquels les feuilles d'orge agissent sur l'organisme.

— L96, Fortville, Indiana

## SE LIBÉRER DE LA DÉPENDANCE ENVERS LA CAFÉINE

J'ai arrêté de boire du café depuis que je prends [n.p.]. Je bois plutôt le jus d'orge verte le matin pour me mettre en branle, et ça fonctionne à merveille!

— R12, Uniontown, Ohio

## SE LIBÉRER DE LA DÉPENDANCE ENVERS LE SUCRE

J'ai davantage d'énergie grâce à [n.p.] et j'ai moins envie de manger des choses sucrées. En moins d'une semaine seulement, mon niveau d'énergie avait tellement augmenté que je n'avais plus du tout envie de manger des sucreries.

– R69, San Diego, Californie

## LA SANTÉ S'AMÉLIORE DE JOUR EN JOUR

Ce produit a débarrassé mon corps de matières fécales accumulées. Je sais que ma santé s'améliore de jour en jour à mesure que l'orge en poudre aide mon corps à éliminer les vieilles cellules pour les remplacer par de nouvelles.

– R7, Stanley Heights, Michigan

## RÉGULARITÉ, TEINT

Lors de notre dernier voyage, grâce à [n.p.], je n'ai pas été constipée comme à l'habitude. Mon teint semble plus clair aussi.

– R19, New Kensington, Pennsylvanie

## DÉSINTOXICATION, GUÉRISON DES GENCIVES, DISPARITION DE TACHES BRUNES

J'ai été très surprise de constater que [n.p.] avait provoqué chez moi une réaction de désintoxication intense et prolongée, étant donné que j'avais déjà changé mon régime alimentaire et que je faisais de l'exercice régulièrement. Cependant, j'ai continué à utiliser le produit parce que je savais qu'il me faisait du bien. Mes gencives étaient en mauvais état et elles saignaient mais, maintenant, elles sont guéries.

De plus, après avoir pris à jeun, le matin, une cuillerée à thé de feuilles d'orge en poudre pendant une semaine, diluée dans 300 à 500 ml d'eau, j'ai remarqué qu'une tache très foncée de la grandeur d'un dix cents que j'avais dans le dos a commencé à changer de couleur. Elle s'est soulevée progressivement aux rebords, puis s'est détachée complètement et n'est pas reparue. Environ sept autres taches ont aussi pâli. Après huit mois, une autre tache grain est presque disparue.

Deux semaines environ après avoir commencé à prendre ce produit, je n'ai plus ressenti aucun symptôme de désintoxication. Aujourd'hui, je suis superactive toute la journée, j'ai de l'énergie à revendre, je n'ai besoin que de cinq heures de sommeil et je ne suis jamais fatiguée. J'ai l'air plus jeune et suis en grande forme à tous les points de vue. Alléluia et Dieu merci pour les feuilles d'orge! Il est important de persévérer si, au début, la période de purification du système est un peu difficile, comme elle l'a été pour moi. Persévérez, ça en vaut vraiment la peine!

– R31, Phoenix, Arizona

## TEMPÉRATURE CORPORELLE ET RÉGULARITÉ

Avant de commencer à prendre [n.p.], j'avais chaud tout le temps et j'étais constamment constipée. J'ai remarqué une véritable amélioration en moins de deux mois. Je sens que la température de mon corps est plus normale et que mes intestins fonctionnent beaucoup plus régulièrement.

**– R67, Battlefield, Missouri**

## CONSTIPATION, HYPERTENSION, OEDÈME, THYROÏDE, EMPHYSÈME ET DIABÈTE

Je prends [n.p.] deux fois par jour et mon mari en prend trois fois. Nous avons tous les deux beaucoup plus d'énergie et nos intestins fonctionnent bien. Je fais de l'hypertension, de l'oedème, j'ai des problèmes de thyroïde et des maux de tête. Mon mari, lui, souffre d'emphysème et de diabète. Depuis que nous avons commencé à prendre de ce produit, je me sens beaucoup mieux et mon mari aussi.

**R56, Decatur, Indiana**

## CAS DE DÉSINTOXICATION « CLASSIQUE »

Un médecin décrit un cas classique qui illustre très bien le processus de désintoxication que provoque ce produit.

*Un patient dans la trentaine avait entendu dire que je pratiquais la médecine préventive. Il est venu me voir, comme plusieurs le font, après avoir rencontré un certain nombre de médecins impuissants à l'aider. Il était très stressé et épuisé. Il ne savait pas exactement ce qui clochait, mais il savait que quelque chose n'allait pas.*

*D'une part, je lui ai recommandé comme traitement de prendre une cuillerée à thé de poudre de feuilles d'orge une fois par jour, et j'ai suggéré qu'il fasse certaines modifications à son régime.*

*Quelques jours plus tard, il est revenu à mon cabinet tout affolé. C'était en plein milieu de l'hiver et, sans savoir comment c'était arrivé, il avait sur les jambes et les bras les pustules causée par le sumac vénéneux. « Je vous en prie, me dit-il, reprenez cette poudre verte et débarrassez-moi de ce fléau ! »*

*Son histoire est intéressante. À l'âge de 17 ans, il avait été empoisonné par le sumac vénéneux, et cela failli lui être fatal. Il est demeuré à l'hôpital trois semaines avant que les médecins puissent venir à bout de l'enrayer. Il était naturellement très effrayé de voir ce poison se manifester de nouveau.*

*Après m'avoir raconté son histoire, je l'ai complètement rassuré que cette réaction était un signe de guérison et non de maladie ! Je lui ai expliqué comment les glandes adipeuses, qui avaient retenu les toxines du sumac vénéneux, se nettoyaient maintenant en excrétant ces toxines. Combiné à une saine alimentation, les feuilles d'orge avaient déclenché un processus de purification cellulaire complet qui ne s'est pas arrêté avant que tout l'organisme soit désintoxiqué.*

*Fort heureusement, mon patient a accepté mon diagnostic et a continué à prendre la poudre de feuilles d'orge. En quelques jours seulement, sa peau était complètement guérie et il était en voie de recouvrer une parfaite santé.*

*Bien qu'il s'agisse ici d'un cas de désintoxication extrême, certains lecteurs feront peut-être l'expérience de réactions assez similaires. Le catabolisme (métabolisme destructif) précède généralement l'anabolisme (métabolisme constructif) des tissus. La conclusion à retenir quant à ce cas est la suivante : il se peut que votre état empire avant qu'il ne s'améliore ! Je suis toujours émerveillé devant les miracles qu'opère la nature !*

– T130

# DIABÈTE

## AMÉLIORATION DE LA CIRCULATION ET DE LA VUE, ET ACCROISSEMENT DE L'ÉNERGIE

Ma mère est âgée de 85 ans; c'est une diabétique qui a une mauvaise circulation sanguine dans les jambes et qui a également la vue faible. Elle était devenue tellement déprimée qu'il était difficile d'en prendre soin.

Il y a quelques mois, le médecin m'a informée qu'on devrait lui amputer les jambes. Sa circulation était si mauvaise qu'il craignait la gangrène. Il avait également peur que la douleur devienne intolérable lorsque la maladie attaquerait les nerfs. Lorsque le docteur nous a informés de cela, il y a plusieurs années, nous avons commencé à donner à ma mère des suppléments, mais dernièrement nous avons ajouté la poudre de feuilles d'orge.

Je suis très heureuse de vous dire que ma mère marche mieux, qu'elle ne se plaint plus autant de douleurs et qu'elle a recommencé à lire son courrier et sa Bible !

Elle est maintenant aux oiseaux, étant donné qu'elle n'était plus capable de lire, de payer elle-même ses factures et qu'elle était constamment fatiguée. Elle vient de bénéficier d'un regain de vie !

– **R86, Boston, Massachusetts**

## CONTRÔLE DU NIVEAU DE GLUCOSE DU SANG

Ma femme fait du diabète depuis cinq ans. On lui a donné tout d'abord des pilules et puis, il y a environ cinq ans, elle a commencé à recevoir des injections. Juste au moment où on pensait qu'elle devrait augmenter ses doses d'insuline, elle a commencé à prendre [n.p.]. Elle n'a pas eu besoin ensuite de doses plus fortes. Grâce à ce produit, à chaque matin elle constate que le niveau de glucose baisse constamment quand elle fait son analyse de sang.

**L131, Indianapolis, Indiana**

## MOINS D'INSULINE, RÉTINOPATHIE, DIMINUTION DE LA TENSION ARTÉRIELLE

Mon mari est depuis 30 ans un frêle diabétique qui a dû composer avec plusieurs complications. Il prenait des doses élevées d'insuline, jusqu'à 100 unités matin et soir. Après avoir pris [n.p.] pendant quelques mois, son besoin d'insuline a commencé à diminuer. C'était absolument remarquable de voir qu'il n'avait plus besoin désormais que de 30 à 40 unités le matin et l'après-midi !

Au cours des trois dernières années, sa maladie lui a causé une « rétinopathie diabétique. Il a dû subir une opération au laser aux deux yeux. À la suite de cette opération, sa vue était meilleure qu'avant, mais elle n'était pas encore très bonne. Après qu'il ait pris la poudre de feuilles d'orge, le docteur lui a fait le commentaire suivant : « Vos yeux sont très bien. Je ne les ai jamais vus en aussi bon état. Qu'importe ce que vous faites, mais continuez ! »

Il prenait également des médicaments pour l'hypertension. Sa pression avait été aux environs de 160/30 depuis trois ans. Après avoir pris l'orge en poudre pendant quelques mois, sa pression est revenue à la normale, à 128/74. Il ne prend pas de médicaments et sa pression semble devoir rester stable.

Nous sommes très reconnaissants d'avoir découvert les feuilles d'orge en poudre et d'en avoir éprouvé les bienfaits.

**L123, Islamorada, Floride**

# DIGESTION

## DIGESTION, TENSION ARTÉRIELLE

J'avais depuis quelque temps des ennuis de digestion. Mon nutritionniste m'a dit que j'avais un problème d'assimilation et probablement le foie un peu endommagé. Je faisais également de l'hypertension mais, étant donné que je ne crois pas aux médicaments, je ne m'étais pas fait traiter.

Durant deux ans, j'ai pris plusieurs sortes de vitamines et de minéraux, en pensant qu'ils auraient des effets bénéfiques sur mon hypertension, ma digestion et mon état de santé en général. Je suis certaine que les suppléments m'ont aidée, mais ce n'est que lorsque j'ai commencé à prendre l'orge verte que j'ai commencé à sentir une différence.

Au cours de la première semaine pendant laquelle j'ai commencé à prendre [n.p.], ma digestion s'est améliorée et je me sentais beaucoup en général. Je ne suis plus fatiguée et je n'ai plus d'évanouissements ni de gaz. Essayez un peu d'imaginer à quel point j'étais heureuse d'apprendre que ma tension artérielle avait baissé et était maintenant à 116/72. Aujourd'hui, je suis plus forte, plus alerte et plus calme en périodes de stress. Les feuilles d'orge ont réellement fait une différence dans ma vie !

*– R2, Bedminster, New Jersey*

## DIGESTION, DIARRHÉE PANCRÉATIQUE, TEINT

Une semaine après avoir commencé à prendre [n.p.], j'ai remarqué une nette différence. Il a débarrassé ma peau des boutons, guéri les fendillements sur ma langue et réglé mes problèmes de digestion. Il a stabilisé aussi mon pancréas et fait cesser ma diarrhée. Je m'épuisais facilement et j'étais toujours fatiguée; je trouve que les feuilles d'orge ont augmenté mon endurance.

*– R79, Rock Hill, Caroline du Sud*

## DIARRHÉE, ARTHROSE

J'avais un problème de selles molles et d'arthrose. Je suis moins incommodée par ces problèmes depuis que je prends [n.p.]. Mes selles sont de consistance normale pour la première fois depuis des années.

*– R21, Chicago ouest, Illinois*

### GAZ DANS L'ESTOMAC

Ma soeur avait des problèmes d'estomac. On lui a fait passé des rayons X et on a découvert des gaz retenus dans l'estomac. Elle a tout essayé mais sans résultat. Je lui ai donné un peu de poudre de feuilles d'orge, et en moins de 10 minutes les gaz ont commencé à se dissiper. C'est un produit merveilleux !

– L70, Texas

### HYPERACIDITÉ, DIGESTION LENTE, FONCTIONNEMENT RALENTI DE LA THYROÏDE

J'ai souffert pendant des années de douleurs et de sensations de brulûre à l'estomac à cause d'hyperacidité et de digestion lente.

Grâce à [n.p.], mon problème d'acidité dans l'estomac s'est amélioré de cent pour cent ! Je n'ai plus besoin de prendre aucun médicament pour l'estomac. Je me suis senti mieux de partout en seulement quelques jours. Ce qui est très heureux, car ma thyroïde fonctionne au ralenti aussi.

– R76, Indian Lake, New York

### INDIGESTION GRAVE, APPÉTIT

Depuis que j'ai commencé à prendre [n.p.], je ne fais plus d'indigestions graves comme par le passé et j'ai aussi moins faim.

– L80

### ULCÈRES

Mon mari est chauffeur de camion et il doit parcourir de longues distances; il doit manger de la camelote (fast food) en cours de route. Maintenant, il se met des pincées de poudre de feuilles d'orge dans la bouche comme collations. Son ulcère lui fait ainsi beaucoup moins mal. Je sais que [n.p.] m'aide beaucoup aussi.

– L77, Batavia, Ohio

### INDIGESTION

Avant de commencer à utiliser [n.p.], je ressentais des douleurs à l'estomac après avoir mangé certains types d'aliments. Après avoir pris de ce produit pendant un mois ou deux, je me suis aperçue que je n'étais plus incommodée par les problèmes d'indigestion. Mon mari et moi utilisons maintenant [n.p.] depuis cinq mois, et nous ressentons tous les deux un sentiment de mieux-être.

– R14, Huntington, Californie

### ULCÈRE, OEDÈME, ARTHRITE, SOMMEIL

Avant de connaître [n.p.], j'essayais toutes sortes de médicaments, je ne pouvais pas digérer ma nourriture et je manquais d'énergie. Maintenant, je remercie le Seigneur de m'avoir fait connaître la poudre de feuilles d'orge, qui a grandement contribué à améliorer ma santé. Ma digestion s'est améliorée en seulement deux semaines, et tout le reste a suivi.

Mon médecin avait diagnostiqué ce qui suit: ulcère gastro-duodénal, hypertension et problèmes de thyroïde probables. J'avais également de terribles difficultés de digestion et je prenais des poignées de pilules.

Maintenant, je dors beaucoup mieux, j'ai les gencives plus saines, ma circulation s'est améliorée et mon ulcère est guéri. J'ai beaucoup plus d'énergie et mes pieds et mes chevilles n'enflent plus. Je ne fais plus d'arthrite et mon petit doigt, qui était déformé et raide depuis deux ans à cause de l'arthrite, a recommencé à bouger !

En fait, mes cheveux ont commencé à pousser là où ils étaient clairsemés et mon attitude mentale s'est grandement améliorée. Je prends [n.p.] depuis six mois et je compte en prendre le reste de ma vie.

– R57, Newhall, Californie

# LES MÉDECINS NOUS PARLENT TOUT EN GARDANT L'ANONYMAT

### RÉSISTANCE AUX MALADIES DÉGÉNÉRATIVES

Dans mon cabinet, j'ai recommandé l'orge verte à un grand nombre de mes patients, et la plupart ont remarqué une amélioration appréciable sans tarder. J'ai constaté des améliorations chez des patients souffrant d'arthrite, d'asthme, de diabète, de lupus, d'amygdalite, de sinusite, de fatigue excessive et chronique, de colite, de différentes affections gastro-intestinales, de diverses maladies de la peau, y compris la rugosité, les taches brunes et l'acné.

Il est évident que l'orge verte renforce le système immunitaire. Il apporte une aide remarquable aux mécanismes qui assurent la santé du corps, et je crois très fermement qu'il aide le corps à s'armer et à se défendre contre les assauts des « Quatre Grandes Menaces » : le diabète, les maladies du coeur, l'hypertension et le cancer. C'est l'antidote la plus efficace que je connaisse contre les carences nutritionnelles, voire la seule. De plus, [n.p.] ne pose aucun risque, goûte assez bon et n'est pas trop cher.

## ÉQUILIBRE, NETTOYAGE ET GUÉRISON

En septembre 1982, j'étais très sceptique lorsqu'on m'a parlé de [n.p.] pour la première fois. Je l'ai d'abord essayé moi-même, puis j'en ai donné à ma famille et quelques patients choisis judicieusement. J'ai été tout de suite impressionné par les résultats positifs obtenus relativement à une large gamme d'affections. Rien qu'au cours des cinq derniers mois, j'ai remarqué des améliorations quant aux affections suivantes : allergies, asthme, emphysème, diverses affections cutanées, tendinite, bursite, douleurs arthritiques, tension artérielle, manque de régularité, gastrite, pancréatite, ulcère gastro-duodénal, diabète, hypoglycémie et maladies des gencives. J'ai également remarqué une diminution de l'acuité des symptômes de la ménopause, des symptômes prémenstruels, ainsi que de la toxicité de la chimiothérapie.

Étant donné que les feuilles d'orge sont un aliment vert, naturel, équilibré et de haute qualité, il aide le corps à atteindre un sain équilibre, à se nettoyer et à se guérir lui-même.

## RENFORCEMENT DU SYSTÈME IMMUNITAIRE

Je suis titulaire d'un doctorat en biologie et je suis convaincu du besoin de compléter mon régime alimentaire de tous les jours en prenant des vitamines et des minéraux. Le problème consiste à savoir quels suppléments prendre et combien en prendre.

Puis, j'ai découvert l'orge verte, cette source équilibrée et naturelle de tous les nutriments requis par l'organisme. L'une des caractéristiques les plus importantes de ce produit est qu'il est préparé selon un procédé spécial qui préserve les enzymes et acides aminés tellement nécessaires au métabolisme humain. En fait, il m'en coûte moins maintenant pour compléter mon régime alimentaire avec [n.p.], étant donné que je n'ai plus besoin d'acheter une panoplie de vitamines et de minéraux.

Je commence à penser que ce produit est peut-être la fontaine de Jouvence que nous cherchons tous. L'orge verte renforce le système immunitaire et permet de recouvrer une bonne santé. Il est peut-être possible après tout de ralentir le processus du vieillissement !

## HISTOIRE PERSONNELLE D'UN MÉDECIN

Je vous donne ici un compte-rendu détaillé de ce qui m'est arrivé afin que, lorsque je vous décrirai les effets que [n.p.] a eus sur mon système, vous compreniez qu'au point de vue physiologique mes besoins nutritionnels s'écartent grandement de la normale. Même aujourd'hui, au moment où j'écris ces lignes, je dois éviter de prendre de la nourriture et j'ai pris [n.p.] seulement pour contrebalancer l'acidité dans mon corps. Cependant, je suis très heureux d'être au moins mobile et de pouvoir vaquer à mes occupations; ce n'est que depuis que j'ai commencé à prendre ce produit que je suis capable de suivre un rythme d'activités normal.

Étant donné que mon système digestif ne peut pas assimiler ni métaboliser assez de nutriments à partir de la nourriture pour que je conserve mon poids, on a dû m'installer un cathéter dans la veine sous-clavière gauche pour me suralimenter. Durant la nuit, je branche ce cathéter à une pompe à perfusion et j'absorbe ainsi 1 600 ml d'un mélange prescrit par les médecins, composé d'acides aminés, d'électrolytes, de lipides et de glucides. Je mange, en plus de cette hyper-alimentation, des petites quantités de nourriture presque à chaque jour. Je prends de la poudre de feuilles d'orge diluée dans un peu d'eau une demi-heure avant de manger. Cependant, j'obtiens aussi de bons résultats en prenant [n.p.] en tout temps de la journée, même les jours durant lesquels mon système ne peut absorber aucune nourriture solide.

Je souffre de ce qu'on appelle une pseudo-obstruction idiopathique de l'intestin grêle. Ce qui signifie que, même si on ne peut pas trouver de cause physique à ma maladie, mon tube digestif réagit comme s'il y avait une obstruction entre mon estomac et mon intestin grêle. Étant donné que mon intestin n'absorbe pas de nutriments, ces nutriments doivent donc, comme je l'ai déjà mentionné, m'être injectés directement dans le sang. C'est une maladie chronique, qui ne peut être traitée et dont on ne connaît pas grand-chose. Les symptômes en sont les suivants : diminution du niveau d'énergie, hyperacidité incontrôlable, douleurs abdominales continues, vomissements répétés, diarrhée, malnutrition, déshydratation et perte de poids. Le corps, évidemment, ne peut survivre s'il n'absorbe pas les nutriments que lui procure la nourriture.

J'ai pris plusieurs médicaments actuellement en vente sur le marché pour contrôler l'acidité dans mon système digestif et les douleurs connexes, mais aucun n'a eu le moindre effet. Toutefois, [n.p.]

contrôle non seulement l'acidité gastrique, mais j'ai également remarqué que tous mes symptômes graves se sont progressivement résorbés et que mon niveau d'énergie a augmenté. Un autre bienfait de ce produit est qu'il m'a rendu plus alerte sur le plan mental, tant au niveau de la mémoire, de la prise de décisions, du raisonnement que de l'imagination. Grâce aux feuilles d'orge, ces facultés sont beaucoup plus vives chez moi qu'auparavant.

Mon spécialiste convient que ma santé et ma nutrition se sont améliorées de façon significative depuis que je prends [n.p.]. Cependant, il n'est pas prêt à admettre que c'est grâce à ce produit que ça va mieux, mais moi je suis persuadé que c'est à cause de cela. En outre, je suis le premier de ses patients à souffrir d'obstruction intestinale de ce genre, et probablement le seul qui prenne de la poudre d'orge verte, si bien que nous faisons tous les deux un apprentissage.

Il est donc évident que j'accorde plus qu'un intérêt passager aux échanges que j'ai eus au cours des dernières années avec des personnes âgées souffrant aussi de désordres de l'appareil digestif, pour lesquels il n'existe presque aucun traitement. À titre de médecin et de patient, je suis convaincu que [n.p.] est un produit efficace pour soulager les symptômes occasionnés par les maladies qui ne peuvent pas être identifiées clairement, qui incommodent les gens et les font souffrir à divers degrés, sans causes physiologiques précises. Étant donné qu'il y a tellement de personnes qui souffrent de ce type de maladies, pour lesquelles on ne peut pas poser de diagnostic ni trouver de remède, je crois que [n.p.] saura être utile à un grand nombre de personnes.

## « REGAIN D'ÉNERGIE »

J'ai en réalité deux histoires à raconter, une histoire personnelle et une autre de nature plus professionnelle. Ce qui m'est arrivé peut sembler peu de chose en comparaison des quasi-miracles dont j'ai entendu parler, mais c'est néanmoins très important pour moi.

L'une de mes plus grandes passions dans la vie, c'est le tennis. J'étais très frustré et déprimé lorsque j'ai été atteint d'une tendinite persistante au coude (« épicondylite du tennis »), qui m'a souvent empêché de jouer au cours des deux dernières années.

Puis, j'ai trouvé les feuilles d'orge en poudre. J'ai commencé à en prendre une cuillèrée à thé (2 g) trois fois par jour et, en moins de trois semaines, j'étais de nouveau sur le court, sans douleurs ni autres inconvénients. Durant les tournois, je prends aussi [n.p.] entre les sets, et ça me donne un « regain d'énergie ». Lorsque je pousse mes limites au point où mes muscles ne semblent plus vouloir répondre comme je le désirerais, je peux récupérer mon énergie en quelques minutes grâce aux feuilles d'orge.

Je crois que c'est un peu comme les chevaux qui peuvent récupérer très rapidement d'un épuisement total en broutant un peu d'herbe fraîche. J'ai le fort sentiment que [n.p.] rétablit l'équilibre chimique dans les muscles, particulièrement en ce qui a trait au potassium, dont les réserves s'épuisent quand on fait des efforts soutenus et prolongés.

Depuis que ce produit m'a permis de retourner au jeu, j'ai vu la même chose se produire chez plusieurs de mes amis. Au chapitre de la fatigue extrême et de l'épuisement, je crois que ce produit est d'un grand secours aux joueurs de tennis, aux coureurs et aux mères de bébés et d'enfants en bas âge. Prendre soin des enfants est une sorte de marathon; j'ai remarqué une mère, en particulier, à qui [n.p.] avait donné une vigueur nouvelle.

Sur le plan professionnel, ma spécialité consiste à aider les personnes alcooliques à vaincre leur maladie. J'applique les principes de la bonne nutrition comme traitement depuis déjà quelque temps, et j'ai constaté de bons résultats. J'ai trouvé qu'accompagné du régime alimentaire que je recommande à mes patients, ce produit agit encore mieux. Mes conclusions se fondent sur mon expérience dans le domaine médical, mais elles s'appuient également sur les résultats obtenus par plusieurs de mes collègues, ainsi que par d'autres médecins, par des thérapeutes et par des conseillers dans le domaine de la santé. Au premier stade d'une thérapie, l'orge verte en poudre joue un rôle important dans la guérison de toutes les cellules du corps.

# NIVEAU D'ÉNERGIE

## NIVEAU D'ÉNERGIE ET APPARENCE

J'ai une bronchite depuis des années et j'ai eu des pneumonies plusieurs fois au cours des dernières années. C'était devenu tellement grave que j'avais de la difficulté à faire mon travail. Je devais me coucher et me reposer après les repas, avant de pouvoir faire ce que j'avais à faire.

Après avoir pris quelques cuillerées à thé de poudre de feuilles d'orge, j'ai tout de suite senti un changement et je me suis rendu compte que je pouvais faire beaucoup plus sans me reposer à toutes les trois ou quatre heures. Mon apparence s'est aussi améliorée, et les gens m'ont demandé ce qui m'était arrivé.

[N.p.] m'a procuré une aide immédiate, et je suis très impressionnée et très heureuse des résultats obtenus.

— **R24, Collins, Colorado**

### « *PERSONNE NE DEVRAIT S'EN PRIVER* »

Depuis que j'ai commencé à prendre le produit, il y dix semaines, mon niveau d'énergie a augmenté de façon remarquable. Je ne crois pas que j'aurais accordé beaucoup d'importance à [n.p.] si je n'avais pas vu les changements incroyables survenus chez ma petite-fille, qui faisait de l'asthme. Personne ne devrait être privé de la poudre de feuilles d'orge.

— **R24, Bethany, Oklahoma**

### *NIVEAU D'ÉNERGIE, MAL DE DOS, CONTRÔLE DE LA VESSIE*

Avant de commencer à prendre [n.p.], je n'avais absolument aucune énergie et j'avais une bande de douleur au dos. Je me suis sentie mieux en seulement deux semaines. Maintenant, j'ai le goût de travailler davantage parce que j'ai davantage d'énergie. Mon dos me fait moins mal et j'ai une énergie accrue. Le produit m'aide aussi à dormir et à contrôler ma vessie.

— **R34, Basset, Virginie**

### *ÉNERGIE ET BIEN-ÊTRE*

Lorsque ma fille m'a parlé de [n.p.], l'automne dernier, je l'ai essayé tout de suite parce que j'étais toujours fatiguée et je manquais d'énergie. Je n'ai pas mis longtemps à m'apercevoir que j'avais découvert quelque chose de spécial. Maintenant, j'ai plus d'énergie et j'ai une impression constante de bien-être général. C'est une impression que vous appréciez davantage si vous ne vous sentiez pas bien auparavant. Tout cela est dû certainement à [n.p.], parce que je n'ai rien changé d'autre.

— **R100**

### « *JE POUVAIS CONSTATER LA DIFFÉRENCE* »

Je ne me sentais pas très bien, même en prenant des médicaments pour la thyroïde. Dès que j'ai commencé à prendre [n.p.], j'ai senti tout de suite une différence. J'en prends une pleine cuillèrée à thé (2 g) chaque jour depuis une année maintenant, et je me sens très bien.

Il n'y a aucun doute dans mon esprit que c'est un excellent produit. Sitôt un contenant terminé j'en commande un autre, et j'ai l'intention de continuer.

— **R41, Grosse Pointe Woods, Michigan**

## GUÉRISON D'UN VIRUS MYSTÉRIEUX

Je souffre depuis deux mois de quelque chose dont les symptômes sont comparables à la mononucléose, mais les tests sont toujours négatifs. Ils n'ont révélé qu'un virus peu dangereux. Quoiqu'il en soit, ce problème m'obligeait à me coucher tous les jours vers deux heures de l'après-midi.

Juste environ une semaine après avoir commencé à prendre une cuillèrée à thé de poudre de feuilles d'orge trois fois par jour, j'ai cessé d'avoir ces symptômes. Cependant, si j'oublie d'en prendre une journée ou deux, je me retrouve abattue et fatiguée, même avec ma thyroïde synthétique.

Je sais que ça peut paraître ridicule de dire aux gens qu'il existe un moyen de NE PAS se sentir abattu et fatigué, mais il en EXISTE VRAIMENT UN : le produit dont je parle. Je prends maintenant [n.p.] depuis sept mois et j'ai beaucoup plus d'énergie, plus de résistance aux maladies et je mange moins. Nota : J'ai encouragé mon mari et le directeur de l'école à l'essayer, et ils ont tous les deux remarqué une diminution de leur tension artérielle et de leur niveau de cholestérol. Sans parler de la surprise des médecins !

— **R37, Canyon Lake, Texas**

## « CAS DÉSESPÉRÉS »

*Nous allons maintenant vous parler de gens dont le cas est très particulier. Leur médecin, parents et amis avaient, malgré leur frustration, abandonné tout espoir de pouvoir jamais les aider. Dans certains cas, on croyait même que ces personnes n'en avaient plus pour très longtemps à vivre. Pourtant, elles sont encore là, et bien vivantes ! Il faut dire, cependant, que [n.p.] ne les a pas seulement guéries. La puissance nutritive que recèle chaque bocal d'orge en poudre a permis à leur corps de reprendre des forces pour qu'il puisse créer ses propres mécanismes de guérison naturels. Les résultats sont éloquents.*

## « PRESQUE SANS ESPOIR »

J'avais des problèmes sans fin depuis 20 ans. Je prenais des médicaments pour le coeur, la thyroïde, l'arthrite et j'avais de graves maux de gorge. Cependant, [n.p.] a métamorphosé ma vie ! J'ai cessé progressivement de prendre des médicaments. Je n'en prends plus aucun pour l'arthrite, et mes doigts sont maintenant presque droits. Selon les résultats des rayons X, il est évident que depuis que je prends [n.p.], je fais moins d'arthrite qu'auparavant. Après avoir enduré pendant six années des douleurs continuelles et presque insupportables, je ne sens pratiquement plus de mal. Je ne prends plus de médicaments non plus pour le coeur ni pour ma glande thyroïde. J'ai confiance qu'il me reste encore de merveilleuses années à passer en compagnie de mon mari, mon compagnon depuis 35 ans !

– **L124, Islamorada, Floride**

## « METTEZ VOS AFFAIRES EN ORDRE »

Pendant les 10 années avant de commencer à prendre [n.p.], j'ai passé énormément de temps à visiter différents médecins, parfois deux ou trois par semaine. Je pourrais en nommer environ 33 que j'ai vus, soit à un moment, soit à un autre. Je me suis même fait soigner à l'hôpital des anciens combattants. Ils m'ont dit que je ne pourrais jamais plus travailler et ils ont suggéré que je « mette mes affaires en ordre », au cas où... J'ai donc fait mon testament. J'avais six médicaments différents à prendre et je devais toujours avoir de la nitroglycérine sur moi.

J'ai subi une laminectomie, c'est-à-dire une opération chirurgicale pour mon mal de dos. Cette opération m'a enlevé toute sensation dans la jambe gauche. J'ai également subi une opération pour mes douleurs aux épaules, à la suite de laquelle j'étais resté incapable de lever le bras droit au-dessus de l'épaule.

Voici la liste des symptômes dont je souffrais : oedème pulmonaire, infarctus du myocarde, tension artérielle à 200/100, fréquents saignements de nez, arthrite dans toutes les articulations, y compris la colonne vertébrale. Les médecins avaient à me faire subir d'autres opérations, mais l'hôpital des anciens combattants m'a finalement donné mon congé et envoyé à la maison; j'étais en si mauvais état qu'ils croyaient que j'allais mourir.

Voici comment le produit m'a aidé. La sensation est revenue dans la jambe gauche et je peux lever le bras droit complètement. Ma tension artérielle a baissé et se situe maintenant à 130/80, et le médecin ne peut plus entendre le souffle au coeur qu'il entendait auparavant. Je n'ai plus de restriction quant à mon régime alimentaire et je ne prends plus de médicament. Trois jours seulement après que j'ai commencé à prendre l'orge en poudre j'ai senti revenir mon énergie et j'avais l'impression d'un mieux-être général. J'ai également fait l'expérience des symptômes de la désintoxication; ce qui n'est pas surprenant puisque j'étais intoxiqué par les médicaments.

Après quelques jours, j'avais l'impression d'être tellement bien que j'ai retourné mon chèque d'indemnité aux autorités et leur ai demandé d'arrêter ma pension. J'ai commencé sans tarder à me construire une maison de 900 mètres carrés et je n'ai pas ralenti depuis. Je viens tout juste d'avoir 55 ans, je me sens bien et j'ai bon espoir de vivre de nombreuses années sans problème grâce aux feuilles d'orge.

Je travaille maintenant de longues heures comme agent d'immeuble et entrepreneur général, et je ne pense guère aux indemnités des anciens combattants ou aux médecins. « Je remercie le ciel pour les feuilles d'orge en poudre, [n.p.] m'a sauvé la vie ! » Nota : Tous les membres de ma famille, y compris mes petits-enfants, utilisent ce produit et ils obtiennent de très bons résultats; ils en redemandent toujours et ça leur fait des auréoles vertes autour de la bouche quand ils boivent le jus d'orge !

– R122, Cherry Valley, Californie

## MALADIE DÉGÉNÉRATIVE DES DISQUES VERTÉBRAUX

Je veux simplement vous raconter ce que [n.p.] a fait pour moi. Les médecins avaient épuisé toutes les ressources de leur science, mais j'avais encore mal sans cesse, 24 heures par jour. Je ne sais pas comment le produit agit, tout ce que je sais c'est qu'il est efficace. Ce qu'on se sent bien lorsqu'on n'a plus de mal !

En décembre 1983, je m'étais rendue à l'hôpital dans un tel paroxysme de douleur que je ne pouvais même pas bouger. C'est comme si j'avais été congelée sur place. À l'hôpital, on m'a mis des sacs d'eau chaude, administré des bains, des médicaments contre la douleur, des relaxants pour les muscles, et on m'a mis en traction. Tout cela n'a servi de rien. Je suis alors allée voir un spécialiste des os à Houston. Il m'a fait passer toutes sortes de tests et m'a dit que je souffrais d'une maladie dégénérative des disques. Il m'a dit que c'était congénital. Maintenant, je savais au moins ce qui m'avait fait souffrir depuis mon enfance.

Les vertèbres de mon cou sont soudées ensemble, ça me fait mal et me donne des maux de tête. L'hôpital m'a dit plus tard, « Retournez à la maison, prenez ces pilules contre la douleur et ces relaxants pour les muscles, et portez ce collier. » J'avais de terribles spasmes et c'était comme si j'avais eu des crampes dans le cou.

En deux mots, après m'être trouvé dans cette situation pendant environ un an et demi, quelqu'un m'a parlé de [n.p.], que je considère comme un véritable cadeau du ciel. Tout d'abord, j'ai commencé à en prendre trois cuillèrées à thé par jour, puis une semaine plus tard, j'ai décidé d'en prendre davantage, soit trois cuillèrées à soupe (18 g) par jour. Maintenant, je continue à en prendre la même quantité, à moins que le mal commence à revenir; j'en prends alors davantage, et la douleur s'en va aussitôt.

**– L89, El Campo, Texas**

### POST-CRANIOTOMIE

Il faut, pour que vous compreniez bien ce que [n.p.] a fait pour [nom du patient], que je vous décrive la situation dans laquelle il était il y a deux ans, avant qu'il ne commence à prendre de [n.p.]. Étant donné que ce patient a eu tellement de complications à la suite de ses blessures de guerre, je vous fais parvenir le rapport de sa dernière visite à l'hôpital des anciens combattants.

*Cet homme marié de 32 ans, a contracté la totalité de ses blessures pendant son service militaire quand il a été atteint d'obus en 1970, pendant qu'il était affecté à un poste de combat au Vietnam. Suite à ces blessures, ce patient a perdu l'usage de l'oeil gauche, on lui a enlevé le cristallin de l'oeil droit, et sa vue s'est affaiblie en raison de variations intra-oculaires post-traumatiques fibreuses. De plus, le patient a subi une blessure au cerveau occasionnant des problèmes d'ordre cognitif, des migraines et maux de tête post-traumatiques... les résultats des examens radiologiques ont confirmé... le diagnostic de post-craniotomie de la région temporale droite et plusieurs résidus d'obus au niveau de la figure, du cou, du crâne et du tronc. ÉTAT MENTAL: Alerte, mais sans notion de temps. Difficulté au niveau de la mémoire, particulièrement à long terme. Tendu, déprimé, mais aucune déficience mentale comme telle. Le patient dit avoir des hallucinations auditives occasionnelles et se projette ou s'insère dans un passé récent. Tendances possibles au suicide. Impression initiale... épilepsie post-traumatique au lobe temporal... schizophrénie en cours d'évolution.*

Ce rapport date de 1983. À cette époque, les médecins ont commencé à faire prendre à ce patient plusieurs médicaments. Il s'est révélé allergique à au moins l'un d'entre eux, et les médecins ont cessé de le lui prescrire. Il a été ensuite transféré à un autre hôpital d'anciens combattants, où il a subi une opération à la clinique spécialisée dans les blessures au cerveau. Selon l'opinion des médecins, « le patient avait peu de chance de se réadapter à cause de la chronicité de ses infirmités. » On lui a fait également subir une évaluation à l'unité de traitement des handicapés visuels. Le rapport faisait état de la mention de ce qui suit: « Nous sommes d'avis qu'au moment actuel une autre série de traitements en réadaptation n'aiderait pas le patient à mieux fonctionner. » On lui a prescrit du lithium pour contrôler ses sautes d'humeur, en croyant que ça l'aiderait, mais ça n'a fait qu'empirer ses flash-back.

Voici maintenant un commentaire de [nom du patient] lui-même :

*« [N.p.] m'a aidé à penser de façon plus claire. Il a renforcé ma vision dans l'oeil dont je peux encore me servir, bien que j'aie une vision encore un peu faible. Je peux maintenant voir les couleurs plus nettement. Les feuilles d'orge ont atténué les douleurs que me causaient la pression au côté droit de ma tête, là où j'ai une plaque en plastique. Auparavant, j'étais toujours fatigué et, maintenant, j'ai plus de forces. Je remercie le bon Dieu pour ce produit, parce que la dernière fois où je suis allé à l'hôpital, j'ai dit aux docteurs que j'aimerais mieux mourir de mes blessures de guerre que de prendre d'autres médicaments.*

*Avant de prendre de l'orge verte en poudre, je me faisais du mauvais sang 24 heures par jour et j'avais des flash-back du Vietnam, l'effet du choc, j'avais aussi des sautes d'humeur et souffrais de ce qu'on appelle le « syndrome du cerveau ». Il a fallu un mois avant que la plupart de ces symptômes se résorbent. Je remercie Dieu de m'avoir fait connaître [n.p.]. Je souhaiterais pouvoir raconter mon histoire à tout le monde. »*

[N.p.] a atténué les effets des blessures de guerre de ce patient et a contrôlé ses sautes d'humeur et, croyez-moi, il se sent comme une nouvelle personne. Je prends ce produit en même temps que lui chaque matin et je peux moi aussi constater la différence.

Parfois, la responsabilité d'avoir à prendre soin de cette personne semble m'épuiser complètement, mais le Seigneur est bon car il

renouvelle mes forces grâce à la poudre d'orge verte et à la proclama-
tion de sa Parole. Il nous semble à tous deux que nous recevons une
force spéciale en remerciant Dieu lorsque nous buvons le jus d'orge
verte le matin, et que nous prions en nous inspirant de la Bible. Nous
espérons que ce témoignage aidera d'autres personnes à comprendre
comment Dieu nous a aidés, par sa divine Parole et en mettant la
poudre verte sur notre chemin.

**– L121, Columbia, Californie**

### « *APPRÉCIER L'ESPOIR QUI NOUS EST DONNÉ* »

Comme vous le savez probablement, on ne s'attend pas tellement
à ce que la santé d'une personne à laquelle on a prescrit la dialyse
pour les reins ne s'améliore. Tous les efforts des personnes ayant une
telle affection servent à se maintenir là où elles sont et à se battre pour
ne pas perdre de terrain. Alors, lorsque ma femme a reçu ses résultats
d'analyse du laboratoire, et qu'il y avait une légère amélioration, je
vous assure que ce n'était pas la moindre des choses !

Maintenant, [patiente] prend [n.p.] depuis environ un mois, et
lorsque l'infirmière qui s'occupe de sa dialyse à la maison a vu les
résultats de l'analyse, elle a voulu elle aussi en savoir plus long au sujet
de ce produit. Cette infirmière sait que je suis toujours en train de faire
de la recherche ici, à partir des ressources qu'offre la ville, y compris
l'école de médecine. Au cours des trois derniers mois, chaque fois
qu'une difficulté est survenue, j'ai répété systématiquement à cette
infirmière, « Eh bien, je crois que ma femme va être obligée de prendre
[n.p.]. » Maintenant, l'infirmière commence à croire que j'ai trouvé
quelque chose qui en valait la peine.

[Patiente] est maintenant capable d'effectuer un plus grand nombre
d'activités et son besoin en insuline a diminué. La nuit dernière, elle
a dit que ses bras lui faisaient moins mal que l'année passée. Il est
encore trop tôt pour déterminer si ces améliorations sont attribuables
à [n.p.] ou aux autres mesures que nous avons prises pour l'aider, mais
ça augure bien. Nous sommes très reconnaissants de l'espoir que ce
produit a fait renaître.

**– L146, Rockford, Illinois**

### *FRÔLÉ LA MORT*

[Patiente] était aux soins intensifs, en danger de mort. Elle était
entrée dans un profond coma, souffrant d'une lésion au tronc cervical,
d'une infection à la vessie, ainsi que d'une pneumonie. Lorsque notre
médecin s'est rendu compte que l'antibiotique qu'il avait prescrit

n'avait pas d'effet, la situation est devenue critique, en partie parce que je ne voulais pas qu'il substitue simplement un antibiotique pour un autre. Grâce au ciel, un ami en visite avait laissé un contenant de poudre d'orge verte à la maison, si bien que nous avons pu lui en apporter immédiatement.

Étant donné qu'il s'agissait d'un hôpital aux méthodes « orthodoxes », on n'aurait normalement pas accepté de faire prendre de la poudre de feuilles d'orge à ma femme. Cependant, étant donné qu'il existe assez de données médicales sur les propriétés des feuilles d'orge, on a quand même accepté de lui en donner. [N.p.] lui a peut-être sauvé la vie, car le second antibiotique a très bien fonctionné. Ce fut vraiment la réponse à nos prières !

– L147

# LÉSIONS/OPÉRATIONS

## GUÉRISON D'OPÉRATIONS DENTAIRES

J'ai l'occasion de beaucoup travailler avec des patients dont les prothèses dentaires sont ajustées sitôt l'opération terminée, c'est-à-dire que les patients commencent à porter leur nouvelle denture artificielle (ensemble complet – haut et bas) lorsque les gencives sont encore en train de guérir.

Normalement, les 10 ou 14 premiers jours sont très douloureux, puisque c'est le nombre de jours qu'il faut aux gencives pour guérir. Cependant, depuis que j'ai commencé à saupoudrer de la poudre de feuilles d'orge à l'intérieur des prothèses avant de les ajuster, le temps de guérison a beaucoup diminué. Pour certains, la guérison ne prend que quatre jours, et la plupart guérissent en moins d'une semaine. Je prescris aussi passablement moins d'analgésiques à mes patients.

Les patients qui consomment de la poudre de feuilles d'orge par eux-mêmes durant le processus de guérison guérissent encore plus vite, tandis que ceux qui en prenaient plusieurs semaines avant leur opération guérissent de façon absolument remarquable.

Vous pouvez imaginer l'importance qu'une période de guérison ainsi réduite a pour les personnes qui doivent subir un traitement aussi stressant.

– T125, Pueblo, Colorado

## GUÉRISON D'UNE BRÛLURE

[N.p.] a donné des résultats extraordinaires lorsque je me suis renversé de l'eau bouillante sur les deux mains. J'ai fait une pâte en mêlant un peu d'eau avec la poudre de feuilles d'orge, que je me suis ensuite appliquée sur la main droite. Cependant, j'ai mis autre chose sur la main gauche. Le lendemain, aussi incroyable que cela puisse paraître, la main sur laquelle j'avais frictionné [n.p.] ne montrait plus aucune trace de brûlure, tandis que l'autre était boursouflée et a pris plus d'une semaine à guérir !

– L96, Fortville, Indiana

## GUÉRISON DE BLESSURES

Ma santé s'est tellement améliorée grâce à [n.p.], que c'est pratiquement un miracle ! Je peux à peine le croire !

Le 15 novembre dernier, j'ai eu un très grave accident en tombant de cheval; je me suis blessée au genou et à la figure, et je me suis cassé plusieurs dents. C'est à ce moment-là que mon frère m'a conseillé de prendre [n.p.], pour améliorer ma santé en général et pour m'aider à guérir. J'ai en pris fidèlement chaque matin et je n'ai pas été malade un seul jour depuis. Mes blessures ont guéri comme par miracle, et mon système digestif fonctionne beaucoup mieux. Je suis remontée à cheval en seulement un mois, sans infection ni aucune autre complication.

– L90, Fair Bluff, Caroline du Nord

## GUÉRISON DE LÉSIONS FACIALES

Voici ce qu'un médecin a écrit sur le cas d'une patiente âgée, qui souffraient de lésions à la figure :

*Cette patiente avait environ 76 ans. Elle est venue me consulter en février dernier; elle souffrait alors de lésions ouvertes et sanglantes, l'une sur la lèvre supérieure et l'autre à la base du nez. La lésion sur son nez mesurait 5 mm sur 4 mm, et celle sur la lèvre supérieure 9 mm sur 5 mm. J'ai commencé par lui prescrire une cuillérée à thé (2 g) de poudre de feuilles d'orge à prendre chaque jour et, après deux semaines, j'ai augmenté la dose à deux cuillérées à thé. À ce moment-là, les lésions avaient déjà commencé à rétrécir. La patiente m'a dit que la lésion sur la lèvre supérieure noircissait et que la croûte semblait prête à tomber, et que celle sur son nez était moins rouge. Lorsque nous avons commencé le traitement, cette lésion était en fait très rouge et enflée.*

*Donc, lorsqu'elle m'a dit cela, la croûtelle sur ses lésions commençait à se soulever, et je lui ai recommandé d'appliquer la poudre de feuilles d'orge sur ses blessures en plus d'en prendre tous les jours. Nous avons continué de mesurer les lésions et de prendre des photographies à quelques semaines d'intervalle. Les progrès étaient bons et réguliers. Elle mélangeait le produit à une quantité égale d'eau et en faisait une pâte qu'elle appliquait sur ses lésions la nuit, pour éviter de ressembler à une « extra-terrestre » le jour.*

*À la fin du mois de mars, la lésion sur son nez avait pâli progressivement et celle à sa lèvre supérieure était recouverte d'une croûte qui la faisait paraître plus bénigne. La patiente a continué à prendre [n.p.] et à en mettre sur ses lésions chaque jour. La lésion au nez ne mesurait plus maintenant que 3 mm sur 3 mm et semblait vouloir disparaître. La croûte sur sa lèvre était maintenant presque toute tombée. La patiente a continué à appliquer [n.p.] sur les blessures. Le 4 juin, on ne pouvait presque plus voir la lésion sur le nez et celle sur la lèvre avait rétréci et pâli davantage. Le 2 juillet, les lésions étaient presque toutes disparues et, la dernière fois que j'ai vu cette patiente, soit le 6 août, elle était complètement guérie. Étant donné que cette patiente continuait de faire des progrès réguliers, je n'ai jamais fait faire de biopsie, mais je pense que ses lésions étaient attribuables au carcinome basocellulaire, ou l'une des quatre sortes de carcinomes. Nous avons donc constaté chez cette patiente la guérison de lésions faciales en seulement 5 mois et demi, grâce à la consommation de ce produit et à son application sur les endroits affectés.*

**– T149, Indianapolis, Indiana**

# LEUCÉMIE

## RÉMISSION DE LA LEUCÉMIE

Nous prenons [n.p.] grâce à ma soeur et croyons qu'il a contribué en grande partie à stabiliser ma numération globulaire à un très bon niveau. Selon le dernier résultat de scanner de ma moelle osseuse, je n'avais plus aucune trace de leucémie, et les petites taches que j'avais sur la peau des bras et des jambes pâlissent constamment. Ce que c'est merveilleux de se sentir aussi bien !

**– L68, Shell Knob, Missouri**

### DISPARITION DES SYMPTÔMES
### DE LA LEUCÉMIE !

L'orge verte en poudre m'a procuré une grande satisfaction ! Le cas de mon beau-père est des plus extraordinaires. Après avoir souffert pendant 8 années de leucémie, sans avoir obtenu un seul compte globulaire normal durant toute cette période, trois analyses sanguines consécutives ont révélé des numérations de globules blancs normales.

**– R26, Columbia, Maryland**

### FORCE ET VITALITÉ

Je me sens tellement mieux depuis que j'ai commencé à prendre [n.p.], il y a environ un mois et demi. Une personne se sent très fatiguée quand elle manque de fer, mais grâce à ce produit, j'ai plus de forces. Je pense que [n.p.] m'a redonné ma vitalité. Je viens de déménager et suis très impatiente de voir ce que mon nouveau médecin aura à dire au sujet d'une patiente atteinte de leucémie, qui a la vitalité que j'ai !

**– R13, North Baltimore, Ohio**

### AUGMENTATION REMARQUABLE DU NOMBRE
### DE PLAQUETTES SANGUINES

Je lutte contre la leucémie depuis huit ans. À un moment donné, le compte de mes plaquettes sanguines n'était plus que de 5 000, et les médecins voulaient m'enlever la rate. J'avais beaucoup de plaquettes dans la moelle des os, mais il semble que c'était ma rate qui les détruisait. Je prenais à ce moment-là le médicament Prednisone. Lorsque j'ai commencé à prendre [n.p.], le nombre de mes plaquettes a « augmenté », pour atteindre 35 000 (250 000 constitue la normale). Quatre jours plus tard, j'ai cessé de prendre des médicaments, m'en remettant entièrement à [n.p.]. Un mois plus tard, j'avais de nouveau le même nombre de plaquettes que lorsque je prenais des médicaments. À la fin du deuxième mois, j'étais rendue à 155 000 plaquettes sanguines... et ça continue toujours !

**– R73, Sonora, Californie**

# STRESS, DÉPRESSION, « NERFS »

### AMÉLIORATION DE LA SANTÉ PHYSIQUE
### ET MENTALE

Depuis que je prends la poudre de feuilles d'orge, j'ai remarqué que ma santé mentale et ma santé physique se sont améliorées de tellement de façons. Le regain d'énergie et de forces que m'a procuré [n.p.] m'a permis de surmonter une dépression légère. Je suis plus alerte, j'ai une plus grande clarté d'esprit et j'ai besoin de moins de sommeil.

J'ai remarqué également que je sens moins la transpiration et que diverses éruptions sur ma peau avaient disparu. En fait, la couleur de ma peau est beaucoup plus belle maintenant !

– **R9, Ann Arbor, Michigan**

## ÉNERGIE, GLYCÉMIE, DÉPRESSION

Avant de commencer à prendre [n.p.], je faisais de l'hypoglycémie, je manquais d'énergie et j'étais dépressive. Deux semaines plus tard, après avoir commencé à prendre de ce produit, je sentais que j'avais davantage d'énergie. J'avais assez d'entrain pour marcher plus longtemps et pour améliorer mon régime alimentaire. Maintenant, si je fais assez d'exercice, je me sens bien la plupart du temps. Je crois que, grâce à [n.p.], mon niveau de glucose a augmenté et que mon régime alimentaire s'est amélioré.

– **R62, Rutherfordton, Caroline du Nord**

## « NERFS »

Lorsque j'ai commencé à prendre la poudre de feuilles d'orge, j'en prenais une cuillèrée à thé deux fois par jour. En moins d'un mois, je me suis aperçue que j'étais plus calme et relaxée. Je dors mieux la nuit et je suis plus forte. [N.p.] m'a permis de surmonter mon état de surexcitation nerveuse.

– **R22, Moncao, Pennsylvanie**

## RÉACTION DE STRESS PRONONCÉE

Avant de commencer à prendre [n.p.], j'avais subi un grave accident d'auto et j'étais fatiguée à la fois physiquement et émotionnellement. J'avais pris alors soin de ma mère pendant six mois, 24 heures par jour, jusqu'à ce qu'elle meure du cancer, et mon mari était lui aussi malade.

Mon mari souffrait d'une insuffisance de l'adrénaline, de malabsorption, etc., depuis 2 ans et demi. Il avait perdu 20 kilos et avait cessé de travailler depuis six mois. Lorsqu'il a vu combien [n.p.] m'avait donné d'énergie, il a commencé à en prendre lui aussi, et nous croyons que ça l'aide également.

– **R74, Trenton, New Jersey**

# *NOS AMIS LES ANIMAUX*

*Voici les histoires vraies de quelques personnes qui ont trouvé un moyen d'aider leurs animaux de compagnie quand tout espoir semblait perdu. Il est à remarquer que nos amis les animaux réagissent très vite à [n.p.].*

## « RUFUS »

Rufus, un chien de treize ans, avait de graves problèmes de santé. Étant donné qu'il faisait de l'arthrite, il se lamentait le matin en se levant et en s'étirant. Sa vue était faible et ses reins ne fonctionnaient plus très bien. Le vétérinaire avait suggéré, si Rufus ne réagissait pas à une nouvelle dose d'antibiotique, de l'endormir paisiblement.

Deux semaines après avoir commencé à donner à Rufus une cuillèrée à thé par jour de poudre de feuilles d'orge, diluée dans son eau, sa santé semble s'être grandement améliorée sur tous les plans. Je l'ai revu quatre semaines après que [n.p.] a été ajouté à son régime, et il jouait et sautait à l'extérieur avec un berger allemand de deux ans, de la même grandeur et de la même grosseur que lui. Franchement, il était difficile de dire lequel des deux chiens avait été malade! Rufus ne se laissait certes pas manger le poil sur le dos par le plus jeune chien!

– L127

## « ASA »

Asa, un grand chien de chasse, avait toujours été en bonne santé. Cependant, il a commencé à avoir des démangeaisons qui se sont progressivement aggravées, car il essayait de se gratter avec ses dents. Sa maîtresse, qui consommait elle-même [n.p.], avait d'abord essayé de lui donner plusieurs médicaments, mais aucun n'a eu d'effet. Cependant, les démangeaisons sont disparues en une semaine, après qu'on a donné à Asa de la poudre d'orge verte à chaque jour.

– L126

## « POPPET »

Poppet n'était plus toute jeune, mais elle était toujours la petite chatte enjouée et affectueuse qui captait l'attention de tous ceux qu'elle rencontrait. Elle n'a même pas perdu sa gentillesse lorsqu'elle a commencé à avoir très mal aux hanches. Il semblait impossible de poser un diagnostic, mais il était évident que les symptômes de la maladie s'aggravaient. En peu de temps, Poppet ne pouvait plus marcher qu'en se traînant le train arrière.

Sa famille adoptive ne savait naturellement pas que faire, ne voulant pas la faire endormir, car sa santé était autrement parfaite, et elle ne s'était jamais aigrie à cause de cette maladie qui empirait toujours. Juste au moment où on commençait à envisager l'inimaginable, quelqu'un a suggéré qu'on lui donne du [n.p.].

On a commencé par lui en donner 1/4 de cuillèrée à thé par jour; les résultats ont été tout simplement spectaculaires! Lorsque j'ai rencontré Poppet pour la première fois, elle prenait [n.p.] depuis une semaine, et on a eu de la difficulté à me convaincre qu'elle avait été malade. Quant à la famille, tous étaient très soulagés et ne tarissaient pas d'éloges envers [n.p.].

– **T129, Pueblo, Colorado**

## « *STREAKER* »

Streaker, le chat de la famille, était à l'article de la mort. Il avait contracté une péritonite et, à l'âge de 12 ans (un âge avancé pour un chat), il ne semblait pas qu'il puisse s'en sortir. Il demeurait là, misérable, perdant ses poils à pleines poignées. Ne pouvant garder aucune nourriture, il fondait à vue d'oeil.

À ce moment critique, une personne au travail nous a donné un peu de poudre de feuilles d'orge pour que nous lui en donnions. Au point où il en était, je ne savais pas s'il retiendrait cette nourriture sans la vomir, mais j'étais prête à tout essayer. Il était clair qu'autrement nous devrions le faire injecter bientôt, car le vétérinaire ne pouvait plus rien faire pour lui.

Lorsque je suis arrivée à la maison, je lui en ai mélangé un peu avec de l'eau. Quelques moments plus tard, il s'est traîné vers son bol et a commencé lentement à boire. Nous retenions tous notre souffle, étant donné que presque tout ce qu'il avait pris récemment était ressorti aussitôt; mais il a réussi à le conserver.

Je lui en ai mélangé encore un peu plus le matin suivant, et il a réussi à le garder aussi. Il n'a pas simplement réussi à garder [n.p.], il a même semblé s'animer un peu. Le jour suivant, lorsque je suis arrivée à la maison, il est venu cajolant me rejoindre à la porte et m'a suivie jusqu'à la cuisine. Il a regardé son bol à eau qui était vide, puis il s'est tourné vers moi d'un air presque suppliant. Je pouvais réellement voir que le bon vieux Streaker commençait à revenir. Ça lui a pris quelque temps, mais Streaker s'en est sorti. Son poil a commencé à pousser de nouveau, et son énergie et sa vivacité s'accroissent de jour en jour.

Le reste de la famille a donc commencé à prendre [n.p.] aussi. Je crois que nous étions tous curieux de voir ce que [n.p.] pouvait faire aussi pour nous, s'il avait fait autant pour un chat à l'article de la mort ! Nous sommes très heureux d'avoir découvert [n.p.], et très reconnaissants que ce produit ait aidé à prolonger la vie de Streaker.

– **T128, Melbourne, Floride**

# DOULEUR

### MIGRAINES, STRESS, SCLÉROSE EN PLAQUES

Je me sens tellement mieux depuis que j'ai commencé à prendre [n.p.], il y a environ un mois de cela. Il y a trois ans, j'ai eu une méningite et fait une encéphalite. Depuis lors, je souffre de terribles migraines et semble sans défense contre les maladies. Aussitôt que j'ai commencé à prendre [n.p.], j'ai remarqué que mes migraines étaient moins fréquentes et moins douloureuse. En fait, il y a maintenant près de trois semaines que je n'en ai eu aucune, ce qui est pour moi un véritable record !

Mon mari prend aussi de [n.p.]. Il occupe un poste très stressant et il a tendance à négliger sa santé. Toutefois, il dit qu'il est beaucoup moins fatigué depuis qu'il a pris l'habitude de consommer de la poudre de feuilles d'orge. Je me sens mieux aussi, du fait que je sais que mon mari prend davantage soin de sa santé.

Nous avons une amie qui fait de la sclérose en plaques. Nous lui avons conseillé de prendre [n.p.]. Elle est tout à fait ravie du produit, et elle prend des forces et marche aussi mieux qu'auparavant.

– **L65, Escondido, Californie**

### DOULEUR À L'ÉPAULE NON DIAGNOSTIQUÉE

Je souffrais depuis quelque temps d'une douleur à l'épaule que les médecins ne pouvaient pas diagnostiquer. Je me suis prêtée à tous les tests et thérapies possibles, mais peine perdue. J'ai donc décidé d'aller voir un médecin orienté davantage vers la médecine préventive. Il m'a fait prendre un peu de poudre de feuilles d'orge dans son bureau; en 22 minutes, l'intensité de la douleur est passée de 10 à 4 (sur une échelle de 1 à 10). 39 minutes après avoir pris [n.p.], je ne ressentais plus aucune douleur, sauf quand je me forçais l'épaule. Il est difficile de croire que, malgré tous ces tests, personne ne m'ait jamais proposé une méthode de traitement rapide auparavant. Je suis très contente que ce médecin m'ait fait connaître [n.p.].

– **L133, Indianapolis, Indiana**

### SOULAGEMENT DE MIGRAINES CAUSÉES PAR UN GLAUCOME

Je souffrais d'un glaucome et d'une rétinite pigmentaire. Avant de commencer à prendre [n.p.], je faisais aussi de l'hypertension et je souffrais de douloureuses migraines. Maintenant je me sens mieux, j'ai moins de maux de tête, et je ne suis plus aussi fatiguée.

– **R40**

### SOULAGEMENT DE LA DOULEUR, DE LA FATIGUE ET DE LA DÉPRESSION

[N.p.] m'a soulagée de la douleur et de la fatigue. J'ai un problème de thyroïde, un calcul biliaire et je suis dépressive. Depuis que je prends ce produit, je me sens mieux et j'ai davantage d'énergie. Je ne me sens plus aussi fatiguée et, lorsque j'ai de la douleur, je prends de ce produit et la douleur s'en va.

L'autre jour, j'avais une douleur à la nuque et le cou raide. La douleur est disparue et j'ai pu bouger mon cou aussitôt que j'ai pris la poudre de feuilles d'orge.

– **R6, Baldwin Park, Californie**

# REPRODUCTION

### GROSSESSE

Étant donné qu'il est très important de s'abstenir de tout médicament en période de grossesse, j'étais très heureuse d'avoir entendu parler de [n.p.]. Ce produit m'a permis de contrôler mon problème d'acidité dans l'estomac et m'a protégée des rhumes au cours des premiers six mois de ma grossesse.

– **R36**

### SYNDROME PRÉMENSTRUEL

Avant de commencer à prendre [n.p.], j'avais des crampes, des maux de tête, j'étais maussade, j'avais des hauts et des bas, des problèmes digestifs, des allergies, et je souffrais de constipation chronique. Ce produit m'a soulagée de la constipation en très peu de temps, et bientôt j'ai commencé à constater une amélioration de mes autres symptômes. Maintenant, je prends [n.p.] depuis cinq mois et je me sens beaucoup mieux au cours des deux — **R35, Chino, Californie** semaines qui précèdent mes menstruations. Je n'ai plus que des crampes très légères, je ne suis plus irritable et je suis aussi stable que le rocher de Gibraltar. Tout cela grâce aux feuilles d'orge en poudre !

## MÉNOPAUSE, ARTHRITE

Il y a deux ans, j'ai consulté mon gynécologue concernant mes symptômes de ménopause. À ce moment-là, j'ai décidé de m'abstenir de thérapies à base d'oestrogène et de progestérone, et j'ai préféré prendre de la vitamine E et d'autres suppléments. Depuis que j'ai commencé à prendre [n.p.], j'ai une sensation générale de mieux-être et davantage d'énergie. Les résultats sont devenus manifestes après environ deux semaines. J'ai non seulement moins de bouffées de chaleur, j'ai aussi beaucoup moins de douleurs arthritiques.

– R15, Orange, Californie

## MÉNOPAUSE, DÉPRESSION, CANCER DU SEIN

L'hiver dernier, j'étais très déprimée, abattue, malade presque tout le temps, et j'avais un très gros écoulement en raison de ma ménopause. J'ai commencé à prendre [n.p.] vers le milieu de l'année dernière et, en un mois seulement, j'avais retrouvé le moral, le flux sanguin s'était stabilisé et ma santé en général, tant mentale que physique, s'était améliorée. J'étais maintenant prête à subir à l'automne une exérèse locale d'une tumeur du sein. J'ai subi cette opération sans aucune complication. Trois mois plus tard, mon examen médical n'a révélé aucun signe de cancer, et je viens de passer l'hiver sans attraper un seul rhume. Mon mari et ma fille, voyant à quel point je me sentais bien, ont eux aussi commencé à prendre de la poudre de feuilles d'orge en obtenant d'excellents résultats. Je recommande très fortement l'usage de [n.p.].

– R46, Butler, New Jersey

## MASTOSE SCLÉROKYSTIQUE

Il y a deux ans, on a fait une biopsie afin de déterminer si j'avais le cancer du sein. On a découvert que j'étais atteinte d'une mastose sclérokystique depuis plusieurs années mais, heureusement, la tumeur était bénigne. Cependant, des suites de la biopsie, j'avais des douleurs aiguës à un sein. Les médecins ne pouvaient m'aider en aucune façon. On m'a seulement dit que les douleurs aux seins étaient « caractéristiques » de la mastose sclérokystique. Après avoir commencé à prendre [n.p.], la douleur a commencé à diminuer.

Maintenant, grâce à ce merveilleux produit, je me sens beaucoup mieux !

Je sens que j'ai plus d'énergie et que je peux m'acquitter d'une bonne journée de travail beaucoup mieux qu'auparavant, lorsque je me fatiguais si facilement. J'ai maintenant 60 ans et je travaille toute la journée à une boutique d'encadrement, je m'occupe en plus de ma mère qui est âgée de 85 ans, je fais tout le ménage de la maison, et je trouve le temps de m'occuper du jardin. Avant de commencer à prendre [n.p.], j'avais toujours des maux de gorge très douloureux plusieurs fois par année ; maintenant, quand je m'éveille et que j'ai mal à la gorge, je prends [n.p.] et le mal disparaît !

— **R50, San Antonio, Texas**

### IMPOTENCE, NERFS

[N.p.] m'a redonné de l'énergie et mon appétit sexuel est revenu à la normale. De plus, je prenais de nombreuses vitamines et d'autres suppléments. Cependant, j'ai constaté une véritable différence lorsque j'ai commencé à prendre [n.p.]. Je sentais que j'apaisais et que je cessais de fonctionner à l'épouvante. En fait, je prenais des médicaments pour les nerfs ; maintenant, je ne prends plus que la moitié de la dose quotidienne prescrite. Le médecin a examiné l'usage que je faisais des vitamines et de l'orge verte et il m'a dit qu'il n'y voyait aucun inconvénient.

— **R30, Driftwood, Texas**

# FAIRE RECULER LE TEMPS

## VIVRE SEUL

L'oncle de mon mari a 87 ans et vit seul. L'automne dernier, il a été opéré pour une hernie. Étant donné que son régime alimentaire ne me paraissait pas aussi équilibré qu'il aurait pu l'être, je lui ai parlé de [n.p.].

Maintenant, il a tellement bonne apparence qu'à l'occasion d'un récent dîner à l'église, des paroissiens lui ont demandé son secret. Il en a convaincu plusieurs d'essayer [n.p.]. Cet oncle est également un poète, dont les oeuvres étaient publiées. Cette année, il a lancé deux nouveaux recueils de ses poèmes !

— **L20, Natrona Heights, Pennsylvanie**

## VUE, ÉNERGIE

Mon mari aura 88 ans en mai. Depuis qu'il a commencé à prendre [n.p.], il peut lire très longtemps sans avoir mal aux yeux. Moi, j'ai 80 ans et, avant de connaître [n.p.], je détestais me lever le matin; maintenant ça ne me fait plus rien. Nous sommes tellement reconnaissants d'avoir essayé la poudre de feuilles d'orge.

– **L11, Orlando, Floride**

## SOMMEIL AMÉLIORÉ, PLUS GRANDE RÉSISTANCE AU STRESS

Maintenant que je prends [n.p.], je peux dormir cinq heures de suite la nuit, ce qui ne m'était pas arrivé depuis des années. De plus, je ne ressens aucun stress à la perspective de visiter mes petits-enfants, ce qui est extraordinaire étant donné où j'en suis rendu dans mon pèlerinage sur cette bonne vieille Terre (j'ai 69 ans).

– **L64**

## SOULAGEMENT COMPLET DU MAL DE DOS, DAVANTAGE D'ÉNERGIE ET MEILLEURE MÉMOIRE

Je souffre d'ostéoporose, de polyarthrite rhumatoïde et de névrite. Peu de temps après avoir commencé à prendre [n.p.], la douleur vive que je ressentais au bas du dos est disparue. Plusieurs semaines plus tard, j'ai commencé à me sentir vraiment mieux. Maintenant, j'ai davantage d'énergie et j'ai meilleure mémoire.

– **R18,, Trussville, Alabama**

## CRAMPES AUX JAMBES ET AUX PIEDS

J'ai eu des crampes aux jambes et aux pieds pendant plusieurs années. Grâce à [n.p.], je n'en ai plus du tout. Je me sens beaucoup mieux en général.

– **R54, Fredricksburg, Texas**

## RÉGULARITÉ SANS LAXATIFS

Avant de commencer à prendre [n.p.], ma tante, qui est âgée de 90 ans, utilisait chaque jour des suppositoires. Elle n'en a pas eu besoin depuis qu'elle consomme ce produit. Elle en prend une cuillèrée à thé par jour, diluée dans de l'eau.

– **R38, San Antonio, Texas**

## PLUS DE FORCES

Je me sens plus forte depuis que j'ai commencé à prendre [n.p.]. J'ai 90 ans et j'ai remarqué que j'ai plus de vigueur qu'une personne de mon âge devrait normalement en avoir. Je ne vois pas de médecin.

Je fais de l'exercice, je prends des vitamines ainsi que de la poudre de feuilles d'orge, et je vois un chiropraticien une fois par mois.

– R32, Des Moines, Iowa

## ULCÈRES, HERNIE HIATIALE, BURSITE, ALLERGIES

[N.p.] m'a soulagé de mes ulcères d'estomac, des douleurs que me causaient mon hernie hiatiale et des terribles souffrances que j'endurais à cause d'une bursite. J'avais l'habitude de prendre trois aspirines à toutes les trois heures, pendant plusieurs jours de suite, jusqu'à ce que j'aie presque ruiné ma santé.

J'aurai 70 ans en mai. Depuis seulement trois mois que je prends [n.p.], j'ai de la difficulté à croire à quel point je me sens mieux. Je ne sens presque plus aucune douleur, je dors mieux, j'ai davantage de forces, je n'ai plus d'allergies, ma santé s'améliore de jour en jour, et je suis certaine que tout cela est dû à ce produit!

À l'heure actuelle, après avoir souffert toute ma vie de problèmes de santé, je suis en aussi bonne santé qu'une personne de mon âge peut espérer l'être. Je remercie le Seigneur de m'avoir fait connaître [n.p.]!

– R29, Fredricksburg, Texas

## GUÉRISON D'UN ULCÈRE ET DE DOULEURS À L'ÉPAULE

Mon but en prenant [n.p.] était très simple : je voulais recouvrer la santé. Mon ulcère et ma douleur à l'épaule sont disparus; je me sens beaucoup plus relaxé et d'humeur égale. J'ai besoin de moins de sommeil et j'ai plus d'énergie que jamais. Je peux dire en toute franchise que je me sens comme si j'avais encore 18 ans. Cependant, selon le calendrier, j'en ai 32! Dieu merci pour [n.p.]!

– R2225, Sherwood Park, Alberta

## ULCÈRE ET HERNIE

J'ai enduré pendant six mois des douleurs à l'estomac et à la poitrine. Mon médecin m'a dit que j'avais un ulcère et une hernie. Seulement deux semaines après avoir commencé à prendre deux cuillerées à thé de poudre de feuilles d'orge par jour, les douleurs ont commencé à diminuer. Six mois plus tard, je me sens en pleine forme, sans aucune douleur!

– L232, Woodstock, Georgie

## OSTOÉPOROSE ET SPASMES MUSCULAIRES

J'ai commencé à prendre [n.p.] il y a environ 10 jours, et j'ai commencé à me sentir mieux presque immédiatement. Je souffre d'ostéoporose et j'ai de très gros spasmes dans les muscles, des craquements aux jointures, ainsi que des douleurs et des démangeaisons sur toute la surface du corps.

Maintenant, je dors comme une bûche et je n'ai presque plus de spasmes. Je me sens remplie d'émerveillement et d'un vaste sentiment de gratitude en voyant la guérison qui s'effectue dans mon corps de jour en jour.

– L63, San Antonio, Texas

## MAUX DE TÊTE, VUE, NIVEAU D'ÉNERGIE, APPARENCE

J'ai fait une crise cardiaque il y a deux ans. Je souffre depuis de faiblesses, de fatigue et j'ai tendance à avoir mal à la tête aussitôt que je lis pendant plus de quelques minutes. Cependant, [n.p.] a changé tout cela.

Aujourd'hui, je peux travailler plus vite et pendant plus longtemps, et je suis très heureuse de pouvoir préparer les repas. Mon énergie dure plus longtemps, j'ai bonne mine et je parais même plus jeune – c'est peut-être parce que j'ai moins de rides au visage ! Ma vue s'est aussi beaucoup améliorée et je peux maintenant lire sans avoir mal à la tête.

– L93, Phoenix, Arizona

## ÉNERGIE ET MIEUX-ÊTRE, MALADIE DE PARKINSON

Depuis que j'ai commencé à prendre [n.p.], j'ai plus d'énergie et un sentiment de mieux-être. Je suis atteint de la maladie de Parkinson et j'ai remarqué que mes jambes tremblent un peu moins.

– R55, San Antonio, Texas

## RÉSISTANCE, ÉNERGIE, GUÉRISON D'ARTHRITE

Grâce à [n.p.], je me sens tellement bien. Je me sentais déjà bien pour une personne de 64 ans, mais maintenant c'est comme si j'avais retrouvé ma jeunesse ! Je faisais un peu d'arthrite, mais grâce à [n.p.], je n'en fais plus du tout. Ce produit a permis à mon corps de se régénérer, a augmenté ma résistance, de l'énergie et un sentiment général de bien-être. Le changement s'est fait graduellement, mais j'ai tout de suite senti la différence.

– R51, Dallas, Texas

## « UN CADEAU DE DIEU... À NOTRE MONDE POLLUÉ »

Après avoir vécu pendant deux ans sur une île du Pacifique où il n'y avait ni fruits ni légumes frais, ma femme et moi avions des pieds à la peau rude, dure et craquelée, et pendant cinq ans nous avons cru qu'il en serait toujours ainsi. Cependant, après avoir pris [n.p.] pendant 2 mois, nous avons tous les deux des pieds dont la peau est aussi douce que celle d'un enfant. Ma femme avait, de plus, la langue fissurée (langue géographique) depuis l'enfance, mais [n.p.] a stabilisé son métabolisme à un tel point que sa langue a guéri en seulement quatre mois. Même mes cheveux poivre et sel sont devenus brun pâle. En cet âge pollué, la poudre de feuilles d'orge est peut-être le cadeau que Dieu a voulu faire à ceux qui sont assez intelligents pour l'utiliser, afin de combattre les produits chimiques auxquels notre corps est constamment exposé.

– L144

## VERRUES

J'ai constamment des verrues sur une main. Le docteur les a brûlées mais elles sont revenues. J'ai aussi essayé plusieurs autres moyens de m'en débarrasser, mais ces verrues semblaient vouloir résister à tout.

Cependant, après avoir pris [n.p.] pendant six semaines seulement, mes verrues sont toutes disparues ! Je peux à peine le croire, après tout ce que j'ai essayé sans résultats !

– L228, Madison, Wisconsin

# PROBLÈMES DE POIDS

## QUARANTE ET UN ANS, GROS ET TOUJOURS FATIGUÉ

Je prends 1 cuillèrée à thé de poudre de feuilles d'orge chaque jour depuis maintenant sept mois. Si vous m'aviez vu auparavant, vous ne pourriez pas croire la différence en fait d'énergie. J'avais quarante et un ans, j'étais gros et toujours fatigué. Aujourd'hui, j'ai perdu du poids, j'ai certainement beaucoup moins besoin de sommeil et je me sens cent pour cent mieux.

Je mange maintenant de la nourriture « vivante », je prends [n.p.] et j'ai de la difficulté à croire à tel point je me sens bien. J'essaie de parler de [n.p.] à tout le monde.

– R72, Santa Monica, Californie

### LA PERTE DE POIDS RÉDUIT L'HYPERTENSION

J'ai perdu près de 15 kilos depuis cinq mois que je prends [n.p.], et ma tension artérielle est passée de 180/90 à 140/78. De plus, je ne prends plus que la moitié de la dose de Dyazide que je prenais auparavant.

Grâce à [n.p.], ma femme et moi avons tous les deux meilleure apparence et plus de vitalité. Nous avons jeté nos laxatifs à la poubelle et nous sommes très contents de pouvoir jouer au golf et aux quilles plusieurs fois par semaine. Nous sommes âgés de 69 ans et sommes très heureux d'avoir trouvé ce produit.

– R43, Cincinnati, Ohio

### MAIGREUR

J'étais trop maigre et je suis très contente d'avoir pris un peu de poids, grâce à [n.p.].

– L82, Quakertown, Pennsylvanie

# MISE À JOUR

### VISION, ODEUR CORPORELLE

Je dois écrire de nouveau parce qu'il m'est arrivé des choses nouvelles absolument merveilleuses. À mesure que je prends [n.p.], ma santé s'améliore de manière que je n'aurais pu imaginer.

Je conduis rarement la nuit parce que j'ai de la difficulté à évaluer les distances. Cependant, en revenant en voiture avec mon mari à la maison l'autre soir, je ne pouvais pas croire jusqu'à quel point ma vue s'était améliorée ! Je pouvais même lire les panneaux de circulation à grande distance !

De plus, je transpire beaucoup, mais je suis allergique aux déodorants. J'utilise des déodorants quand je sors, mais, à la maison, je ne les utilise pas et je dois prendre souvent des bains. Cette année, le mois de septembre a été particulièrement chaud et humide, mais j'ai remarqué que je ne dégageais pas de forte odeur de transpiration, peu importe combien dur je travaillais ou à quel point je transpirais. Enfin, je sens et je sais que j'ai l'haleine plus fraîche et qu'il ne me reste aucun arrière-goût dans la bouche. Bien au contraire, tout goûte maintenant si bon grâce à [n.p.] !

– L94

# RECOMMANDATIONS ALIMENTAIRES

## LISTE 1

### RECOMMANDATIONS DE LA USDA *

- **Mangez une plus grande variété d'aliments de toutes les catégories :** Une plus grande variété de légumes, de fruits, de céréales entières, de légumineuses, de viandes, de noix, de grains, etc. (Nous avons réduit notre liste d'aliments favoris au point que nous avons des allergies alimentaires en proportions épidémiques.)
- **Réduisez votre consommation de « chair » – boeuf, porc, poisson, volaille, etc. :** Pour demeurer en bonne santé, un adulte n'a besoin que de trois portions de 85 à 115 g, chaque semaine. (Quelle quantité mangez-vous ? La cardiopathie et bon nombre d'autres maladies pourraient être réduites en obéissant à cette suggestion.)
- **Réduisez de beaucoup votre consommation d'aliments à haute teneur en gras et substituez en partie les gras polyinsaturés aux gras saturés :** (Cela signifie moins d'aliments frits, de crème glacée, de croustilles et de trempettes, de vinaigrettes et de tout un tas de nos aliments favoris. Ici encore, une réduction des maladies cardio-vasculaires et de l'obésité pourrait être un avantage de cette recommandation.)
- **Réduisez de beaucoup votre consommation de sucre et d'aliments à haute teneur en sucre :** (Il n'y a aucun doute que l'obésité, la carie dentaire, le cancer, la cardiopathie, les lithiases rénales, Candida albicans, le diabète, l'hypoglycémie, l'arthrite et à peu près toutes les maladies connues sont liées à notre forte consommation actuelle de sucre. Voir le chapitre V sur l'incidence du sucre sur notre résistance à la maladie.)
- **Mangez plus d'aliments qui appartiennent à la catégorie des glucides complexes :** (Ces sont les légumes, les grains [céréales] et les haricots de toutes sortes, etc. Ces aliments sont de bonnes sources de minéraux et de vitamines, et bon nombre sont d'importantes sources de protéines.)
- **Évitez l'excès de sel :** (Ce sont les cornichons, les olives, les croustilles, le porc, les noix salées et tout un tas d'autres aliments « favoris ». Vos vaisseaux sanguins fonctionneront mieux si vous prenez l'habitude d'assaisonner vos aliments avec des fines herbes plutôt qu'avec du sel.)

### Ajoutez ce qui suit à cette liste : (Suggestions de l'auteur)

- Buvez environ 2 litres d'eau chaque jour (suffisamment pour donner à votre urine une coloration claire).
- Faites 20 minutes d'exercice de trois à quatre fois par semaine, au minimum.
- Mangez suffisamment de fibres chaque jour pour que vos selles flottent. Le son d'avoine (2 à 3 cuillerées à table – 12 à 18 g) est une bonne source de fibres.

---

*\* Les notes entre parenthèses sont celles de l'auteur.*

## LISTE 2
## LISTE SANTÉ DU SYSTÈME CARDIO-VASCULAIRE

**Mangez très peu de :**
Lait entier ordinaire, lait évaporé ou condensé,
fromages fermes, fromage cottage,
crème glacée et yogourt régulier,
garnitures fouettées et à la crème,
beurre, shortening, margarine,
crème, mélange mi-crème mi-lait,
saindoux, gras de bacon,
chocolat, crème sûre,
foie et autres abats,
viandes rouges (boeuf, agneau, porc),
charcuterie, hot-dogs, saucisse,
bacon, jaune d'oeuf, côtes levées,
poisson-chat, hareng, maquereau,
saumon, sardines, espadon, turbot,
pâtisseries (tartes, gâteaux, biscuits, beignes,
bagels, brioches, muffins, pains blancs),
patates douces sucrées,
légumes arosés de beaucoup de beurre,
aliments frits, aliments frits enrobés de pâte,
aliments en crème.

**Utilisez ces aliments plus généreusement :**
Lait écrémé ou 1 %, fromages et yogourt à faible teneur en gras,
fromage blanc égoutté, lait glacé, (si vous devez!)
fromages de lait partiellement écrémé, babeurre, tofu,
vinaigrettes, vos propres vinaigrettes de tomate ou de yogourt,
achigan, tassergal, morue, flet, aiglefin, perche, doré, thon dans l'eau,
volaille (sans la peau),
haricots séchés de toutes sortes.
Pains et céréales de grains entiers
(blé entier, seigle, son, gruau d'avoine),
riz à grains entiers, spaghetti de blé entier,
nouilles de blé entier, pâtes de blé entier de toutes sortes,
fruits et légumes frais,
fruits et légumes surgelés, fruits et légumes en conserve
(évitez les fruits dans les jus épais),
fruits conservés dans l'eau, légumes sans sel,
légumes sans sucre, germes.

# SUGGESTIONS POUR PRENDRE L'ORGE VERTE

Si, après avoir lu ce livre, vous êtes convaincu des attributs de l'orge verte et que vous êtes prêt à l'essayer, alors vous allez éprouver une toute nouvelle forme de santé et de bien-être, et comme les nombreux utilisateurs de cet aliment, vous direz : « Je ne m'en passerais pas – je constate vraiment la différence ! »

### ATTENTION :

Votre poudre d'orge verte regorge d'enzymes et de coenzymes (vitamines) « vivantes » qui seront détruites si vous « chauffez » la poudre ou si vous la congelez. Par conséquent :

- NE L'EXPOSEZ PAS à la lumière du soleil, à l'air ou à la chaleur.
- NE LA MÉLANGEZ PAS à une boisson chaude.
- NE LA METTEZ PAS au réfrigérateur.
- UTILISEZ TOUJOURS UNE CUILLÈRE SÈCHE pour prendre la poudre du contenant.

### POUR DE MEILLEURS RÉSULTATS

- L'orge verte se prend 30 minutes avant un repas ou deux heures après – toujours à jeun.
- Dose quotidienne d'un adulte en santé : 1 à 2 cuillerées à thé (2 à 4 g) de poudre d'orge verte diluée dans 6 à 8 oz (175 à 250 ml) d'eau, de jus de fruit ou de lait (ou 6 à 8 comprimés de 650 mg).
- Si vous remarquez des symptômes de désintoxication (voir l'annexe C « Que se passe-t-il quand on améliore sa nutrition ? »), il est préférable de RÉDUIRE la quantité utilisée pendant quelques jours, puis d'en prendre une cuillerée à thé (2 g) et d'augmenter la dose graduellement.
- Si vous avez un problème chronique de santé (plus particulièrement une maladie dégénérative comme l'arthrite, le cancer, le diabète ou une affection cardiaque), beaucoup de gens ont indiqué qu'ils se

sentaient mieux en utilisant deux cuillerées à thé (4 g) TROIS FOIS PAR JOUR, les prenant toujours à jeun selon les recommandations.

• La dose quotidienne pour les très jeunes enfants (ceux d'un an, par exemple) est de 1/4 cuillerée à thé (500 mg); pour les enfants plus âgés, 1/2 cuillerée à thé (1 g), et pour les adolescents, une cuillerée à thé (2 g) ou la dose qu'un adulte prendrait. Selon le D$^r$ Hagiwara, ces doses peuvent être augmentées sans aucun danger durant de brèves périodes, en cas de maladie.

• D$^r$ Hagiwara estime que la dose quotidienne maximale que peuvent prendre les adultes est de 20 grammes, ou environ 10 cuillerées à thé.

### *UN PETIT CONSEIL :*

Certaines personnes ont trouvé que le fait de prendre de l'orge verte au coucher dérangeait leur sommeil parce que cela leur donnait trop d'énergie. D'autres ont trouvé que ça leur permettait de bien dormir. Avant d'en prendre au coucher, faites-en l'expérience !

### *FAITES PREUVE DE BON JUGEMENT*

N'OUBLIEZ PAS ! Si vous vous sentez « mal » après avoir commencé à prendre de l'orge verte, réjouissez-vous ! Cela indique tout probablement que votre corps a entrepris le cycle de désintoxication, c'est-à-dire qu'il se débarrasse des éléments toxiques et se reconstitue. Si vous éprouvez des symptômes de désintoxication, RÉDUISEZ la dose pendant un certain temps, mais ne cessez pas d'en prendre. Veuillez consulter l'annexe sur la désintoxication et la purification.

Un dernier point, mais non le moindre, comptez au moins de 16 à 24 semaines ou plus pour constater des résultats. L'orge verte n'est pas magique; par contre, elle constitue un excellent aliment pour les cellules. Donnez le temps à cet aliment d'agir sur vos cellules, et les résultats seront spectaculaires si vous le consommez fidèlement et judicieusement.

# QUE SE PASSE-T-IL QUAND ON AMÉLIORE SA NUTRITION?

*Les idées présentées sous cette rubrique sont énoncées clairement dans un article intitulé « Quels symptômes se manifestent lorsque vous améliorez votre régime alimentaire ou le fait d'améliorer votre régime alimentaire peut vous rendre malade », par D^r Stanley S. Bass, D.C. Il est très important que les gens qui utilisent l'orge verte pour la première fois comprennent ces concepts. Cela pourrait fort bien faire la différence entre votre échec ou votre succès dans l'amélioration de votre santé grâce à une meilleure nutrition.*

« Lorsque la qualité des aliments qui entrent dans votre corps est supérieure à celle des tissus dont est fait votre corps, le corps commence à se débarrasser des matières et des tissus de moins bonne qualité pour faire de la place aux matières supérieures qu'il utilise pour générer de nouveaux tissus plus sains. »

Au niveau cellulaire, le corps est très sélectif et cherche constamment à promouvoir la santé. (Voir la partie qui traite de la sélection des cellules au chapitre IV.) Cette tendance est inhérente aux processus de base du métabolisme des cellules, et elle se manifestera toujours, À MOINS QUE VOTRE INGÉRENCE SOIT TROP GRANDE ! (Trop de sucre, trop de viande ou de gras, trop d'agents chimiques artificiels, trop d'alcool, etc., sont des exemples d'ingérence.)

Quels sont alors les symptômes qui peuvent se manifester lorsque vous commencez à omettre des aliments et autres substances nuisibles et que vous consommez des aliments de qualité supérieure comme l'orge verte? Vous pouvez vous attendre à ce que votre corps commence immédiatement à se débarrasser des toxines et des tissus formés de matières de qualité inférieure, et qu'il les remplace par des composantes de qualité supérieure fournies par l'orge verte. Vous pourriez éprouver l'un ou l'autre des symptômes suivants, selon le nombre de changements qui s'effectuent, le genre de régime auquel vous êtes habitué, vos antécédents médicaux, votre niveau d'activité, votre âge et votre état général de santé.

Lorsque vous cessez soudainement d'utiliser des stimulants toxiques comme le café, le thé, le cacao ou le cola, il est courant que vous éprouviez des maux de tête et un sentiment de « dépression ». Les cellules sont en train de se débarrasser des toxines comme la caféine, l'alcool, la nicotine, les purines, les drogues, les agents de conservation, les cellules mortes, les excès de bile, les cellules adipeuses, les débris artériels et ainsi de suite.

Avant que les substances nocives n'atteignent leur destination finale d'élimination, elles sont parfois transportées dans le courant sanguin durant un certain nombre de cycles, causant une irritation mineure que nous interprétons comme un mal de tête. Ce stade de l'amélioration nutritionnelle dure habituellement trois jours.

Il est extrêmement important que nous évitions de prendre des stimulants ou des analgésiques durant cette période, car ceux-ci feraient échouer le processus de régénération qui se produit au niveau cellulaire. Les gens qui ont la patience et la persistance d'attendre la fin du processus seront récompensés par un niveau d'énergie et de bien-être bien au-delà de ce que peut donner l'usage de stimulants ou de médicaments.

Un autre changement qui peut entraîner un sentiment de dépression ou de faiblesse est la diminution des aliments de chair animale. Ces aliments sont plus stimulants que les protéines végétales. La suppression de cette source de stimulation peut produire une action cardiaque plus lente, qui crée une impression de relaxation OU de diminution d'énergie. Il est important de se rappeler que ce stade initial de la régénération prend habituellement au moins dix jours; il ne faut donc pas se décourager. Si vous donnez à votre corps la chance de s'adapter, votre niveau d'énergie sera à la fois plus élevé et vous aurez une plus grande « capacité d'endurance ».

Durant ce stade initial, l'énergie vitale qui est habituellement consacrée aux muscles et à la peau commence à se diriger vers les organes vitaux, où s'effectue le travail de reconstruction intégrale. Si, par exemple, les organes éliminatoires ont été endommagés par des abus de longue date, leur réparation et leur régénération auront naturellement préséance. Selon l'ampleur des réparations nécessaires, vous pouvez vous attendre à ce que le stade de « reconstruction », ou la manifestation des symptômes de désintoxication, soit proportionnellement plus ou moins long.

Les gens qui étaient portés, par le passé, à avoir des éruptions cutanées auront souvent tendance à éliminer les poisons et les agents synthétiques nuisibles (comme les médicaments d'ordonnance ou les agents de conservation des aliments) par la peau. À mesure que vous améliorez votre état nutritionnel, il est fort possible que ces éruptions cutanées reprennent. C'est parce que la peau devient plus active et plus vivante. À présent, elle élimine les poisons plus rapidement, grâce à l'énergie épargnée depuis que vous avez cessé de consommer ces aliments difficiles à digérer. Soyez patient, vous aurez très probablement une peau plus parfaite si vous continuez à améliorer la qualité de l'alimentation qui nourrit vos cellules.

En outre, il est possible que vous ayez le rhume ou de la fièvre, bien que vous n'ayez pas été malade depuis longtemps. C'est de cette façon que la nature fait le ménage. N'essayez pas d'enrayer ces symptômes en prenant des médicaments ou même des doses massives de vitamines (qui agissent comme des médicaments lorsqu'elles sont prises en grande quantité). Le corps est en train d'éliminer les toxines qui pourraient fort bien causer des maladies dégénératives, s'il ne s'en débarrassait pas. Réjouissez-vous de vous en débarrasser maintenant sans avoir à « payer cher », et surtout, n'essayez pas de guérir le remède !

D'autres symptômes qui pourraient se manifester durant la désintoxication, outre les maux de tête, la faiblesse, un « sentiment dépressif » et les éruptions cutanées dont nous avons parlé, comprennent : la paresse intestinale, la diarrhée, une miction fréquente, une sensation de fatigue, un manque d'enthousiasme à faire de l'exercice, la nervosité, l'irritabilité, la négativité ou la dépressivité, la fièvre et les symptômes de la grippe. Toutefois, la grande majorité des gens sont en mesure de tolérer leurs réactions et sont encouragés à les endurer en raison des améliorations qui se manifestent déjà et qui sont de plus en plus évidentes avec chaque cycle. (Comparez ces symptômes, par exemple, à la liste des effets secondaires des médicaments d'ordonnance courants, à l'annexe F.)

Ne vous attendez pas à vous sentir de mieux en mieux chaque jour dès le moment où vous améliorez votre régime alimentaire. Le processus du corps est cyclique de par sa nature, et le rétablissement de la santé se produit au cours d'une série de cycles. Par exemple, vous commencez à prendre de l'orge verte et vous suivez un programme modeste d'amélioration de votre nutrition, et pendant un certain temps vous vous sentez beaucoup mieux. Puis, un symptôme se manifeste –

vous êtes pris de nausée pendant une journée, et vous avez la diarrhée. Cela passe, et vous vous sentez encore mieux qu'avant. Tout va bien pendant un certain temps, puis tout à coup vous êtes enrhumé, vous avez des frissons et vous perdez l'appétit. De deux à trois jours plus tard (présumant que vous ne prenez pas de médicaments et que vous avez l'occasion de vous reposer davantage et de boire plus de liquides), vous vous rétablissez et vous sentez plus en forme que vous ne vous étiez senti depuis des années.

À mesure que le processus de régénération se poursuit, ces épisodes deviendront plus brefs et moins sévères, avec des intervalles plus longs de bien-être. Le processus est comparable aux fluctuations de la bourse en temps de reprise économique; chaque fois qu'une réaction se produit, vous vous rétablissez et votre état de santé s'améliore un peu plus. Quoique vous vous nourrissiez parfaitement, que vous preniez votre orge verte et que vous fassiez tout correctement, il est fort possible que les symptômes se manifestent encore. Ces symptômes varient selon la matière qui est éliminée, l'état des organes qui entrent en jeu et la quantité d'énergie dont vous disposez. Plus vous vous reposez et dormez lorsque les symptômes se manifestent, moins sévères ils seront et plus vite ils disparaîtront. Faites preuve de bon jugement, ne vous fatiguez pas, détendez-vous. Ménagez-vous au travail et réduisez vos obligations sociales jusqu'à ce que vous éprouviez une amélioration notable.

Vous pouvez être assuré que vous atteindrez un plateau de bonne santé vibrante, si vous persévérez à prendre de l'orge verte et poursuivez vos efforts progressifs en vue d'améliorer votre état nutritionnel.

# APPORT COMPLÉMENTAIRE D'ENZYMES DIGESTIVES

Les recherches effectuées suggèrent que les suppléments d'enzymes sont tout aussi importants pour la santé que les suppléments de vitamines et minéraux. Évidemment, vous avez deviné quel complément d'enzymes est le meilleur – à mon avis, c'est l'orge verte ! Mais pour ceux et celles qui ont besoin d'enzymes digestives, permettez-moi de faire les suggestions suivantes. L'apport complémentaire d'enzymes digestives est particulièrement important pour les gens qui :

- n'incluent pas de quantités généreuses de légumes à feuilles vertes, de légumes jaunes et autres aliments crus dans leur alimentation quotidienne,
- sont des personnes âgées ou continuellement en proie au stress,
- ont des troubles digestifs, et
- souffrent d'une maladie dégénérative quelconque (cardiopathie, hypertension, cancer, diabète, etc.).

Rappelez-vous que même le fait de prendre un grand nombre de repas au restaurant ou à la cafétéria peut être une source de stress pour votre système digestif. Chaque aliment exige ses propres enzymes. Ainsi, un repas typiquement nord-américain composé de mets variés du bar à salade, avec de petites quantités de différents aliments, est en fait une situation stressante pour le corps !

Il existe un grand nombre de bons produits sur le marché. Pris selon les recommandations, ils fonctionnent à peu près comme les enzymes digestives produites par le corps. Lorsque vous achetez un supplément d'enzymes digestives, lisez attentivement les étiquettes. À moins que vous sachiez quels sont vos besoins particuliers établis dans des essais cliniques, cela semble logique d'acheter un produit polyvalent qui aide à digérer les protéines, les matières grasses et les glucides.

Les comprimés polyvalents d'enzymes qui favorisent la digestion renferment souvent des enzymes qui agissent dans l'estomac ou dans le duodénum. Les enzymes qui agissent dans l'estomac sont : l'acide chlorhydrique bétaïne, l'acide glutamique, le HCl, la pepsine et la papaïne. Les enzymes qui agissent dans le duodénum sont : la pancréatine, la pancrélipase, l'amylase, la broméline, et beaucoup renferment un extrait de bile animale. Une fois que le flacon est ouvert, il faut conserver ces produits dans un endroit frais et sec, à l'abri de la lumière!

# RECOMMANDATIONS ALIMENTAIRES POUR RÉDUIRE LES RISQUES DE CANCER *

## *GROUPE DES FRUITS ET LÉGUMES :*
**Consommation généreuse :**
- Légumes à feuilles vert foncé (chou frisé, chou-rave, feuilles de navet, épinards, chou cabus, feuilles de moutarde)
- Légumes jaune foncé (patates douces, courges, carottes), abricots, pêches, cantaloup
- Fruits et légumes riches en vitamine C (agrumes, chou, tomates, melon d'eau, fraises, épinards, brocoli, choux de Bruxelles)

## *GROUPES DES PROTÉINES :*
**Consommation généreuse :**
- Légumineuses (haricots secs et pois secs de toute sorte)

**Consommation modérée :**
- Boeuf maigre, poisson, volaille, agneau
- Lait partiellement écrémé, yogourt partiellement écrémé, fromage partiellement écrémé (fromages américain, cottage, suisse, au lait écrémé)

**Consommation très modérée :**
- Viandes grasses, saucisses, aliments salés, fumés et grillés sur charbon de bois
- Lait entier, fromage, noix, céréales, oeufs

## *GROUPE DES GRAINS :*
**Consommation généreuse :**
- Grains entiers (riz, avoine, blé, orge, millet, seigle, etc.)
- Céréales de grains entiers

## *GROUPE RENFERMANT DES CALORIES SANS VALEUR NUTRITIVE :*
**Consommation rare :**
- Desserts riches, boissons gazeuses, alcool, matières grasses, huiles, croustilles, bonbons, confitures/gelées, biscuits, beignes et aliments salés

*[Exemples d'aliments de chaque catégorie, par l'auteur.]*

« Les gras alimentaires saturés et non saturés ont été liés au cancer, en particulier aux cancers du sein, de la prostate et du colon. L'Académie nationale des sciences recommande que la consommation de gras saturés (origine animale) et de gras non saturés (origine végétale, p. ex. huile de maïs, huile de carthame) soit réduite dans le régime alimentaire moyen. »

Les données indiquent clairement que la QUANTITÉ DE GRAS est le facteur prépondérant. Le genre de matière grasse fait également une différence, mais ... le nombre total de calories (matières grasses) consommées est probablement encore plus important. »

« La plupart des études montrent que les gras non saturés (les huiles) ont tendance à accroître le développement des tumeurs plus que les gras saturés (matières grasses animales). Les gras non saturés (les huiles) ont tendance à réduire les risques de cardiopathie. Devons-nous courir le risque de cardiopathie afin de réduire le risque de cancer? Selon le D$^r$ Campbell, professeur de nutrition à l'université Cornell, « Je crois que nous pouvons faire les deux en réduisant l'apport total de matières grasses dans nos régimes alimentaires – en mangeant moins d'aliments frits, de mets à tartiner et d'huiles, tout en consommant plus de produits végétaux.

« En m'appuyant sur des données scientifiques fiables, je recommande fortement aux gens de manger plus de fruits, de légumes et de produits de grains entiers – d'adopter un régime fondé davantage sur les végétaux. Ce genre de régime répond aux recommandations en vue d'éviter les maladies de coeur et les cancers. Il réduit l'apport total de gras et de protéines tout en augmentant l'apport de fibre alimentaire, de bêta-carotène et d'acide ascorbique. »

*Texte de D$^r$ Mary Ruth Swope, Swope Enterprises, Inc., tiré du communiqué de l'automne 1984, American Institute of Cancer Research, Washington, D.C.

# EFFETS SECONDAIRES DES MÉDICAMENTS D'ORDONNANCE COURANTS

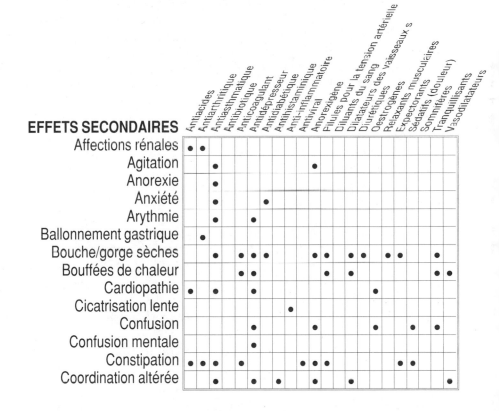

**EFFETS SECONDAIRES**

Colonnes (de gauche à droite) : Antiacides · Antiarthritique · Antiasthmatique · Antibiotique · Anticoagulant · Antidépresseur · Antidiabétique · Antihistaminique · Anti-inflammatoire · Antiviral · Anorexigène · Pilules pour la tension artérielle · Diluants du sang · Dilatateurs des vaisseaux s · Diurétiques · Oestrogènes · Relaxants musculaires · Expectorants · Sédatifs (douleur) · Somnifères · Tranquillisants · Vasodilatateurs

| Effet secondaire | Antiacides | Antiarthritique | Antiasthmatique | Antibiotique | Anticoagulant | Antidépresseur | Antidiabétique | Antihistaminique | Anti-inflammatoire | Antiviral | Anorexigène | Pilules pour la tension artérielle | Diluants du sang | Dilatateurs des vaisseaux | Diurétiques | Oestrogènes | Relaxants musculaires | Expectorants | Sédatifs (douleur) | Somnifères | Tranquillisants | Vasodilatateurs |
|---|---|---|---|---|---|---|---|---|---|---|---|---|---|---|---|---|---|---|---|---|---|---|
| Affections rénales | • | • | | | | | | | | | | | | | | | | | | | | |
| Agitation | | • | | | | | | | | | • | | | | | | | | | | | |
| Anorexie | | • | | | | | | | | | | | | | | | | | | | | |
| Anxiété | | • | | | | • | | | | | | | | | | | | | | | | |
| Arythmie | | • | | | • | | | | | | | | | | | | | | | | | |
| Ballonnement gastrique | • | | | | | | | | | | | | | | | | | | | | | |
| Bouche/gorge sèches | | • | | • | • | • | | • | • | | • | • | | • | • | | • | • | | • | | |
| Bouffées de chaleur | | | | | • | • | | | | | • | • | | | | | | | | | • | • |
| Cardiopathie | • | | • | | • | | | | | | | | | | • | | | | | | | |
| Cicatrisation lente | | | | | | | | • | | | | | | | | | | | | | | |
| Confusion | | • | | | | | | | | | • | | | | | | • | | • | | • | |
| Confusion mentale | | | | | • | | | | | | | | | | | | | | | | | |
| Constipation | • | • | • | | • | | | | | | • | • | • | | | | | | | • | • | |
| Coordination altérée | | • | | | • | • | | | • | | • | | | • | | | | | | | | • |

**EFFETS SECONDAIRES (Suite)**

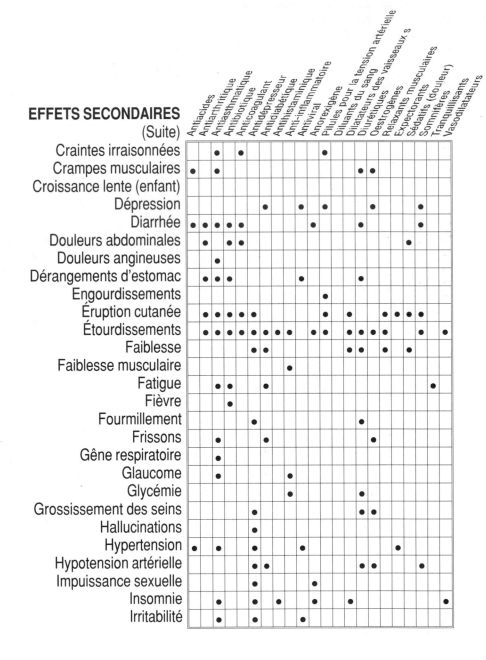

| | Antiacides | Antiarthritique | Antiasthmatique | Antibiotique | Anticoagulant | Antidépresseur | Antidiabétique | Antihistaminique | Anti-inflammatoire | Antiviral | Anorexigène | Pilules pour la tension artérielle | Diluants du sang | Dilatateurs des vaisseaux s | Diurétiques | Oestrogènes | Relaxants musculaires | Expectorants | Sédatifs | Somnifères | (douleur) | Tranquillisants | Vasodilatateurs |
|---|---|---|---|---|---|---|---|---|---|---|---|---|---|---|---|---|---|---|---|---|---|---|---|
| Craintes irraisonnées | | • | | • | | | | | | | • | | | | | | | | | | | | |
| Crampes musculaires | • | • | | | | | | | | | | | • | • | | | | | | | | | |
| Croissance lente (enfant) | | | | | | | | | | | | | | | | | | | | | | | |
| Dépression | | | | | | • | | | • | | • | | | | | | | | • | | | | |
| Diarrhée | • | • | • | • | • | | | | | | • | | | | • | | | | • | | | | |
| Douleurs abdominales | | • | | • | • | | | | | | | | | | | | | • | | | | | |
| Douleurs angineuses | | • | | | | | | | | | | | | | | | | | | | | | |
| Dérangements d'estomac | • | • | • | | | | | • | | | | | | | • | | | | | | | | |
| Engourdissements | | | | | | | | | • | | | | | | | | | | | | | | |
| Éruption cutanée | • | • | • | • | • | | | | | | • | | | • | | | • | • | • | • | | | |
| Étourdissements | • | • | • | • | • | • | • | • | | • | • | | | | • | • | • | • | | | | | • |
| Faiblesse | | | | | | | | • | • | | | | | | • | • | • | | • | | | | |
| Faiblesse musculaire | | | | | | | | | • | | | | | | | | | | | | | | |
| Fatigue | | • | • | | • | | | | | | | | | | | | | | | | | • | |
| Fièvre | | • | | | | | | | | | | | | | | | | | | | | | |
| Fourmillement | | | | | • | | | | | | | | | | • | | | | | | | | |
| Frissons | | • | | | • | | | | | | | | | | | | • | | | | | | |
| Gêne respiratoire | | • | | | | | | | | | | | | | | | | | | | | | |
| Glaucome | | • | | | | • | | | | | | | | | | | | | | | | | |
| Glycémie | | | | | | | • | | | | | | | | • | | | | | | | | |
| Grossissement des seins | | | | | | • | | | | | | | | | • | • | | | | | | | |
| Hallucinations | | | | | | • | | | | | | | | | | | | | | | | | |
| Hypertension | • | • | | | | • | | • | | | | | | | | | | | • | | | | |
| Hypotension artérielle | | | | | | • | • | | | | | | | | • | • | | | | | | • | |
| Impuissance sexuelle | | | | | | • | | | | | | | • | | | | | | | | | | |
| Insomnie | | • | | | | • | • | | | • | | | | | • | | | | | | | | • |
| Irritabilité | | • | | | | • | | | • | | | | | | | | | | | | | | |

## EFFETS SECONDAIRES (Suite)

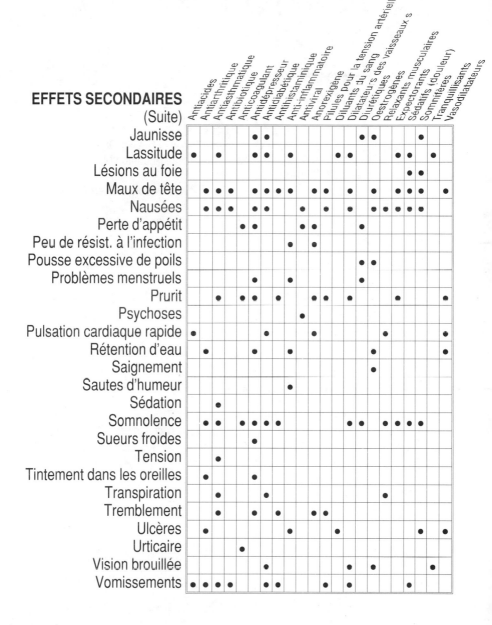

| | Antiacides | Antiarthritique | Antiasthmatique | Antibiotique | Anticoagulant | Antidépresseur | Antidiabétique | Antihistaminique | Anti-inflammatoire | Antiviral | Anorexigène | Pilules pour la tension artérielle | Diluants du sang | Dilatateurs des vaisseaux | Diurétiques | Oestrogènes | Relaxants musculaires | Expectorants | Sédatifs (douleur) | Somnifères | Tranquillisants | Vasodilatateurs |
|---|---|---|---|---|---|---|---|---|---|---|---|---|---|---|---|---|---|---|---|---|---|---|
| Jaunisse | | | | | | • | • | | | | | | | | • | • | | | • | | | |
| Lassitude | • | | • | | | • | • | | • | | | • | • | | | | | • | • | | • | |
| Lésions au foie | | | | | | | | | | | | | | | | | | • | • | | | |
| Maux de tête | • | • | • | | | • | • | • | • | | | • | • | | • | | • | • | • | | | • |
| Nausées | • | • | • | | | • | • | | | • | | • | | | | • | • | • | • | • | | |
| Perte d'appétit | | | | | | • | • | | | | • | • | | | • | | | | | | | |
| Peu de résist. à l'infection | | | | | | | | | | • | | • | | | | | | | | | | |
| Pousse excessive de poils | | | | | | | | | | | | | | | • | • | | | | | | |
| Problèmes menstruels | | | | | | • | | | • | | | | | | • | | | | | | | |
| Prurit | | • | | | | • | • | | • | | • | • | | • | | | | • | | | | • |
| Psychoses | | | | | | | | | | • | | | | | | | | | | | | |
| Pulsation cardiaque rapide | • | | | | | | | • | | | | • | | | | | | • | | | | • |
| Rétention d'eau | | • | | | | • | | | • | | | | | | | • | | | | | | • |
| Saignement | | | | | | | | | | | | | | | • | | | | | | | |
| Sautes d'humeur | | | | | | | | | • | | | | | | | | | | | | | |
| Sédation | | | • | | | | | | | | | | | | | | | | | | | |
| Somnolence | • | • | | • | • | • | • | | | | | • | • | | | | • | • | • | • | | |
| Sueurs froides | | | | | | • | | | | | | | | | | | | | | | | |
| Tension | | | • | | | | | | | | | | | | | | | | | | | |
| Tintement dans les oreilles | | • | | | | • | | | | | | | | | | | | | | | | |
| Transpiration | | | • | | | | • | | | | | | | | | | • | | | | | |
| Tremblement | | | • | | | • | | • | | | | • | • | | | | | | | | | |
| Ulcères | • | | | | | | | | • | | | | | • | | | | | | • | | • |
| Urticaire | | | | • | | | | | | | | | | | | | | | | | | |
| Vision brouillée | | | | | | | • | | | | | • | • | | | | | | | • | | |
| Vomissements | • | • | • | • | | | • | | | | | • | | • | | | | • | | • | | |

# BIBLIOGRAPHIE ET RENVOIS

## CHAPITRE 1

1. Black, Dean, Ph.D. *Health at the Crossroads*, Tapestry Press, 1988, p.3.
2. Atkins, Robert C., M.D. *Dr. Atkins' Health Revolution*, Houghton Mifflin Company, Boston, Mass., 1988, p. 42-43.
3. Hippocrates : Castiglioni, A. *A History of Medicine*, New York : Alfred A. Knops, 1958, p. 172.
4. Rush, Benjamin, *Sixteen Introduction Lectures to Courses of Lectures upon the Institutes and Practice of Medicine*, conférences données à l'Université de Pennsylvanie (Philadelphie : Bradford & Innskeep, 1811) p. 165.
5. Coulter, Harris L. *Divided Legacy : A History of the Schism in Medical Thought, vol. III* (Washington, D.C. : McGrath, 1973) p. 90.
6. *Proceeding of the Connecticut Medical Society for 1850*, brochures imprimées à Norwich et à Hartford, vol. 1244, p. 53.
7. Atkins, *op. cit.*, p. 26.
8. *Ibid.* p. 26-27.
9. *Physicians' Desk Reference*, 27$^e$ édition, Medical Economics Company, Oradell, N.J., 1973, p. 593.
10. Black, *op. cit.*, p. 14.
11. *Ibid.* p. 21.
12. *The impact of Nutrition on the Health of Americans,* The Bard College Center, Annandale-on-Hudson, New York, *The Medicine & Nutrition* Project, Rapport n° 1, The Ford Foundation, juillet 1981, p. II/23.
13. Black, *op. cit.*, p. 71.
14. *Ibid.* p.4.
15. Atkins, *op. cit.*, p. 59.
16. *Ibid.* p. 9-10.
17. *Ibid.* p. 50.
18. *Ibid.* p. 48.

## CHAPITRE 2

1. Yoshihide Hagiwara, M.D. *Green Barley Essence*, Keats Publishing Inc., New Canaan, 1985, p. 9-10.
2. Rapport spécial de la FDA. «America's Changing Diet,» *FDA Consumer*, vol. 19, n° 8, oct. 1985, p. 4-5.
3. *The Book of Health Secrets*, Boardman Classics, N.Y., N.Y. 1989, p. 147.
4. Dean Black, Ph.D. *Health at the Crossroads*, Tapestry Press, Springville, Utah, p. 49.
5. Brent O. Hafen, *Nutrition, Food and Weight Control*, Allyn and Bacon Inc., Boston, 1981, p. 125. 4. Rapport spécial de la FDA, *op. cit.*, p. 5.

## CHAPITRE 3

1. Merrill *Unger's Bible Dictionary*, Moody Press, Chicago, 1977. p. 1134.
2. *World Book Encyclopedia*, vol. 2, 1986, p. 80.
3. Funk & Wagnalls, *New Encyclopedia*, vol. 3, 1986, p. 282.
4. Joseph Kadans. *Encyclopedia of Fruits, Vegetables, Nuts, and Seeds of Healthful Living*, Parker Publishing Co. Inc., W. Nyack, 1973, p. 73.
5. Nelson Coons. *Using Plants in Healing*, Rodale Press, Emmaus, 1963, p. 227.
6. D$^r$ Bernard Jensen. *Foods that Heal*, Avery Publishing Group Inc., Garden City Park, N.Y., 1988, p. 9.
7. Yoshihide Hagiwara, M.D., *Green Barley Essence*, Keats Publishing Co., New Canaan, 1985, p. XXVII.
8. John D. Kirschmann et Lavon Dunne, *Nutrition Almanac*, McGraw-Hill Book Company, New York, 2$^e$ édition, 1984, p. 235.
9. Wesley Marx, «Seaweed, the Ocean's Unsung Gift,» *Reader's Digest*, vol. 124, n° 746, juin 1984, p. 48.
10. Peter Bradford et Montse Bradford. *Cooking with Sea Vegetables*, Thorson's Publishing Group, Wellingborough, 1985, p. 60.
11. Kirschmann et Dunne, *op. cit.*, p. 251.

## CHAPITRE 4

1. William P. Pinkston, Jr., *Biology*, Bob Jones University Press, Greenville, 1980, p. 71.
2. *Ibid.*
3. Arthur Guyton. *Textbook of Medical Physiology*, W.B. Saunders Co., Philadelphie, 1981, p. 12.
4. *Ibid.* p.13.
5. Pinkston, *op. cit.*, p. 73.
6. *Ibid.* p. 897.
7. Guyton, *op. cit.*, p. 896-898.
8. Pinkston, *op. cit.*, p. 668.
9. Guyton, *op. cit.*, p. 12.
10. *Ibid.* p. 2.
11. Hans Selye, M.D. *The Stress of Life*, McGraw-Hill, N.Y., 1978, p. xi-xvii.
12. Guyton, *op. cit.*, p. 370.
13. Lawrence Lauch, M.D. *Metabolics*, 1974, p. 9.

## CHAPITRE 5

1.   Bruce Harstead. «Immune Augmentation Therapy,» *Journal of the International Academy of Preventive Medicine*, vol. 9, n° 1, août 1985, p. 5.
2.   National Institute of Health. *Understanding the Immune System*, U.S. Dept. of Health and Human Services, NIH Publication 85-529, réimpression en juillet 1985, p. 2.
3.   *Ibid.* p. 4.
4.   Harstead, p. 9.
5.   Peter Jaret. «Our Immune System : The Wars Within,» *National Geographic Magazine*, vol. 169, n° 6, juin 1986, p. 706.
6.   NIH, p. 6.
7.   Weiner, Michael A., Ph.D., *Maximum Immunity*, Pocket Books, N.Y., 1986, p. 21-22.
8.   NIH, p. 4.
9.   Weiner, p. 22-23.
10.  *World Book Encyclopedia.*
11.  Weiner, p. 22.
12.  *Ibid.* p. 30.
13.  Agatha Thrash, M.D. *Lecture Notes*, Uchee Pines Institute, Seal, AL., 1983.
14.  Weiner, p. 82.
15.  *Ibid.* p. 85.
16.  *Ibid.* p. 86.
17.  *Ibid.* p. 86.
18.  *Ibid.* p. 108.
19.  *Ibid.* p. 108-109.
20.  William Beisel, et al. «Single-Nutrient Effects on Immunologic Function,» *Journal of American Medical Association*, vol. 245, n°. 1, 2 janv. 1981, p. 55.
21.  Weiner, p. 111.
22.  *Ibid.*
23.  *Ibid.* p. 112.
24.  JAMA, p. 55.
25.  *Ibid.*
26.  Weiner, p. 114.
27.  JAMA, p. 55.
28.  Weiner, p. 117.
29.  *Ibid.* p. 121.
30.  *Ibid.* p. 122.
31.  JAMA, p. 56.
32.  Weiner, p. 127.
33.  *Ibid.*

## CHAPITRE 6

1.   G.A. Hendry et O.T. Jones «Haems and Chlorophylls : Comparisons of Function & Formation,» *Journal of Medical Genetics*, 17 fév. 1980, (1) p. 1.
2.   Lois Mattox Miller. «Chlorophyll for Healing», *Science News Letter*, 15 mars 1941, p. 170.

3. Paul de Kruif, «Nature's Deodorant,» *Reader's Digest,* août 1950, vol. 57, p. 139.
4. *Ibid.*
5. *Ibid.*
6. «Is Chlorophyll All the Admen Say?», *Business Week,* avril 1952, vol. 165, p. 165.
7. J. Jancy. «Lack of Sobering Effect of Fructose-Vitamin Tablets,» *Medical Journal of Australia,* 28 mars 1970, 1 (13) p. 688.
8. *New Republic,* 10 nov. 1952, p. 8.
9. Leonard Engel. «Can Chlorophyll Stop 'B.O.'?» *Science Digest,* oct. 1952, vol. 32, p. 36.
10. Engel, p. 37-38.
11. Chlorophyll, *Consumer Report,* oct. 1952, vol. 17, p. 488-489.
12. Engel, p. 37.
13. de Kruif, p. 141-142.
14. «Chlorophyll Compounds Show Heart-Aid Action,» *Science News Letter,* 11 oct. 1958, p. 233.
15. D$^r$ J.A. Driskell, professeur et chef du Département de nutrition humaine et des aliments, Virginia Polytechnic Institute and State University.
16. Lawrence W. Smith. «The Present Status of Topical Chlorophyll Therapy,» *New York State Journal of Medicine,* 15 juillet, vol. 55, p. 2041.
17. *Science News Letter,* 11 oct. 1958, p. 233.
18. Miller, p. 170.
19. *Ibid.* p. 170.
20. Hendry et Jones, p. 14.
21. Benjamin Gruskin. «Chlorophyll – Its Therapeutic Place in Acute and Suppurative Diseases,» *American Journal of Surgery,* juillet 1940, p. 50.
22. Paul Sack et Robert Barnard. «Studies on Hemagglutinating and Inflammatory Properties of Exudate from Nonhealing Wounds & Their Inhibition by Chlorophyll Derivatives,» *New York State Journal of Medicine,* 15 oct. 1955, vol. 55, p. 2952.
23. *Ibid.* p. 2955.
24. Gruskin, p. 54.
25. *Ibid.* p. 54.
26. Smith, p. 2043.
27. Engel, p. 39.
28. Smith, p. 2044.
29. *Ibid.* p. 2045.
30. de Kruif, p. 139-140.
31. Smith, p. 2044.
32. L.H. Siegel. «The Control of Ileostomy and Colostomy Odors,» *Gastroenterology,* avril 1960, vol. 38, p. 635-636.
33. Richard Young et Joseph Beregi. *Use of Chlorophyllin in Care of Geriatric Patients, American Geriatrics Society Journal,* janv. 1980, vol. 28, n° 1, p. 47.
34. Milap Nahata, et al. Effect of Chlorophyllin on Urinary Odor in Incontinent Geriatric Patients, *Drug Intelligence & Clinical Pharmacy,* oct. 1983, vol. 17, p. 734.

35.    H.E. Averette. «Lymphography With Chlorophyll : Effects on Pelvic Lymphadenectomy with Lymph Nodes,» *Obstetrics & Gynecology*, fév. 1968, vol. 31, p. 253.

36.    Theodor Wiznitzer, et al. «Acute Necrotizing Pancreatitis in the Guinea Pig : Effect of Chlorophyll-a on Survival Times,» *Digestive Diseases*, juin 1976, vol. 21, n° 6, p. 459.

37.    S.K. Mann et N.S. Mann. «Effect of Chlorophyll-a, Fluroucacil, and Pituitrin on Experimental Acute Pancreatitis,» *Archives of Pathological Laboratory Medicine*, fév. 1979, vol. 103.

38.    Tadeo Manabe et Michael Steer. «Protease Inhibitors and Experimental Acute Hemorrhagic Pancreatitis,» *Annals of Surgery*, juillet 1979, vol. 190, n° 1, p. 13-14.

39.    R. Tawashi, et al. «Effect of Sodium Copper Chlorophyllin on the Formation of Calcium Oxalate Crystals in Rat Kidney,» *Investigative Urology*, sept. 1980, vol. 18, n° 2, p. 90.

40.    R. Tawashi et M. Cousineau. «Growth Retardation of Weddellite (Calcium Oxalate Dihydrate) by Sodium Copper Chlorophyllin,» *Investigative Urology*, sept. 2980, vol. 18, n° 2, p. 86-89.

41.    R. Tawashi, et al. «Crystallization of Calcium Oxalate Dihydrate in Normal Urine in Presence of Sodium Copper Chlorophyllin,» *Urological Research*, 1982, vol. 10, n° 4, p. 173.

## CHAPITRE 7

1.    Arthur C. Guyton, M.D. *Textbook of Medical Physiology*, W.B. Saunders Co., Philadelphie, 1981, p. 448-450.

2.    Rubard Leek, Ph.D. «Acidosis and Alkalosis : Symptoms and Treatments,» *The Nutrition and Dietary Consultant, oct. 1985.*

3.    Margaret Justin, et al. *Foods*, Houghton Mifflin Co., Boston, 4ᵉ éd., p. 42-43.

4.    *Ibid.* p. 26.

5.    Margaret Chaney et Margaret Ross. *Nutrition*, Houghton Mifflin Co., Boston, 7ᵉ éd., p. 326.

6.    Agatha Thrash, M.D. *Eat for Strength – Not for Drunkenness*, Uchee Pines Institute, Seale, AL. p. 182.

7.    Leek, *op. cit.*, p. 14.

8.    Robert H. Garrison, Jr. *The Nutrition Desk Reference*, Keats Publishing Co., New Canaan, 1985, p. 106.

9.    *Ibid.*

10.    *Ibid.*

11.    *Ibid.*

12.    *Ibid.*

13.    Leek, *op. cit.*, p. 15.

## CHAPITRE 8

1.    Howell, Edward. *Enzyme Nutrition*, Avery Publishing Group Inc., Wayne, N.J. 1985.

2. Howell, Edward. *The Status of Food Enzymes in Digestion and Metabolism,* Chicago : National Enzyme Co., 1946, p. 72.
3. Howell, *op. cit.*, p. XI.
4. *Ibid.* p. 29.
5. *Ibid.* p. 107.
6. Howell, Edward. *Enzyme Nutrition,* Avery Publishing Group Inc., Wayne, N.J. 1985.
7. *Ibid.* p. 109.
8. *Ibid.* p. 112.
9. *Ibid.* p. 43.
10. *Ibid.* p. 50.
11. William Campbell Douglas, M.D. *The Milk of Human Kindness,* Last Laugh Publishers, Marietta, GA., 1985, p. 42-43.

## CHAPITRE 9

1. Yoshihide Haglwara, M.D. *Green Barley Essence,* Keats Publishing Co., New Canaan, 1985, p. 73.
2. Robert Picher, M.D. *Barley Green : Guardian Against Cancer,* The Center for Holistic and Nutritional Medicine, Berkeley, 1985.
3. Yoshihide Hagiwara, M.D. «Prevention of Aging and Adult Diseases and Methods of Longevity and Good Health,» résumé d'une conférence donnée au Pacific Beach Hotel, Honolulu, 13 avril 1984, p. 5.
4. Kazuhiko Kubota, Ph.D. «Scientific Investigations on Young Barley Juice Powder,» conférence donnée au Pacific Beach Hotel, Honolulu, 13 avril 1984, p. 1.
5. Hagiwara, conférence, *op. cit.*, p. 6.
6. *Nutrition News,* sept. 1982.
7. Hagiwara, *Green Barley Essence, op cit.*, p. 136.
8. Kubota, Ph.D., *op. cit.*, p. 1.
9. Yasuo Hotta, D.S. «Stimulation of DNA Repair Synthesis by $P_4D_1$, One of the Novel Components of Barley Extracts,» conférence, Pacific Beach Hotel, Honolulu, 13 avril 1984.
10. *Ibid.*
11. *Ibid.*
12. *Ibid.*
13. *Ibid.*
14. Hagiwara, *Green Barley Essence, op. cit.*, p. 137.
15. *Ibid.*
16. Jeffrey Bland, Ph.D. (éd.) 1984-1985, *Yearbook of Nutritional Medicine,* Keats Publishing Co., New Canaan, 1985, p. 168.
17. Irwin Fridovich, «The Biology of Superoxide and of Superoxide Dismutases – in Brief,» *Progress in Clinical and Biological Research,* vol. 51, 1981, p. 154-155.
18. *Ibid.* p. 159.
19. Joe M. McCord. «Free Radicals and Inflammation : Protection of Synovial Fluid by Superoxide Dismutase,» *Science,* vol. 185, août 1974, p. 529-530.

20. Robert J. Boucek, M.D. «Factors Affecting Wound Healing,» *Otobryngologic Clinics of North America*, vol. 17, n° 2, mai 1984, p. 244.

21. Irwin Fridovich, «Superoxide Dismutases : Regularities and Irregularities,» conférence donnée le 17 nov. 1983, The Harvey Lectures, série 79, Academic Press Inc., 1985, p. 64-65.

22. Myron Weisfeldt, Johns Hopkins School of Medicine, *Science*, vol. 232, 6 juin 1986, p. 1198.

23. Charles Publia et Saul Powell, «Inhibition of Cellular Antioxidants : A Possible Mechanism of Toxic Cell Injury,» *Environmental Health Perspectives*, vol. 57, 1987, p. 307-311.

24. Fridovich, Harvey, Lectures, *op. cit.*, p. 63.

25. Éditeur, «Supergene Cluster Fights Aging,» *Science Digest*, vol. 90, août 1982, p. 91.

26. Thomas Kensler, et. al. «Inhibition of Tumor Promotion by a Biomimetic Superoxide Dismutase,» *Science*, vol. 231, 1er juillet 1983, p. 75-77.

## CHAPITRE 10

1. Adrianne Bendich. «Carotenoids and the Immune Response,» *Journal of Nutrition*, 119 : 112-115, 1989.

2. *Ibid.*

3. *Science News*, vol. 135, 3 juin 1989, p. 348.

4. Hagiwara, *op. cit.*, p. 80.

5. *Ibid.* p. 58.

# INDEX

# POSTFACE

Au moment où le présent ouvrage allait sous presse, j'ai assisté à une conférence au cours de laquelle les résultats très impressionnants d'une étude en double anonymat ont été présentés.

D$^r$ Eugene Wagner, un professeur de biochimie médicale à la Faculté de médecine de l'université d'Indiana (Ball State University), à Muncie (Indiana), était le chercheur principal.

Par suite d'une expérience personnelle avec des produits de l'orge verte, il a entrepris de vérifier si l'on pouvait affirmer, à juste titre, que ce genre de produit alimentaire renforçait le système immunitaire.

Trente-deux étudiants ont participé à l'étude. Ils ont été répartis au hasard en deux groupes de 16. Un groupe a pris trois cuillerées à thé (6 g) d'une marque populaire d'orge verte chaque jour. Le groupe de contrôle a pris une poudre de riz de couleur verte.

Après 71 jours, on a prélevé du sang de chacun des participants, et une formule leucocytaire FSC a été effectuée et comparée à leur analyse sanguine initiale. La comparaison a démontré que, chez les étudiants qui avaient pris de l'orge, deux composantes de la première ligne de défense du système immunitaire, les granulocytes neutrophiles et leurs compléments, étaient statistiquement considérablement différentes de celles du groupe de contrôle. Ces composantes se situaient à la partie supérieure de la norme acceptée.

En se fondant sur ces résultats, on a pu formuler l'hypothèse que, de fait, la première ligne de défense du système immunitaire des étudiants qui avaient pris de l'orge était plus forte à la fin de l'étude qu'au début de celle-ci. Cela pouvait également expliquer un autre fait important : seulement deux des 16 étudiants ont éprouvé des infections des voies respiratoires supérieures durant cette période, tandis que dix des 16 étudiants du groupe de contrôle ont éprouvé des problèmes respiratoires similaires.

# NOTES